ACCESO GRATIS *a la Lectura en la Nube*

Para visualizar el libro electrónico en la nube de lectura envíe junto a su nombre y apellidos una fotografía del código de barras situado en la contraportada del libro y otra del ticket de compra a la dirección:

ebooktirant@tirant.com

En un máximo de 72 horas laborables le enviaremos el código de acceso con sus instrucciones.

La visualización del libro en **NUBE DE LECTURA** excluye los usos bibliotecarios y públicos que puedan poner el archivo electrónico a disposición de una comunidad de lectores. Se permite tan solo un uso individual y privado

LA PROFESIONALIZACIÓN EN LA CONTRATACIÓN PÚBLICA ESTRATÉGICA

LA PROFESIONALIZACIÓN EN LA CONTRATACIÓN PÚBLICA ESTRATÉGICA

Jaime Rodríguez-Arana
Enrique Díaz Bravo
Directores

tirant lo blanch
Valencia, 2023

© VV.AA.

© TIRANT LO BLANCH
EDITA: TIRANT LO BLANCH
C/ Artes Gráficas, 14 - 46010 - Valencia
TELFS.: 96/361 00 48 - 50
FAX: 96/369 41 51
Email: tlb@tirant.com
www.tirant.com
Librería virtual: https://editorial.tirant.com/cl/
ISBN: 978-84-1147-763-5
MAQUETA: Innovatext

Si tiene alguna queja o sugerencia, envíenos un mail a: *atencioncliente@tirant.com*. En caso de no ser atendida su sugerencia, por favor, lea en *www.tirant.net/index.php/empresa/politicas-de-empresa* nuestro Procedimiento de quejas.

Responsabilidad Social Corporativa:
http://www.tirant.net/Docs/RSCTirant.pdf

Colección Contratación Pública Iberoamericana

Directores

Dr. Enrique Díaz Bravo
Investigador Posdoctoral "María Zambrano",
Facultad de Derecho, Universidad de Sevilla, España

Dr. José Antonio Moreno Molina
Catedrático de Derecho Administrativo,
Universidad de Castilla – La Mancha, España

Consejo Académico:

Dr. Michele Cozzio
Professore Facoltà di Giurisprudenza, Università degli Studi di Trento
y Director del Osservatorio di Diritto Comunitario e Nazionale sugli Appalti Pubblici, Italia

Dr. Nuno Cunha Rodríguez
Vice-Presidente do Instituto Europeu y Professor Associado
da Faculdade de Direito da Universidade de Lisboa, Portugal

Dr. Roberto Galán Vioque
Profesor Titular de Derecho Administrativo, Universidad de Sevilla, España

Dr. José María Gimeno Feliú
Catedrático de Derecho Administrativo, Universidad de Zaragoza
y Codirector del Observatorio de Contratación Pública de España

Dra. Vivian López Lima
Professora Titular de Direito Administrativo
da Pontifícia Universidade Católica do Paraná, Brasil

Dr. Miguel Alejandro López Olvera
Investigador Titular del Instituto de Investigaciones Jurídicas,
Universidad Nacional Autónoma de México

Dr. Jorge I. Muratorio
Director del Observatorio de Contratación Pública de Argentina
y socio del Estudio O'Farrell, Argentina

Dr. Juan Carlos Morón Urbina
Profesor de Derecho Administrativo, Pontificia Universidad Católica del Perú
y socio del Estudio Echecopar, Perú

Prof. Aníbal Rodríguez Letelier
Decano de la Facultad de Derecho, Universidad Santo Tomás de Chile
y socio del Estudio Mackenna y Cruzat, Chile

Dr. Jaime Rodríguez-Arana Muñoz
Catedrático de Derecho Administrativo, Universidad de La Coruña
y Presidente del Foro Iberoamericano de Derecho Administrativo

Dra. Patricia Valcárcel Fernández
Catedrática de Derecho Administrativo, Universidad de Vigo, España

Autores

Jaime Rodríguez-Arana Muñoz

*Catedrático de Derecho Administrativo,
Universidad de A Coruña y Director General de la Red Iberoamericana
de Contratación Pública*

José María Gimeno Feliú

*Catedrático de Derecho Administrativo,
Universidad de Zaragoza y Codirector del Observatorio de Contratación
Pública de España*

José Antonio Moreno Molina

*Catedrático de Derecho Administrativo,
Universidad de Castilla-La Mancha y Codirector del Observatorio
de Contratación Pública de España*

Patricia Valcárcel Fernández

*Catedrática de Derecho Administrativo,
Universidad de Vigo*

Teresa Medina Arnáiz

*Profesora Titular de Derecho Administrativo,
Universidad de Burgos*

Christian Campos Monge

*Profesor Magíster en Derecho Público,
Universidad Santo Tomás de Chile*

Juan Carlos Morón Urbina

*Profesor de Derecho Administrativo,
Pontificia Universidad Católica del Perú*

Enrique Díaz Bravo

*Profesor e Investigador Postdoctoral "María Zambrano",
Universidad de Sevilla. Director Ejecutivo de la Red Iberoamericana
de Contratación Pública*

Índice

LA IMPRESCINDIBLE PROFESIONALIZACIÓN PARA UNA COMPRA PÚBLICA RESPONSABLE Y SOSTENIBLE

PROFESIONALIZAR LOS MECANISMOS DE CONTROL DE LA CONTRATACIÓN PÚBLICA: RELEVANCIA DE OBSERVAR LOS PRINCIPIOS DE MÉRITO Y CAPACIDAD EN LA SELECCIÓN DE LOS MIEMBROS DE LOS ÓRGANOS QUE CONOCEN DEL RECURSO ESPECIAL EN MATERIA DE CONTRATACIÓN

LA NECESARIA PROFESIONALIZACIÓN COMO APUESTA PARA UNA COMPRA PÚBLICA DE FUTURO

PROFESIONALIZACIÓN EN CONTRATACIÓN PÚBLICA: ¿POR DÓNDE EMPEZAR?

LA CONSTANTE ASPIRACIÓN HACIA LA PROFESIONALIDAD EN LAS COMPRAS PÚBLICAS: ESTADO DE LA CUESTIÓN

LA PROFESIONALIZACIÓN: CONDICIÓN *SINE QUA NON* DE LA CONTRATACIÓN PÚBLICA ESTRATÉGICA

PRESENTACIÓN

Durante la última década, la contratación pública ha evoluciona-do. Ha dejado de ser un proceso con un enfoque netamente adminis-trativo y económico para la adquisición de bienes, servicios y obras, para convertirse en un área estratégica para el desarrollo humano y sostenible de nuestros países.

Esta importante función que ejerce el Estado representa aproxi-madamente el 30% del gasto público en los países iberoamericanos; porcentaje que, si lo invertimos adecuadamente con integridad, efi-ciencia y calidad, podremos cambiar la historia y, recuperar la con-fianza ciudadana en la gobernabilidad democrática.

Si bien, la contratación pública ha sido un área controversial, aso-ciada con la corrupción, esto no debe sesgar su verdadero propósi-to de procurar el bienestar social. La corrupción es emanada por la ausencia de valores y principios; la indiferencia y ambición hacia lo público; y, la falta de cohesión y justicia social.

Si invertimos nuestros esfuerzos y recursos en fortalecer la capaci-dad institucional y técnica de nuestros países; con objetivos, metas, y el uso de mecanismos de evaluación, monitoreo y medición, basados en el mejor desempeño; podremos reducir entonces los riesgos de ineficiencia y las oportunidades que abren la puerta a la corrupción. Riesgos siempre van a existir; pero el riesgo más grave, es que no ha-gamos nada para mitigarlos.

Esto, exige la necesidad de transformar nuestra mirada con lide-razgo público y propósito. De tomar decisiones más valiosas e inclu-sivas que, permitan reivindicar los derechos y dar mayor visibilidad a las mujeres; a las micro, pequeñas y medianas empresas (MIPYMES); a las personas en condición de discapacidad, entre otros actores en situación de vulnerabilidad. Recordemos que las decisiones de gasto no pueden ignorar el contexto de nuestros países.

Así mismo, es necesario crear los habilitantes adecuados para ge-nerar soluciones más innovadoras, sostenibles y efectivas; sin embargo, si queremos impulsar las acciones que lo hagan posible, no basta con seguir practicando las tradicionales formas de operar.

No podemos seguir evolucionando si no asumimos compromisos más profundos. Debemos fomentar el aprendizaje continuo; redefinir las lógicas de acción; y, diseñar procesos de gestión más efectivos, que impliquen una mayor empatía, apertura, una mayor investigación y análisis, y un mayor pensamiento crítico y preventivo.

La profesionalización debe exhortar un cambio de cultura; fortalecer el saber hacer y el saber ser del funcionariado público; debe fomentar y transmitir la práctica de valores y principios como la trascendencia, integridad pública y empresarial, ética, transparencia, apertura, sostenibilidad e innovación. No basta con adoctrinar en el procedimiento y la ley. El comprador público debe inspirar y convertirse en un gestor de la contratación pública para actuar como agente de cambio y garante del buen uso de los recursos públicos con calidad.

Por otro lado, es menester fomentar la colaboración entre las demás instituciones del gobierno y actores multisectoriales; y articular esfuerzos con liderazgo, don de servicio y corresponsabilidad.

La sociedad civil, el sector privado, la academia y los organismos internacionales/multilaterales, también cumplimos un rol estratégico. Juntos, debemos incidir en el cambio de nuestras sociedades; generar aquellas iniciativas que nos permitan transformar el propósito de la economía; fortalecer capacidades; impulsar la generación de soluciones hacia el triple impacto[1] con enfoque de valor por dinero; y, encaminar acciones hacia el cumplimiento de los planes de desarrollo, las políticas sectoriales y los Objetivos de Desarrollo Sostenible (ODS).

Bien lo establece la Declaración de la Red Interamericana de Compras Gubernamentales (RICG), a través de sus recomendaciones, cuando eleva a la "Contratación Pública como área estratégica

---

[1]   Hace referencia a las 3 dimensiones de la sostenibilidad: ambiental, social y económico.

para la generación de un mayor valor público y un mejor acceso a derechos de la Ciudadanía" (2021)[2].

Hoy, debemos construir el futuro. Afianzar las políticas sectoriales con la contratación pública. Empezar la sensibilización y los procesos de pedagogía desde la infancia; para que, a través de los centros educativos, se formen ciudadanos(as) líderes, participativos, solidarios, inclusivos, comprometidos con el bien público y el cuidado al medio ambiente. Si no actuamos sistémicamente, será muy difícil alcanzar el desarrollo humano y, garantizar el bienestar y la calidad de vida de las próximas generaciones.

Tenemos en nuestras manos una importante labor. En alianza, trabajando para el logro de objetivos comunes hacia el mismo propósito, podremos generar esos habilitantes que nos permitan seguir avanzando.

Desde la gestión pública y la academia, a través de la alianza entre la Organización de los Estados Americanos (OEA), como secretaría técnica de la RICG; la RICG, a través de su presidencia, y la Red Iberoamericana de Contratación Pública (REDICOP), estamos muy comprometidos en seguir articulando esfuerzos; con el fin de incidir continuamente en el fortalecimiento de capacidades institucionales y la profesionalización del gestor de la contratación pública, a través de la cooperación, el intercambio y generación de conocimiento, y la evolución hacia nuevas perspectivas y visiones en nuestros países iberoamericanos.

María Sara Jijón
Presidenta RICG
Directora Servicio Nacional de Contratación Pública
Gobierno de Ecuador

Helena Fonseca
Coordinadora Programa de Compras Públicas
Organización de los Estados Americanos (OEA)
Secretaria Técnica RICG

---

[2]   La Declaración RICG ha sido elevada como mandato de la IX Cumbre de las Américas 2022 -Resolución "Plan de Acción sobre Gobernabilidad Democrática"; y de la Resolución "Fortalecimiento de la Democracia" de la Asamblea General de la OEA 2022.

PROFESIONALIZACIÓN EN LA CONTRATACIÓN PÚBLICA

Jaime Rodríguez-Arana Muñoz
Universidad de A Coruña

SUMARIO: I. INTRODUCCIÓN; II. LA CONTRATACIÓN PÚBLICA: INSTRUMENTO DE POLÍTICA PÚBLICA; III. LA PROFESIONALIZACIÓN: UNA FUNCIÓN ESENCIAL PARA LA REFORMA Y MODERNIZACIÓN ADMINISTRATIVA; IV. LA PROFESIONALIZACIÓN EN EL MARCO DE LA CONTRATACIÓN PÚBLICA ESTRATÉGICA; V. ESPECIAL REFERENCIA A LA DIMENSIÓN ÉTICA EN LA PROFESIONALIZACIÓN DE GESTORES Y DIRECTIVOS DE LA CONTRATACIÓN PÚBLICA; VI. LA RECOMENDACIÓN DE LA UNIÓN EUROPEA DE 2017 SOBRE PROFESIONALIZACIÓN DE LA CONTRATACIÓN PÚBLICA; VII. REFLEXIÓN CONCLUSIVA.

I. INTRODUCCIÓN[1]

La profesionalización de la Administración pública es una de las dimensiones, uno de los aspectos más importantes de su reforma y modernización pues contar con personas preparadas que ingresan y progresan en la carrera de acuerdo con la idoneidad, el mérito y la capacidad es, como se comprueba a diario, garantía de objetividad y acierto en el trabajo del sector público. Los países que han implementado sistemas de profesionalización integrales y dinámicos que garanticen el ingreso y la progresión en la carrera a través de estos estándares, son quienes mejor están en condiciones de implementar políticas públicas que realmente mejoren las condiciones de vida de los ciudadanos.

---

[1] Este estudio se ha elaborado a partir de un trabajo encargado por la Fundación Konrad Adenauer sobre la profesionalización de la contratación pública en la Unión Europea con especial referencia a experiencias españolas relevantes.

Gobiernos y Administraciones, desde hace décadas, buscan profesionalizar más y mejor a las personas que laboran en el sector público. En unos casos sometiendo el acceso a la función pública a pruebas selectivas en las que se incluyen planes de formación específicos. En otros, para las personas que ya forman parte de la estructura administrativa, capacitándolas para determinadas funciones. Es el caso de los programas especiales de capacitación para personal directivo, para personal de gestión económico-financiera, y también para personal encargado de gestionar, dirigir y trabajar en la contratación pública.

Hoy, en un tiempo en que la contratación administrativa va más allá de ser una mera categoría jurídico-administrativa para convertirse en un instrumento de política pública relevante por su conexión a objetivos sociales, medioambientales, de combate a la corrupción, la preparación exigible a quienes manejan y trabajan al interior de estos procedimientos trasciende las cuestiones técnicas para adentrarse en otros conocimientos y competencias que requieren de singulares procesos de capacitación y, también, de selección. Asunción y compromiso con los valores del Estado social y democrático de Derecho, altos estándares de ética pública y firme convicción, junto al perfecto manejo de la normativa, de que la clave de una buena contratación reside en que los bienes, infraestructura so servicios que se ponen a disposición de la sociedad, mejoren las condiciones de vida de sus usuarios.

En efecto, en esta materia cobra especial relevancia la dimensión ética puesto que, en muchos países, también en la Unión Europea, la contratación pública es una de las principales causas de la corrupción reinante. De ahí que los gestores y directivos, y todo el personal que trabaja en los procedimientos de contratación, deban estar adiestrados y concienciados con los más elementales valores de la ética del servicio público. Por eso, estos programas y planes de capacitación y formación específica deben contar con módulos de ética pública en los que se ayude a resolver los principales dilemas que la práctica plantea en la cotidianeidad.

Como es sabido, el primer antecedente de carácter internacional que se refiere a la necesidad de la profesionalización en la contratación es un documento de la OCDE de 2009 sobre la integridad en la contratación pública. La OCDE entiende que la contratación pública debe considerarse como una profesión estratégica que desempeña una función central en la prevención de la mala gestión y en minimizar las posibilidades de corrupción en el uso d fondos públicos. Por ello, generar profesionalidad entre los responsables de contratación con un conjunto común de normas profesionales y éticas, como señala el Informe de diciembre de 209 de la Oficina de regulación y supervisión de la contratación pública del reino de España, es de gran importancia, no solo como función administrativa, al objeto de la obtención de una auténtica integridad.

Por otra parte, en el ámbito europeo, la Directiva 2014/24/UE de 26 de febrero, cuando se refiere a las compras agregadas, se refiere a la necesidad de mejorar y profesionalizar la gestión de la contratación de modo que, al tratarse de grandes cantidades, estas técnicas pueden contribuir a ampliar la competencia y deben atender a profesionalizar el sistema público de compras. En este sentido, como señala la Directiva, una mejor orientación, información y asistencia a los poderes adjudicadores y a los agentes económicos contribuye en gran medida a hacer más eficiente la contratación gracias a mejores conocimientos, a una mayor seguridad jurídica y a la profesionalización de las prácticas de contratación.

La Recomendación de la OCDE de 2015 sobre contratación pública, como es sabido, y más adelante comentaremos, insta a sus Estados miembros a asegurarse de que los profesionales de la contratación tengan un alto nivel de integridad, capacitación técnica y aptitud para la puesta en práctica, a ofrecer a los profesionales de la contratación pública un sistema de carrera atractivo, competitivo, basado en el mérito, estableciendo vías de acceso según méritos claros, brindando protección frente a la injerencias políticas en el procedimiento de contratación pública, y promoviendo en las escenas nacional e internacional las buenas prácticas para los sistemas de carrera profesional con el fin de mejorar el rendimiento de los empleados. Además, la OCDE, insta a sus miembros asociados a fomentar la adopción de enfoques colaborativos con entidades como universidades, *think tanks* o centros políticos para mejorar las capacidades y competencia del personal de contratación pública

En efecto, la OCDE desde 2009 y la UE en 2017, a partir de la Recomendación de la Comisión europea especialmente, recomiendan que los Estados asuman proyectos integrales de profesionalización en materia de contratación pública, apostando por formar profesionales que dispongan de los conocimientos, competencias y aptitudes necesarios para entender lo que hoy se denomina contratación estratégica en un marco de crecimiento económico inteligente, sostenible e integral.

Finalmente, el Comité Económico y Social Europeo emitió un Dictamen el 15 de febrero de 2020 analizando la Recomendación europea de 2017 en la que se indica que es esencial avanzar con resolución hacia una gran profesionalización de los servicios contratantes y un claro reconocimiento de las cualificaciones adquiridas, equipándolos con un marco común europeo de competencias técnicas e informáticas que hagan posible un enfoque común en todo el mercado interior europeo. Es tal la importancia de la materia que el Comité Económico y Social destaca en su informe que más que una Recomendación se debería haber aprobado un Directiva a fin de garantizar una estructura efectiva y coherente para la profesionalización de la contratación pública.

En España, la vigente Ley de contratos del sector público de 8 de noviembre de 2017 dedica dos breves consideraciones a la profesionalización en el marco del artículo 334 en materia de estrategia nacional de contratación. Ente los aspectos que debe abordar dicha estrategia se encuentra la promoción de la profesionalización en contratación pública mediante actuaciones de formación de personal del sector público, especialmente en Entidades que carecen de personal especializado, a partir del diseño de un plan específico en materia de formación en contratación pública y otras actuaciones complementarias, siempre para incrementar la profesionalización de los agentes públicos que participan en procesos de contratación.

En este sentido, en los años 1990-1996, época en la dirigí la Escuela Gallega de Administración Pública, justo en los primeros años de funcionamiento de la institución, pusimos en práctica un diploma para dirigir en la Administración pública que contaba con conocimientos específicos de contratación pública pues la función de rectoría en el sector público no es posible desempeñarla adecuadamente sin una especial preparación para conducir los procesos de contratación pública.

La Administración electrónica opera también en el ámbito de la contratación y debe ser concebida para garantizar los principios propios de esta materia: igualdad, no discriminación, transparencia, publicidad, concurrencia, eficiencia. Por eso, disponer d funcionarios bien preparados en la tramitación electrónica de los expedientes de contratación es crucial para una buena gestión contractual, sobre todo para que las decisiones que se van adoptando a lo largo del procedimiento, también en la ejecución, proyecten en lo concreto dichos principios

II. LA CONTRATACIÓN PÚBLICA: INSTRUMENTO DE POLÍTICA PÚBLICA

La Administración pública, bien lo sabemos, actúa ordinariamente de forma unilateral o bilateral. A través de actos y normas, y también buscando el concurso y la colaboración de terceros, de la iniciativa privada, de la iniciativa social. Las políticas públicas son tareas o quehaceres a cargo de los poderes públicos que se destinan, de una y otra forma, a través de las diferentes técnicas disponibles, a la mejora de las condiciones de vida de los ciudadanos. Esto es así, entre otras razones, porque en la democracia, el gobierno del, para y por el pueblo, el complejo Gobierno-Administración, debe estar y actuar al servicio objetivo del interés general.

La actividad contractual que realizan las diferentes Administraciones públicas consiste en ofrecer los mejores bienes, infraestructuras y servicios públicos posibles a los ciudadanos contando con la colaboración del sector privado. Primero porque tales actividades ordinariamente no se pueden realizar directamente por la propia Administración en dignas condiciones y, segundo, porque, de esta manera, se asocia a la sociedad en la función de servicio al interés general, que ni es privativa de la Administración ni sólo a ella concierne. También, por ello, la profesionalización en la contratación debe ser una tarea que compromete no sólo a las Autoridades públicas sino, también, y mucho, a quienes dirigen las empresas privadas, especialmente a los departamentos de compras.

En este contexto, conviene subrayar que la Administración cuándo contrata con empresas la realización de obras o servicios dispone de una posición jurídica especial que le permite disponer de una serie de poderes que sólo se justifican en la medida en que previamente estén explicitados en lo concreto en razones de interés general. Por tanto, a través de la contratación del sector público es posible, y deseable, que los ahora llamados poderes adjudicadores garanticen efectivamente que esa forma de prestar los servicios o de construir obras o infraestructuras públicas se realice desde los postulados del servicio objetivo al interés general.

En efecto, de esta manera la Administración puede diseñar en los pliegos de los contratos compromisos sociales tan relevantes como la protección medioambiental, la prohibición del trabajo infantil o, los postulados del comercio justo, la lucha contra la discriminación o contra la corrupción. Obviamente, para que esto sea así es menester contar con responsables de contratación, en el sector público y en la empresa, conscientes de la relevancia de estos objetivos de política pública.

En este sentido, ya la Directiva 2004/18/CE, del Parlamento Europeo y del Consejo de 31 de marzo de 2004 sobre coordinación de los procedimientos de adjudicación de los contratos de obras, suministros y servicios, señalaba que es necesario calificar "de qué modo pueden los poderes adjudicadores contribuir a la protección del medio ambiente y al fomento del desarrollo sostenible". Es decir, la Administración pública cuándo contrata, por su mismo compromiso con el servicio objetivo del interés general, debe fomentar y facilitar, la realización concreta en la cotidianeidad de los valores del propio Estado social y democrático de Derecho, entre los que están la protección del medio ambiente y el fomento del desarrollo sostenible.

En este contexto, la contratación como instrumento de política pública debe contribuir a una mayor humanización de la realidad pues es posible, vaya si lo es, diseñar las técnicas contractuales de manera que la centralidad de la dignidad del ser humanos brille por su presencia. Simplemente y, por ejemplo, con establecer estímulos fiscales a las más variadas expresiones del denominado comercio justo, ya estaríamos trabajando en esa dirección.

Conjugar, dentro de la juridicidad, eficacia-eficiencia con sensibilidad social, es uno de los horizontes más relevantes que en el presente ofrece la contratación pública en orden a la puesta a disposición de la sociedad de bienes y servicios de calidad, para todos y a precios asequibles.

El trípode necesario para sostener una política pública digna de tal nombre viene determinado por la buena preparación profesional, la capacidad de entendimiento y el respeto a las normas éticas. Eso significa, en materia contractual, que los pliegos deben estar bien diseñados, que deben ser realistas, presididos por una forma participativa de entender el bienestar y con elevados patrones de ética pública en sus contenidos.

En este sentido, las políticas públicas de contratación pública se nos presentan como instrumentos adecuados a través de los cuáles, con pleno respeto por supuesto a la juridicidad, es posible contribuir de manera directa y tangible a un mayor compromiso social concretado en el comercio justo, en el fomento de la conciliación laboral, en la protección ambiental o, entre otros, en la promoción del empleo o en el combate a la corrupción. Es decir, la contratación pública tiene características y peculiaridades que, desde la cláusula del Estado social y democrático de Derecho, pueden traducirse en estos objetivos de tanta relevancia social.

III. LA FORMACIÓN PERMANENTE: UNA FUNCIÓN ESENCIAL PARA LA REFORMA Y MODERNIZACIÓN ADMINISTRATIVA Y PARA LA PROFESIONALIZACIÓN

La gestión ordinaria de los expedientes de contratación debe realizarse al servicio objetivo del interés general, formulación que caracteriza la entera actuación de la Administración pública como persona jurídica y también de la tarea que realizan cotidianamente quienes conducen la contratación pública.

Aprendizaje permanente y ejercicio permanente de las cualidades humanas deben adornar la conducta de un funcionario público.

Mentalidad abierta, metodología del entendimiento, preparación técnica, sensibilidad social, compromiso con los valores éticos y democráticos y, conocimiento de la realidad, son rasgos esenciales para dirigir en el siglo XXI, también en el sector público y, especialmente, los procesos de contratación pública. En este sentido, no se puede olvidar que los funcionarios del siglo XXI ya no son esos rígidos tecnócratas que se limitan a la mera aplicación de unas normas perfectamente delimitadas. Hoy, el nuevo administrador público, sobre todo en materia de contratación, es un artesano que debe actuar con prudencia y que debe ser consciente de la trascendencia de las decisiones que adopta, en un contexto de pensamiento dinámico, plural, abierto y complementario.

La formación continua de los dirigentes públicos, de quienes conducen los procedimientos de contratación, es una de las claves de la reforma administrativa en esta materia. Por una parte, como sabemos, el proceso del aprendizaje no termina nunca y, por otra, la adecuada preparación técnica y humana de los dirigentes públicos acrecienta la conciencia de servicio de la Administración pública a los ciudadanos en una materia como la contratación en la que es esencial ofrecer a los usuarios bienes, infraestructuras y servicios públicos de calidad que contribuyan a la mejora de las condiciones de vida de los ciudadanos.

Por eso, es muy importante el papel que, en mi opinión, tienen las Escuelas de Administración Pública. Deben ser centros de enseñanza que promuevan la mejor preparación técnica posible en un entorno de promoción de los valores del servicio público y de los objetivos del Estado social y democrático de Derecho. En este sentido, la formación y capacitación específica en materia de contratación pública es crucial para contar con buenos profesionales que sepan preparar unos pliegos concretos, concisos, completos, que sepan motivar adecuadamente la adjudicación del contrato y que estén en condiciones de velar, durante la ejecución del contrato, por hacer cumplir las obligaciones asumidas por el contratista. En una palabra, estos programas formativos, además de servir para la mejor selección de los gestores o administradores de los contratos públicos, deben habilitar y adiestrar para una buena administración también en materia contractual.

La transcendencia de la educación permanente se acentúa a medida que la Administración se tecnifica y racionaliza la toma de decisiones. Cada vez se hace más imprescindible la competencia profesional, el dominio de las mejores técnicas, la aplicación de nuevos métodos de gestión. La burocracia de las sociedades modernas no se puede contentar con operar a base de rutinas, de precedentes, de tradiciones: ha de mejorar su formación tanto teórica como práctica a fin de saber estar a la altura de los tiempos. Por eso, la educación permanente que, en el ámbito privado, adquiere carta de naturaleza, ha de extenderse a las esferas públicas donde las reformas de esta índole resultan urgentes e inaplazables para conseguir que la gigantesca máquina administrativa de los Estados esté conducida por un elemento humano debidamente entrenado y adiestrado.

La formación no termina nunca, como sabemos muy bien, y el conocimiento es crecimiento, también como persona. Los saberes que se producen a través de las nuevas tecnologías deben ayudar también a mejorar el trabajo diario y a mejorar también el trabajo de las personas que forman parte de la Administración, sin olvidar que hay una dimensión ética muy importante, desde luego, que para la Administración Pública tiene consecuencias muy concretas y que en sede de contratos públicos es especialmente relevante.

Una buena administración de la contratación pública ha de contar con funcionarios preparados técnicamente, con sólidos compromisos éticos y con un sentido de responsabilidad pues a través de este instrumento de política pública han de poner al servicio de la ciudadanía, de los usuarios, bienes, infraestructuras y servicios que les permitan mejorar sus condiciones de vida. Para ello deben comprender que la dirección de los procedimientos y procesos contractuales en el sector público tiene varias exigencias.

Primera, trabajar es aprender. Dirigir es enseñar. Trabajar es aprender porque el aprendizaje es permanente, constante y no se puede deslindar el trabajo del aprendizaje porque son conceptos complementarios. También en el área de la contratación en el sector público es aplicable esta consideración pues en estos departamentos es fundamental trabajar en un contexto de mejora del conocimiento, de aprender de las experiencias comparadas, de la elaboración de las mejores prácticas.

En segundo lugar, una organización inteligente es una comunidad de investigación y aprendizaje. Permanentemente tenemos que analizar, buscar las causas de lo que sale bien, de lo que sale mal y tomar decisiones. Y a la hora de los diagnósticos, de los análisis, tenemos que contar con toda la organización, con todas las personas que trabajan, que están involucradas en los objetivos y en los resultados. En materia de contratación, la reflexión y evaluación del trabajo realizado es fundamental para mejorar en la elaboración de los pliegos, en la transparencia y la publicidad, en la motivación de los actos de adjudicación y en una ejecución limpia y responsable de la ejecución del contrato.

En tercer lugar, las organizaciones públicas poseen una obvia dimensión ética: transparencia, servicio, dignidad humana. La persona en el centro, en el centro de trabajo, tiene que ser la característica que distinga el trabajo de las nuevas organizaciones de la sociedad del conocimiento. Si la persona es una mercancía de usar y tirar, mal asunto. Por eso, también en los departamentos de contratación la forma de dirección ha de atender a esta realidad pues la promoción de un buen ambiente humano es esencial para alcanzar los objetivos señalados.

Y, en cuarto lugar, en las organizaciones inteligentes, la investigación y la gestión se identifican. ¿Por qué? Porque el aprendizaje no termina nunca, la formación no termina nunca y gestionar es aprender, y gestionar, como decía antes, es investigar. El buen gobierno, la buena administración, también en la contratación pública no puede olvidarse de estos criterios tan importantes para intentar conducir con éxito estos procesos tan relevantes para el progreso social y la mejora de las condiciones de vida de los ciudadanos.

IV. LA PROFESIONALIZACIÓN EN EL MARCO DE LA CONTRATACIÓN ESTRATÉGICA

La gestión y administración de la contratación pública en el seno de la Unión Europea, como después comentaremos al amparo de la Recomendación de la Comisión Europea de 2017 sobre profesionalización, reclama el uso eficiente de los recursos públicos, lo que plantea superar el rígido burocratismo imperante y asumir una visión estratégica en la que se incluyan aspectos sociales, ambientales y, por supuesto, de naturaleza ética. Después de lo que hemos observado con ocasión de las compras públicas a partir de marzo para reaccionar ante la pandemia, esta consideración es, si cabe, toda vía más actual e importante.

La OCDE, en la Recomendación del Consejo relativa a la contratación pública reconoce que la contratación es un pilar fundamental de la gobernanza estratégica y de la prestación de servicios, pues se trata de una herramienta o instrumento de política pública que permite orientar los fondos públicos a necesidades reales de la ciudadanía poniendo a disposición de las personas las infraestructuras, los bienes y los servicios más adecuados se mejoren la calidad de vida.

Además, como reconoce la OCDE, dado el volumen de recursos que se destinan a la contratación pública, si esta se gestiona adecuadamente, de acuerdo con los principios de la buena administración, aumenta la eficiencia y eficacia de mismo sector público, hoy todavía bajo mínimos en muchas latitudes, contribuyendo a devolver la confianza de la ciudadanía en lo público, hoy todavía muy baja.

Es evidente que la planeación y la racionalización del gasto en materia de contratación pública supone modernizar los sistemas de compras públicas y, sobre todo, concebir la misma contratación desde un enfoque integral y estratégico, teniendo presente su ciclo completo, en el que hay que tener presente, en el marco de estos procedimientos, aspectos como el presupuestario, la gestión económico-financiera y otros mecanismos de prestación de servicios.

La recomendación de la OCDE parte de una asignación racional y adecuada de los recursos públicos proponiendo que la contratación pública sea una herramienta estratégica. También la OCDE es partidaria de la racionalización del gasto, lo que produce eficiencia en el gasto público: un ahorro solo de un 1% supone 43.000 millones de euros al año en los países de la OCDE. Y, por supuesto, la OCDE plantea eliminar, reducir, los riesgos de la ineficiencia y la corrupción, lamentablemente muy frecuentes en las grandes obras públicas, en las infraestructuras de gran envergadura.

La OCDE recuerda que su recomendación recoge el conocimiento, la perspectiva y la voluntad política comunes de los países miembros por transformar la contratación pública en un instrumento estratégico para la buena administración. En efecto, la planeación y racionalización en la contratación pública son dos exigencias bien claras del derecho fundamental de la persona a una buena administración.

En este sentido, a los efectos de este trabajo, debemos recordar que en la recomendación iii) aconseja desarrollar programas de formación en materia de integridad dirigidos al personal de la contratación pública, tanto del sector público, como del sector privado, para concienciarles sobre las amenazas a la integridad como la corrupción, el fraude, las prácticas colusorias y la discriminación, generar conocimientos sobre las posibles vías para hacer frente a estos riesgos y fomentar una cultura de integridad dirigida a incrementar la corrupción.

Como es sabido, la OCDE ha impulsado diversas iniciativas en materia de profesionalización que deben tenerse en cuenta. En el Foro Global sobre Gobernanza de 2004 sobre "La lucha contra la corrupción y el fomento de la integridad", desde la OCDE se trató sobre la mejora y el posible perfeccionamiento de los diferentes sistemas de contratación. Sus resultados fueron presentados en el Simposio sobre identificación de buenas prácticas de integridad y de resistencia a la corrupción de 2006 donde además de constatar la pertinencia de la visión estratégica en la contratación pública se apuntó a la necesidad de que los Gobiernos apuesten por la profesionalización de los gestores en este sector de la actividad administrativa.

Para la profesionalización es necesario, además de la oportuna y necesaria capacitación, la estabilidad en el puesto de trabajo pues, de lo contrario, tal política pública sería hasta ruinosa para las arcas públicas.

Una buena administración de la contratación pública reclama, es claro, que el personal que labora en la contratación, desde la cabeza rectora hasta los puestos más modestos, esté debidamente profesionalizado. Esto quiere decir que además de las competencias y aptitudes técnicas necesarias, es menester que estas personas comprendan, y asuman, los valores constitucionales del servicio objetivo al interés general que presiden la contratación pública y la necesidad de ofrecer a la ciudadanía bienes, infraestructuras y servicios de calidad que permitan una real mejora de las condiciones de vida de los ciudadanos.

El personal que presta sus servicios en las unidades de contratación del sector público debe disponer de conocimientos legales, pero también de conocimientos técnicos que les permita gestionar adecuadamente los proyectos de contratación y también gestionar los riesgos, una cuestión cada vez más relevante como todos sabemos. Y, además, como hemos destacado ya y después ampliaremos, son necesarios conocimientos y aptitudes éticas. Para conseguir los objetivos de un Estado social y democrático en el marco de la contratación pública es menester que quienes trabajan en este sector de la actividad pública asuman que se encuentran inmersos en la implementación de un instrumento de política pública de gran relevancia.

Es verdad que las Directivas de 2004 no contemplaban la profesionalización con especial referencia. Las de 2014 si lo hacen asumiendo que la contratación es un instrumento de política pública que debe tener presente los objetivos sociales, la protección medioambiental y, por supuesto, el combate a la corrupción. Ahora, la profesionalización debe producirse hacia el sector público y también hacia el sector privado. Tanto las unidades de contratación de los Entes públicos como los departamentos de compras de las empresas deben estar integrados por verdaderos profesionales en sentido amplio.

Tras la Estrategia EUR 2020, ha quedado bien claro que el crecimiento económico al que aspira la Unión Europea debe ser inteligente, sostenible e integrador, lo que supone trabajar más y mejor en innovación, en conocimiento, en menores emisiones de carbono, en mayor eficiencia en el uso de los fondos. en la denominada economía circular y, por supuesto, en una economía con pleno empleo con mayor cohesión social y territorial.

Estas características del modelo de crecimiento elegido por el viejo continente vinculan, es obvio, a la contratación pública que, en este sentido, debe orientarse hacia una mejora de la innovación empresarial, hacia un uso más eficiente de los recursos, hacia una mayor protección ambiental y hacia una mejora del entorno empresarial, especialmente de las pequeñas y medianas empresas innovadoras.

Las Directivas de contratación pública de 2014 apuestan por la simplificación y agilización de los procedimientos, por adjudicaciones con mejores estándares de motivación, por la consecución de objetivos sociales, medioambientales, así como por el avance en la lucha contra la corrupción. Ahora el concepto de oferta más ventajosa económica debe entenderse desde una perspectiva más amplia integrando también factores sociales y medioambientales. Las Directivas de 2014 apuestan por la contratación electrónica y por una mayor flexibilidad en los procedimientos de adjudicación.

Estas nuevas perspectivas implican una mayor y mejor preparación de los directivos y gestores de la contratación pública, así como de sus homólogos del sector privado. Tenemos que pensar en que la publicidad y las motivaciones en los procesos de diálogo competitivo y en los procedimientos negociados, como en las consultas al mercado, reclaman un especial compromiso con la transparencia, la igualdad de trato, la publicidad, la gestión de los riesgos o conflictos de interés.

Por eso es vital que en los programas de formación y capacitación se aborden estas cuestiones de forma sólida y con perspectiva práctica, ayudando quienes participan en ellos a resolver dilemas con un adecuado manejo de la Ética pública.

V. ESPECIAL REFERENCIA A LA DIMENSIÓN ÉTICA EN LA PROFESIONALIZACIÓN DE DIRIGENTES Y GESTORES DE CONTRATOS PÚBLICOS

En las formulaciones recientes sobre la esencia del buen gobierno y de la buena administración suele estar siempre presente la dimensión ética, seguramente porque se ha caído en la cuenta de que el gobierno y la dirección en el sector público, en la medida en que pivota sobre el servicio objetivo al interés general, tiene una fuerte dimensión ética. Efectivamente, la dirección y el gobierno en la Administración pública debe estar orientada al bienestar integral de los ciudadanos y debe facilitar, por tanto, que el pueblo pueda vivir en mejores condiciones de vida, objetivo que está siempre presente en las contrataciones públicas.

La Administración Pública del Estado social y democrático de Derecho es una organización que debe distinguirse por los principios de legalidad, de eficacia y de servicio. Legalidad porque el procedimiento administrativo no es otra cosa que un camino pensado para salvaguardar los derechos e intereses legítimos de los ciudadanos. Eficacia porque hoy es perfectamente exigible a la organización administrativa que ofrezca productos y servicios públicos de calidad. Y servicio, sobre todo, porque no se puede olvidar que la justificación de la existencia de la Administración se encuentra en el servicio a los intereses colectivos, en el servicio del bien común. Por eso, me atrevería a decir que una de las asignaturas pendientes de la Administración pública de nuestro tiempo es la recuperación de la idea de servicio y, eso sí, la necesaria profesionalización de la Administración pública que, en cualquier caso, ha de estar, no sólo abierta a la sociedad, sino pendiente ante las demandas colectivas para ofrecer servicios públicos de calidad.

Estas circunstancias, entre otras muchas, exigen un cambio sustancial en la concepción y actuación de la Administración Pública. Los programas de reforma y modernización de la Administración Pública deben tener como objetivo recuperar esta concepción instrumental de la Administración. Para ello, deben incidir sobre varios elementos claves, como son la introducción de criterios de competencia en la Administración, la desburocratización y simplificación de los procedimientos, la motivación del personal, así como la reducción del gasto público y su gestión de acuerdo con criterios de eficacia y eficiencia, en un marco en el que la Administración pública contribuya decididamente a una constante humanización de la realidad.

La Ética pública es, como la Ética en sí misma, una Ciencia práctica. Es Ciencia porque el estudio de la Ética para la Administración pública incluye principios generales y universales sobre la moralidad de los actos humanos realizados por el funcionario público o del gestor público. Y es práctica porque se ocupa fundamentalmente de la conducta libre del hombre que desempeña una función pública, proporcionándole las normas y criterios necesarios para actuar bien.

La idea de servicio a la colectividad, a la sociedad, en definitiva, a los ciudadanos, es el eje central de la ética pública, como lo es la realización del bien común. Esta idea de servicio al público es el fundamento constitucional de la Administración y debe conectarse con una Administración Pública que presta servicios de calidad y que promueve el ejercicio de los derechos fundamentales de los ciudadanos. Una Administración que se mueva en esta doble perspectiva, debe ser una Administración compuesta por personas convencidas de que la calidad de los servicios que se ofertan tiene mucho que ver con el trabajo bien terminado y de que es necesario encontrar —cuando así sea menester— los derechos y intereses legítimos de los ciudadanos en los múltiples expedientes que hay que resolver. Contribuir a la Administración moderna que demanda el Estado social y democrático significa, en última instancia, asumir el protagonismo de sentirse responsables, en función de la posición que se ocupe en el engranaje administrativo, de sacar adelante los intereses colectivos.

En un Estado social y democrático de Derecho, la Administración ya no es dueña del interés general, sino que está llamada a articular una adecuada intercomunicación con los agentes sociales para definir las políticas públicas. Desde esta perspectiva puede entenderse mejor la función promocional de los poderes públicos, cuya misión es crear un clima en el que los ciudadanos puedan ejercer sus derechos fundamentales y puedan colaborar con la propia Administración en la gestión de los intereses generales.

Los principios éticos para la acción administrativa no deben ser contemplados como restricciones para la actividad pública. No. Deben ser interpretados como garantías para una mejor gestión pública y como una oportunidad importante para que los ciudadanos sean más conscientes de que la Administración es una función de servicio y que únicamente busca la satisfacción de los intereses colectivos.

Los procesos selectivos para el ingreso en la función pública deben estar anclados en el principio del mérito, la capacidad y la idoneidad. Y no sólo el ingreso sino la carrera administrativa, también en la progresión en la carrera funcionarial. Es esencial, capital, contar con personal al servicio de la Administración público, también en el área de la contratación pública con estabilidad.

La formación continuada que se debe proporcionar a los funcionarios públicos ha de ir dirigida, entre otras cosas, a transmitir la idea de que el trabajo al servicio del sector público debe realizarse con rectitud. Las consecuencias de una buena administración de un contrato público son insondables y se refieren a muchas dimensiones, también a la económica por supuesto. En materia de contratación la formación permanente es crucial, pues los cambios operados estos años no sólo en las normas sino en la misma concepción y visión de la contratación reclama una capacitación continua.

Las Administraciones públicas deberán fomentar modelos de conducta que integren los valores éticos del servicio público en la actuación profesional y en las relaciones de los empleados públicos con los ciudadanos, contemplando una serie de valores éticos que han de guiar la actuación profesional de los empleados públicos: voluntad de servicio al ciudadano, eficaz utilización de los medios públicos, ejercicio indelegable de la responsabilidad, lealtad a la organización, búsqueda de la objetividad e imparcialidad administrativa, perfeccionamiento técnico y profesional, etc.

Realmente, el nivel de ejemplaridad y de altura ética que se exige al funcionario, especialmente en materia de contratación, hoy una de las principales causas de corrupción, reclama que las Escuelas de Administración pública presten atención en sus programas docentes a estos temas.

VI. LA RECOMENDACIÓN DE LA COMISIÓN EUROPEA DE 2017 EN MATERIA DE CONTRATACIÓN PÚBLICA

La Recomendación (UE) 2017/1805 de la Comisión de 3 de octubre de 2017 sobre la profesionalización de la contratación pública para construir una arquitectura para la profesionalización de la contratación pública es uno de los documentos más relevantes que existen acerca del tema que estamos estudiando. La figura usada por la Unión Europea es bien gráfica pues sin personal preparado, cualificado, en situación de estabilidad, no es posible edificar sólidamente. Y la contratación, que es uno de los instrumentos de política pública a través de los cuales discurren los objetivos de un Estado social y democrático de Derecho, requiere de fundamentos, de pilares, sobre los cuales levantar el edificio de la contratación.

En esta Recomendación, la Comisión recuerda, en su preámbulo, que la contratación pública es un instrumento para alcanzar un crecimiento inteligente, sostenible e integrador, con impactos económicos relevantes. También recuerda la Recomendación que una contratación pública eficiente, eficaz y competitiva es tanto un referente para un mercado único que funcione adecuadamente como un canal principal para inversiones europeas. Asimismo, se señala en el Documento que estamos glosando que las directivas sobre contratación pública adoptadas en 2014 proporcionan un conjunto de instrumentos que permite a los Estados miembros realizar un uso más eficiente y estratégico de la contratación pública, También la Recomendación nos recuerda que la contratación pública se enfrenta a nuevos desafíos puesto que se espera que cada vez más demuestre la mejor relación calidad-precio en las inversiones públicas en entornos presupuestarios cada vez más restrictivos; que se deben buscar las oportunidades de digitalización y mercados en evolución; que realice una contribución estratégica a los objetivos de política horizontal y valores sociales como la innovación, la inclusión social y la sostenibilidad económica y medioambiental; que se maximice la accesibilidad y que se muestre responsabilidad para minimizar las ineficiencias, el malgasto, las irregularidades, el fraude y la corrupción, así como para crear cadenas de suministro responsables.

Por tanto, es necesario según la Comisión Europea, "garantizar la aplicación eficiente de las normas de contratación pública en todos los niveles para sacar el máximo partido de este instrumento esencial para las inversiones europeas", para lo que es menester, desde el punto de vista de la eficiencia, "garantizar el uso más eficiente de los fondos públicos y que los compradores públicos estén en condiciones de contratar de acuerdo con las normas más exigentes de profesionalidad". Por eso, "mejorar y respaldar la profesionalidad entre los profesionales de la contratación pública puede ayudar a fomentar el impacto de esta en el conjunto de la economía". Es lógico, sin profesionalidad estos objetivos serían obviamente de imposible cumplimiento y realización.

Según la Comisión Europea "el objetivo de la profesionalización de la contratación pública es reflejar la mejora general de toda la gama de cualificaciones y competencias profesionales, conocimientos y experiencia de las personas que realizan o participan en tareas relacionadas con la contratación".

En la Unión Europea, casi la mitad de los Fondos de Cohesión se canaliza a través de la contratación pública. Durante el período 2014-2020, sin contar los Fondos especiales para la crisis del coronavirus, la UE habrá invertido 325 000 millones EUR (casi una tercera parte del presupuesto total de la UE) en las regiones de Europa a través de los Fondos Estructurales y de Inversión Europeos, que tienen como fin promover el crecimiento económico, la creación de empleo, la competitividad y la reducción de las diferencias de desarrollo.

El Documento de trabajo de los servicios de la Comisión (SWD/2015/202) que acompaña a la Estrategia para el Mercado Único estimaba los beneficios económicos potenciales de solventar los problemas debidos a la profesionalización en más de 80.000 millones de euros, una cantidad de dinero público que revela por sí sola las consecuencias tan positivas de una función pública profesionalizada encargada de la gestión y dirección de los procedimientos de contratación en el sector público. La profesionalización según la Comisión Europea cubre "la gama completa de las labores de los funcionarios encargados de las contrataciones que están implicados en cualquier etapa del proceso de contratación, desde la identificación de las necesidades hasta la gestión de los contratos, ya se encuentren en administraciones o instituciones centrales o descentralizadas, con funciones definidas específicamente como relacionadas con la contratación o simplemente responsables de ciertas tareas relacionadas con la contratación, herramientas y apoyo, así como la arquitectura política institucional, que son necesarios para realizar el trabajo de forma eficaz y obtener resultados".

Por consiguiente, en opinión de esta Recomendación de la Comisión de la UE, una política de profesionalización eficaz debe basarse en un planteamiento estratégico global en torno a tres objetivos complementarios: "I. Desarrollar la arquitectura política adecuada para la profesionalización: para tener un impacto real, cualquier política de profesionalización debe contar con un elevado nivel de respaldo político. Esto significa definir claramente a nivel político central la atribución de responsabilidades y tareas de las instituciones; respaldar los esfuerzos a nivel local, regional y sectorial; garantizar la continuación a través de los ciclos políticos; utilizar, cuando sea apropiado, las estructuras institucionales que fomentan la especialización, la agregación y el intercambio de conocimientos. II. Recursos humanos: mejorar la formación y la gestión de la carrera de los profesionales en materia de contratación: los profesionales de la contratación pública, es decir, aquellas personas implicadas en la contratación de bienes, servicios y obras, así como los auditores y funcionarios responsables de la revisión de los casos relacionados con la contratación pública, deben disponer de las cualificaciones, formación, capacidades y experiencia adecuadas necesarias para su nivel de responsabilidad. Esto implica garantizar la existencia de personal con experiencia, capacitado y motivado, ofrecer la formación y desarrollo profesional continuo necesarios, así como desarrollar una estructura de la carrera profesional e incentivos que hagan atractiva la función de la contratación pública y motiven a los funcionarios públicos a lograr resultados estratégicos. III. Sistemas: proporcionar herramientas y metodologías de apoyo de la práctica profesional en el ámbito de la contratación: los profesionales de la contratación pública deben disponer de las herramientas y el apoyo adecuados para actuar de manera eficaz y lograr la mejor relación calidad-precio en cada compra. Esto significa garantizar la disponibilidad de herramientas y procesos para lograr una contratación inteligente, tales como: herramientas de contratación electrónica, directrices, manuales, plantillas y herramientas de cooperación, con la formación, apoyo y experiencia, agregación de conocimientos e intercambio de buenas prácticas correspondientes".

En la presente Recomendación, por tanto, se insta al desarrollo y aplicación de políticas de profesionalización en los Estados miembros, mediante el suministro de un marco de referencia para su examen. El resultado deseado de esta iniciativa es ayudar a los Estados miembros a elaborar la política para la profesionalización a fin de aumentar el perfil, influencia, impacto y reputación de la contratación pública en la consecución de objetivos públicos.

La Recomendación de la UE que estamos comentando se dirige a los Estados miembros y a sus Administraciones públicas principalmente a nivel nacional, aunque "con arreglo a su sistema de contratación centralizado o descentralizado, los Estados miembros deben animar y apoyar en mayor medida a las entidades/poderes adjudicadores para que pongan en marcha iniciativas de profesionalización. Por consiguiente, los Estados miembros deben señalar esta Recomendación a la atención de las entidades responsables de la contratación pública en todos los niveles, así como a las entidades encargadas de la formación de auditores y funcionarios responsables de la revisión de casos de contratación pública".

Es relevante, a los efectos de este estudio, señalar que esta Recomendación de la UE efectúa una definición de la política para la profesionalización de la contratación pública que vale la pena señalar: "Los Estados miembros deben elaborar y aplicar estrategias de profesionalización a largo plazo para la contratación pública, adaptadas a sus necesidades, recursos y estructura administrativa, de manera autónoma o como parte de políticas más amplias de profesionalización de la administración pública. El objetivo es atraer, desarrollar y retener competencias, centrarse en el rendimiento y los resultados estratégicos y aprovechar al máximo las herramientas y técnicas disponibles. Estas estrategias deben: a) dirigirse a todos los participantes pertinentes en el proceso de contratación y desarrollarse a través de un proceso inclusivo a nivel nacional, regional y local; b) aplicarse en coordinación con otras políticas a través de todo el sector público, y c) hacer balance de los desarrollos en otros Estados miembros y a escala internacional".

La necesidad de disponer de personal dedicado a la contratación pública con capacidad de aportar rentabilidad en todo momento se puso de manifiesto también en la Recomendación de la OCDE de 2015 sobre contratación pública. La Comisión Europea en esta Recomendación de 2017, "no pretende prescribir un modelo específico, sino invitar a los Estados miembros y a las administraciones competentes a abordar las cuestiones pertinentes. Existe un reconocimiento claro de que cada uno se encuentra en una etapa diferente de su viaje. No obstante, las nuevas directivas requieren que los Estados miembros garanticen que: a) se disponga, de forma gratuita, de información y orientaciones sobre la interpretación y aplicación de la legislación europea en materia de contratación pública para ayudar a los poderes adjudicadores y operadores económicos, en particular a las pymes; y b) los poderes adjudicadores dispongan de apoyo para la planificación y ejecución de los procedimientos de contratación".

La Recomendación parte de la necesidad de mejorar la formación y la gestión profesional de quienes laboran en la contratación pública. Para ello, "los Estados miembros deben identificar y definir la base de referencia de las capacidades y competencias en las que cualquier profesional de la contratación pública debe ser formado y que debe poseer, teniendo en cuenta la naturaleza multidisciplinaria de los proyectos de contratación, tanto para los funcionarios especializados en contratación como para funciones afines, así como para jueces y auditores, por ejemplo: a) marcos de capacidades y competencias para apoyar los procesos de contratación y gestión de la carrera profesional y diseñar los programas de formación, y b) un marco común de competencias para la contratación pública a escala europea".

La Recomendación de la UE, además, se refiere con un cierto detalle a los programas de capacitación en materia de contratación pública: "Los Estados miembros deben elaborar programas adecuados de formación —inicial y permanente— sobre la base de la evaluación de los datos y las necesidades, así como de marcos de competencias cuando estén disponibles, por ejemplo: a) desarrollar y/o ayudar a desarrollar la oferta de formación inicial, a nivel de pregrado y posgrado, y otra formación básica para la carrera; b) suministrar y/o apoyar una oferta exhaustiva, específica y accesible de formación y aprendizaje permanentes; c) multiplicar la oferta de formación a través de soluciones innovadoras e interactivas o herramientas de aprendizaje electrónico, así como programas de repetición, y d) aprovechar la cooperación académica y la investigación para desarrollar un respaldo teórico firme para soluciones de contratación".

Por lo que se refiere a la gestión de la contratación, la Recomendación señala que "los Estados miembros deben también desarrollar y apoyar la adopción por parte de las autoridades/entidades de contratación de una buena gestión de los recursos humanos, así como programas de planificación de la carrera profesional y motivación específicos para las funciones de la contratación, a fin de atraer y retener a personal cualificado en la contratación pública y animar a los profesionales a proporcionar una mejor calidad y un planteamiento más estratégico en la contratación pública, por ejemplo: a) programas de reconocimiento y/o certificación que identifiquen adecuadamente y recompensen las funciones de contratación; b) estructuras profesionales, incentivos institucionales y apoyo político para lograr resultados estratégicos, y c) premios de excelencia para fomentar buenas prácticas en áreas como la innovación, la contratación pública responsable desde los puntos de vista ecológico y social, o la lucha contra la corrupción".

Obviamente, la Recomendación de la UE también subraya la relevancia de atender en los procesos de profesionalización a las nuevas tecnologías. En efecto, "los Estados miembros deben estimular y apoyar el desarrollo y aceptación de herramientas de TI accesibles que pueden simplificar y mejorar el funcionamiento de los sistemas de contratación, por ejemplo: a) permitir el acceso a información mediante la creación de portales de internet únicos; b) desarrollar herramientas de TI con la formación correspondiente (por ejemplo, para economías a escala, eficiencia energética o trabajo en equipo), o respaldar las soluciones correspondientes orientadas al mercado, y c) promover un planteamiento estratégico para la digitalización a través de la normalización, el intercambio, la reutilización y la interoperabilidad de productos y servicios, especialmente mediante el uso de soluciones de TI existentes disponibles a escala de la UE, así como contribuir al desarrollo de instrumentos tales como un catálogo en línea de normas de TIC para la contratación pública".

En la profesionalización de la contratación, como ya hemos indicado, es menester tener muy presente la dimensión ética. Por eso, la Recomendación de la UE dispone que "los Estados miembros deben apoyar y promover la integridad, a nivel individual e institucional, como parte intrínseca de la conducta profesional, proporcionando herramientas para garantizar el cumplimiento y la transparencia y la orientación para prevenir irregularidades, por ejemplo: a) establecer códigos deontológicos así como cartas para la integridad; b) utilizar datos sobre irregularidades como retroalimentación para desarrollar los correspondientes programas de formación y orientaciones, así como para promover el *self-cleaning*, y, c) desarrollar un documento de orientación específico para prevenir y detectar el fraude y la corrupción, incluso a través de canales de denuncia".

Otro aspecto indisolublemente unido a la creación de un marco estable de profesionalización es la salvaguarda y fortalecimiento de la seguridad jurídica. Por ello, la Recomendación de la UE señala en este sentido, que "Los Estados miembros deben proporcionar orientación, por un lado para ofrecer seguridad jurídica sobre la legislación o los requisitos nacionales y de la UE que se derivan de las obligaciones internacionales de la UE y, por otro lado, para facilitar y fomentar el pensamiento estratégico, el criterio comercial y la toma de decisiones inteligentes/informadas, por ejemplo: a) material de orientación específico, manuales de metodología y depósitos de buenas prácticas y errores más comunes, que estén actualizados, sean fáciles de usar y fácilmente accesibles y estén basados en la experiencia de los profesionales, y b) plantillas normalizadas y herramientas para diversos procedimientos tales como criterios de contratación pública ecológica".

Finalmente, la Recomendación de la UE, señala que "los Estados miembros deben fomentar el intercambio de buenas prácticas y proporcionar apoyo a los profesionales para garantizar procedimientos de contratación profesionales, trabajo cooperativo y la transmisión de conocimientos técnicos, por ejemplo: a) proporcionar ayuda técnica por medio de servicios de asistencia técnica reactivos, asistencia telefónica y/o servicios de correo electrónico; b) organizar seminarios y talleres para compartir nuevos avances jurídicos, prioridades políticas y buenas prácticas, y c) animar a las comunidades de profesionales a través de foros en internet y redes sociales profesionales".

VII. REFLEXIÓN CONCLUSIVA

Probablemente, nadie duda en los tiempos que corren que la profesionalización de la función pública es uno de los presupuestos más importantes para la continuidad de las políticas, y lo que es más relevante, para la consolidación de las democracias. O, en palabras de la Carta Iberoamericana de la función pública, firmada a instancias del Reino de España en Santa Cruz de la Sierra el 27 de junio de 2003, "una Administración pública profesional forma parte del tejido institucional que hace posible el progreso y el bienestar de las sociedades".

La existencia de funcionarios públicos seleccionados de acuerdo con los criterios de mérito, idoneidad y capacidad en el marco de la libre concurrencia constituye, en mi opinión, una condición necesaria para que la Administración pública pueda cumplir la tarea que le es propia y para la que precisa de una cierta autonomía técnica que vendrá preservada precisamente por la profesionalidad de sus empleados. Si convenimos en que pertenece al orden político la determinación o definición de los objetivos de interés general que temporalmente van a regir la vida colectiva de un país, a la Administración pública corresponde implementar las diferentes técnicas que puedan hacer posible el cumplimiento de dichos objetivos generales.

En este sentido, la concepción actual de la contratación pública estratégica reclama unidades y departamentos de contratación en las administraciones públicas y Entes del sector público compuestos por personas con una sólida preparación técnica, con un elevado grado de compromiso con los valores del Estado social y democrático de derecho y con una solvente preparación ética.

Para que la Administración pública cumpla sus fines, bajo la dirección del Gobierno, debe contar con profesionales bien preparados, formados continuamente y que progresan también de acuerdo con el mérito y la capacidad. Quizás por ello se pueda leer en la carta iberoamericana que "una función pública profesional y eficaz es imprescindible para disponer de un sistema administrativo de tal naturaleza". En este sentido, como se ha puesto de manifiesto a lo largo de estas páginas al glosar estratégicos documentos de la OCDE y de la Unión Europea, la profesionalización hoy no es una opción, es una necesidad, y para ello es menester la voluntad política precisa para establecer sistemas de estabilidad que sean necesarios en orden a la continuidad y regularidad de las políticas públicas. El personal de las unidades de contratación no puede estar cambiando constantemente en función del color político de los diferentes Gobiernos.

A veces puede pensarse que es mejor para conseguir los objetivos de interés general que los empleados públicos sean miembros del partido del Gobierno o que cuando menos autonomía tengan, menos dificultades pondrán a la acción del gobierno. Sin embargo, se comprueba continuamente que la existencia de funcionarios profesionales, competentes y bien preparados es también una muy importante garantía para la eficacia de la acción del gobierno, porque una cosa es la lealtad institucional y otra, muy distinta, la lealtad partidista.

Es esta una cuestión de largo plazo que requiere responsables públicos que vean más allá de los estrechos caminos del momento y que tengan un compromiso sólido con los valores democráticos porque como también dice la carta iberoamericana: "en el diseño de los sistemas de empleo público no solo está en juego la eficacia en el funcionamiento de los gobiernos, sino elementos que afectan a la calidad de nuestras democracias". Y hoy, tenemos desafíos y retos que hemos de afrontar desde los postulados genuinos de la democracia, sin concesiones a las tentaciones autoritarias, tan cercanas a quienes están al frente de nuestros ejecutivos.

Finalmente, la profesionalización está en relación directa con la capacitación y formación permanente. Bien sea, a través de la preparación de directivos con sólidos conocimientos de contratación pública pues quien dirige los servicios comunes de un ministerio u organismo público ha de tomar decisiones en esta materia. Es el caso, pionero, del diploma de directivos en la Comunidad Autónoma de Galicia implantado cuando tuve el honor de dirigir ese centro de formación de funcionarios. Bien sea, a través de programas altamente especializados en la materia, como el conducente al título de Experto en contratación pública que imparte el Instituto Canario de Administración Pública del que fui también su primer director.

En el Reino de España, el Informe de la Oficina de Regulación y Supervisión de la contratación pública, adscrita al ministerio de hacienda, correspondiente a 2019, publicado en diciembre del año pasado, una vez analizados los programas de formación y capacitación realizados al interior del Estado, de las Comunidades Autónomas y de los Entes locales, efectúa algunas conclusiones y recomendaciones que es pertinente tener presente en la parte final de este trabajo.

En este sentido, se propone que la profesionalización no debe estar vinculada exclusivamente a la adecuada formación en la materia, más bien ha de contemplarse en el contexto de la carrera administrativa de los empleados públicos en sentido integral, y que sea capaz de combinar los itinerarios formativos pertinentes, junto con los correspondientes incentivos vinculados a la responsabilidades por los profesionales directamente implicados en estas tareas en fase de preparación, tramitación, ejecución contractual o control.

También se pone de relieve que, tras la ley de 2017, que la demanda formativa no pudo ser adecuadamente asumida con la oferta disponible por los centros competentes en términos generales.

Además, se constató que las materias impartidas han resultado insuficientes. Solo excepcionalmente han constituido itinerarios auténticos con capacidad de incentivar y lograr una especialización adecuada, al margen de cursos generales. Sólo uno de los centros formativos cuenta con itinerario formativo para empleados de nuevas promociones que contemple directa o indirectamente formación y prácticas en materia contractual.

Por tanto, es necesario que la unidades y entidades de formación de los empleados públicos sean conscientes de la ausencia de una adecuada oferta formativa ante unas necesidades que han sido demandadas de forma masiva debido a un cambio normativo muy relevante. Por otra parte, este informe recomienda a estos centros y escuelas que amplíen la oferta formativa a niveles no solo básicos y elementales, sino que diseñen un itinerario adecuado para que la oferta incluya auténtica especialización. Y finalmente, el informe recomienda que los centros de formación implementen protocolos de calidad en los que obtengan datos relativos al grado de satisfacción y utilidad de dichas actividades con relación a los puestos de trabajo desempeñados y que dediquen los fondos precisos para esta formación estratégica.

En definitiva, para profesionalizar la contratación, estabilidad funcionarial y formación puntual para los directivos generales en el sector público junto a formación completa para quienes laboran en los departamentos de contratación pública del sector público.

LA NECESARIA POLÍTICA DE PROFESIONALIZACIÓN EN LA CONTRATACIÓN PÚBLICA. ALGUNA REFLEXIÓN PROPOSITIVA

José María Gimeno Feliú[1]
Universidad de Zaragoza

SUMARIO: I. CONTEXTO: LA CONTRATACIÓN PÚBLICA COMO ESTRATE-GIA AL SERVICIO DE POLÍTICAS PUBLICAS. II. LA NECESARIA PROFESIO-NALIZACIÓN Y CAPACITACIÓN COMO PRESUPUESTO DE UNA COMPRA PÚBLICA ESTRATÉGICA. 1. Profesionalización y capacitación como elementos de garantía de una mejor contratación pública. 2. Refuerzo del sistema de control administrativo previo mediante un control independiente. III. A MODO DE CONCLUSIÓN FINAL

I. CONTEXTO: LA CONTRATACIÓN PÚBLICA COMO ESTRATEGIA AL SERVICIO DE POLÍTICAS PUBLICAS

Conviene recordar e insistir en la idea de que la contratación pública se ha convertido en una de las materias claves desde una perspectiva dogmática (directamente relacionada con las señas de identidad del Derecho administrativo) y la gestión práctica en tanto afecta a la correcta eficacia de importantes políticas públicas y tiene un claro impacto desde la perspectiva presupuestaria (o, si se prefiere, de sostenibilidad financiera)[2]. El contrato público es, por tanto, desde el adecuado equilibrio de eficacia, eficiencia e integridad una herra-

---

[1]   Orcid.org/0000-0001-6760-9222. Correo: gimenof@unizar.es
[2]   Sobre el fundamento europeo y la nueva regulación española y sus aspectos prácticos me remito, en extenso, a GIMENO FELIU, J.M. (2019): *La Ley de Contratos del Sector Público 9/2017. Sus principales novedades, los problemas interpretativos y las posibles soluciones*, Aranzadi.

mienta principal para el derecho a la buena administración, que es el alma, en palabras del profesor TORNOS MAS, de la nueva administración[3]. Derecho a una buena administración como nueva brújula de la gestión pública, que exige que la contratación pública sea herramienta determinante para la correcta satisfacción del mismo[4].

Esto explica que la contratación pública —y su fundamento— ha cambiado de forma muy notable en los últimos años. De una visión burocrática de la compra pública, diseñada desde una perspectiva hacendística y con escasa prospectiva se ha evolucionado hacia la idea la contratación pública como "herramienta jurídica al servicio de los poderes públicos para el cumplimiento efectivo de sus fines o sus políticas públicas"[5]. Por ello la contratación pública (que supone

---

[3]   TORNOS MAS, J. (2008): "El principio de buena administración o el intento de dotar de alma a la Administración Pública", libro colectivo Libro Derecho Fundamentales y Otros estudios, Libro Homenaje al prof. Lorenzo Martin-Retortillo, Ed. Justicia de Aragón, Zaragoza, p. 630. Desde una correcta aplicación del derecho a una buena administración no pueden desconocerse las exigencias de "justicia social" sobre las que se cimientan los Objetivos de Desarrollo Sostenible (Agenda 2030 de Naciones Unidas), que deben ser el impulso para rearmar un modelo de crecimiento sostenible, que integre lo social, ambiental y la equidad como señas de identidad del modelo económico para conseguir un adecuado reequilibrio de riqueza y de derechos y deberes, para avanzar en una sociedad realmente inclusiva. Lo que exige, además de la necesaria convicción, planificación, una verdadera estrategia de objetivos realizables a medio y largo plazo (frente a la improvisación) y una visión no meramente "numérica e insensible" sobre los resultados. Vid. GIMENO FELIU, J.M. (2021): *"La agenda de Naciones Unidas entorno a los objetivos de desarrollo sostenible y contratación pública. De las ideas a la acción", en libro colectivo dirigido por J. Esteve Pardo Agenda 2030. Implicaciones y retos para las administraciones locales, Serie Claves del Gobierno Local núm., 32, Fundación y Democracia Gobierno Local, Madrid, pp. 67-100.*

[4]   Por todos, J. PONCE SOLE La lucha por el buen gobierno y el derecho a una buena administración mediante el estándar jurídico de diligencia debida, Universidad Alcalá de Henares (UAH), 2019 , T.R. FERNANDEZ RODRIGUEZ, "El derecho a una buena administración en la sentencia del TJUE de 16 de enero de 2019", Revista de Administración Pública núm. 209, 2019, pp. 247-257 y J.A. MOREMO MOLINA, El derecho a una buena administración, Ed. Universidad Castilla La-Mancha, 2022.

[5]   Las Instituciones europeas insisten en la visión estratégica de la contratación pública: "Comunicación de la Comisión "Europa 2020. Una estrategia para un crecimiento inteligente, sostenible e integrador". En esta línea se posiciona cla-

el 22 por ciento de los presupuestos públicos según los últimos datos) debe ser re-contextualizada desde la perspectiva de inversión y no de gasto. Y como inversión interesa su correcta articulación como actividad estratégica[6]. La perspectiva de eficiencia debe ser siempre contextualizada en el concreto ámbito de la prestación que se demanda, pues las diferentes características del objeto pueden obligar a una solución jurídica distinta. Así ha sido destacado en las CONCLUSIONES DEL CONGRESO GOBERNANZA ECONÓMICA, REGULACIÓN Y ADMINISTRACIÓN DE JUSTICIA (2 y 3 de junio de 2022), organizado por CNMC, CGPJ y RALJ, donde se propone "interpretar el principio de eficiencia como garantía de un adecuado estándar de calidad en la prestación de los servicios a la ciudadanía, asumiendo que la moderna gobernanza económica no puede fundarse en modelos exclusivamente economicistas, sino que debe priorizar el valor frente al precio e identificar, de forma precisa, inversión frente a gasto"[7].

La realidad nos enseña que urge una nueva visión del contrato público alejada de la estricta función administrativa, limitada a la adquisición de una obra, un suministro o un servicio, para diseñar una nueva arquitectura que permita la articulación armónica de los denominados círculos de excelencia —excelencia de servicios (pensar primero en las personas), excelencia de procesos (hacer lo que toca sin burocracia indebida) y excelencia técnica (tener talento y conocimiento). El actual contexto de pandemia y reconstrucción es una ventana de oportunidad para promover un nuevo liderazgo institucional público a través de una adecuada articulación de la política de contratación pública que, además, puede ayudar en la estrategia de mejorar la pro-

---

ramente, por cierto, el Consejo de la Unión Europea, en el documento "Conclusiones del Consejo: Inversión pública a través de la contratación pública: recuperación sostenible y reactivación de una economía de la UE resiliente" (2020/C 412I/01), donde, tras hacer una prospectiva de la contratación pública insiste en la necesidad de su función estratégica.

[6] GIMENO FELIU, J.M. (2020): "La visión estratégica en la contratación pública en la LCSP: hacia una contratación socialmente responsable y de calidad", *Revista Economía Industrial núm. 415,* pp. 89-97.

[7] https://mcusercontent.com/996a241a1277589de1e7f5373/files/44b6c7b5-5fd4-747c-94cf-30e607a9af9b/Conclusiones_Consejo_de_Gobernanza.pdf

ductividad de nuestro modelo económico y, principalmente, servir de "política palanca" para proteger con eficacia los derechos sociales.

Y ello exige, en primer lugar, una correcta contextualización y depuración de los conceptos con un cambio de la filosofía para ir más allá del precio y caminar por la senda de la calidad de la prestación, fijando el acento regulatorio en la correcta ejecución y no tanto en los trámites previos. Y también, aconseja abandonar la idea del precio como único elemento de valoración para la sostenibilidad del modelo de compra pública (en especial de prestaciones dirigidas a personas o servicios públicos esenciales). Una inadecuada política de ahorros desproporcionados puede perjudicar la eficiencia del sistema produciendo ineficiencias o "fuego amigo", como la deslocalización empresarial con pérdida de esfuerzo inversión (lo que afecta directamente a una política esencial como es la de empleo).

Contratación pública estratégica que no debe ser una mera opción sino que debe alinearse con la finalidad de consolidar una compra pública responsable[8], como, en el citado contexto de los Objetivos de Desarrollo Sostenible de Naciones Unidas, se reivindica en la denominada Carta de Zaragoza[9], donde se indica que en el papel de liderazgo en materia de sostenibilidad social y ambiental, el sector público ejerce, mediante este instrumento del contrato público, de motor necesario para vincular el rendimiento económico con el compromiso social y la dirección ética de las empresas, poniendo en valor la gestión empresarial con propósito (así se ha venido destacando, también, por el Foro de Compra Pública Responsable)[10].

---

[8]   Por todos, J.A. MORENO MOLINA (2018): *Hacia una compra pública responsable y sostenible. Novedades principales de la Ley de Contratos del Sector Público 9/2017*, Tirant lo Blanch, Valencia.

[9]   Firmada el 10 de noviembre de 2021 puede consultarse su contenido y adhesiones en: http://www.obcp.es/index.php/noticias/carta-de-zaragoza-manifiesto-por-una-compra-publica-responsable.

[10] La Comisión europea publicó el 20 de mayo de 2021 la Comunicación COM(2021) 245 final, referida a su informe «Aplicación y mejores prácticas de las políticas nacionales de contratación pública en el mercado interior». En el Informe se concluye que "*resulta fundamental aplicar de manera más estricta las consideraciones de la contratación pública estratégica a fin de contribuir a una recuperación integradora, promover una transición justa y fortalecer la resiliencia socioeconómica,*

Para ello hay que superar interpretaciones rígidas y un tanto des-
contextualizadas para, por ejemplo, integrar como regla general en
las cláusulas de los contratos públicos requisitos que contemplen aspectos sociales y medioambientales, superando una estricta vinculación directa al objeto del contrato para combatir la precarización,
deslocalización o falseamiento de la competencia, sin incurrir en
discriminación. Igualmente, medidas para facilitar la participación
de las pymes en la contratación pública y promover la innovación.
Todo ello con una total garantía de integridad salvaguardada por la
transparencia y la competencia. Y en esta línea las condiciones sociales y ecológicas son uno de los principales ejemplos de esta visión
estratégica en la contratación pública desde la perspectiva de la sostenibilidad, claramente amparada por varios de los ODS. Y, en consecuencia, podemos ya afirmar que están admitidos y fomentados por
las instituciones supranacionales, dado que la contratación pública
no es un fin en sí misma, sino que es una "potestad" al servicio de
otros fines de interés general (como son la estabilidad laboral, calidad ambiental, integración social) y que en modo alguno restringen
o limitan la competencia

Por otra parte, no puede olvidarse la necesidad de una adecuada
política de prevención frente a prácticas irregulares o ineficientes
en la contratación pública. Para ello es necesario revisar el modelo de la contratación pública desde el paradigma de la integridad
y buen gobierno[11]. Máxime cuando está en juego la protección del

----

en consonancia con el Pacto Verde Europeo como nueva estrategia de crecimiento para la
UE". El 18 de junio de 2021 se publicó la guía de la Comisión «Adquisiciones
sociales — Una guía para considerar aspectos sociales en las contrataciones
públicas — 2.a edición» (2021/C 237/01), en la que se incide en que "Con el fin
de plantar cara a los retos sociales, las autoridades públicas deben redoblar sus esfuerzos
para obtener buenos resultados en todos los aspectos de la sostenibilidad (sociales y éticos,
medioambientales y económicos)"

[11] ALCALDE HERNÁNDEZ, J.C. (2014): "La nueva normativa de contratación
pública: propuestas de la IGAE para el rigor presupuestario y contra la corrupción", Revista de Obras Públicas: Órgano profesional de los ingenieros de caminos,
canales y puertos, nº 3560, 2, pp. 17-26. En este trabajo se analiza la reforma
normativa de la contratación pública sobrevenida a raíz de la trasposición de las
Directivas Comunitarias argumenta las propuestas que la propia Intervención

derecho fundamental a una buena administración en la aplicación, a nivel europeo, del Derecho de la Unión Europea en materia de contratos públicos (artículo 41 Carta de Derechos Fundamentales de la Unión Europea)[12]. Una gestión transparente de los contratos públicos, como política horizontal, permite explicar a la ciudadanía la gestión de los recursos públicos y, bien practicada, se convierte en la principal herramienta para una gestión íntegra y profesionalizada[13]. Sin olvidar, claro, que esta materia que guarda íntima relación con la cultura de nueva gobernanza[14].

---

del Estado plantea para cumplir sus principales objetivos, que son conseguir el mayor rigor presupuestario y luchar denodadamente contra la corrupción, lo que requiere un control eficaz y exhaustivo de los recursos públicos.

[12]   EL TJUE ha utilizado ya este principio relación a procedimientos de adjudicación de contratos públicos, en la STJUE de 11 de mayo de 2010, *PC-Ware Information Technologies/Comisión*, STJUE de 19 de marzo de 2010 *Europaïki Dynamiki/Comisión Europea* o STJUE de 20 de septiembre de 2011, *Evropaïki Dynamiki/BEI*. Vid. en este sentido, PONCE SOLÉ, J. y CAPDEFERRO VILLAGRASA, O. (2010): "El Órgano administrativo de Recursos Contractuales de Cataluña: un nuevo avance en la garantía del Derecho a una Buena Administración", en BASSOLS COMA, M. (Dir.), *Documentación Administrativa 288: monográfico dedicado a Tribunales Administrativos de Recursos Contractuales*, pp. 193 a 206.

[13]   El Parlamento Europeo, mediante la Resolución de 25 de octubre de 2011, sobre la modernización de la contratación pública (2011/2048(INI), señala que la lucha contra la corrupción y el favoritismo es uno de los objetivos de las Directivas; subraya el hecho de que los Estados miembros afrontan diferentes retos en este aspecto y que con un enfoque europeo más elaborado se corre el riesgo de debilitar los esfuerzos para racionalizar y simplificar las normas y de crear más burocracia; señala que los principios de transparencia y competencia son claves para luchar contra la corrupción; solicita un enfoque común sobre las medidas de "autocorrección" a fin de evitar la distorsión del mercado y asegurar certidumbre jurídica tanto a los operadores económicos como a las autoridades contratantes. Igualmente, resulta de interés la previsión del artículo 9 de la Convención de las Naciones Unidas contra la Corrupción sobre *"Contratación pública y gestión de la hacienda pública"*, donde se incide en las medidas necesarias para establecer sistemas apropiados de contratación pública, basados en la transparencia, la competencia y criterios objetivos de adopción de decisiones, que sean eficaces, entre otras cosas, para prevenir la corrupción.

[14]   El Libro Blanco sobre la Gobernanza Europea aprobado en el año 2001 por la Comisión, la transparencia formaba parte directa de dos de los cinco principios de la denominada buena gobernanza: apertura, participación, responsabilidad, eficacia y coherencia. El objetivo es lograr integrar la transparencia en las pro-

II. LA NECESARIA PROFESIONALIZACIÓN Y CAPACITACIÓN COMO PRESUPUESTO DE UNA COMPRA PÚBLICA ESTRATÉGICA

Para articular una adecuada estrategia en contratación pública, desde la perspectiva de inversión que pone la atención en los resultados, es necesario contar con los adecuados medios materiales y, sobre todo, con la mejor capacitación y *auctoritas,* de los gestores públicos que debe liderar ese nuevo modelo de compra públicas.

En la práctica, sin embargo, nos encontramos con problemas previos, como son una indebida "atomización administrativa" así como con cierta "contaminación política" que puede afectar a la planificación, programación, decisión de adjudicación y vigilancia del cumplimiento del contrato. Esa contaminación ha favorecido las prácticas irregulares en los casos de corrupción detectados, por la clara interrelación entre la autoridad administrativa y la organización del partido político. La profesionalización de la contratación pública refuerza el principio de integridad en tanto puede ser una barrera a la posibilidad de redes clientelares o de "confusión de intereses políticos"[15]. La profesionalización en la esfera de las decisiones públicas puede ser una barrera a la existencia de redes clientelares o de

---

puestas de elaboración de las políticas europeas, permitiendo un grado mayor de participación y apertura de la sociedad civil europea. *Libro Blanco sobre la Gobernanza Europea,* COM (2001), 428, Bruselas, 25 de julio de 2001. Esta nueva no es solo una moda que pasará. Debe ser uno de los paradigmas sobre los que reformar nuestro modelo de organización y actividad administrativa. Vid. GARCÍA MACHO, R. (2010): Presentación del libro, *Derecho administrativo de la información y administración transparente,* Marcial Pons, Madrid, p. 8.

[15] La opción de la Unión Europea sobre esta política de profesionalización de la contratación pública queda muy bien reflejada en la Recomendación (UE) 2017/1805 de la Comisión, de 3 de octubre de 2017, sobre la profesionalización de la contratación pública   Construir una arquitectura para la profesionalización de la contratación pública. (BOE de 7 de octubre). En esta importante Recomendación se recuerda que los Estados miembros deben elaborar y aplicar estrategias de profesionalización a largo plazo para la contratación pública, adaptadas a sus necesidades, recursos y estructura administrativa, de manera autónomas o como parte de políticas más amplias de profesionalización de la administración pública. El objetivo es atraer, desarrollar y retener competencias, centrarse en el rendimiento y los resultados estratégicos y aprovechar al

"confusión de intereses políticos". Sin olvidar, como se ha señalado, con acierto, por J. PONCE, que la ideología puede tener su papel en la Política *(politics)*, pero no lo tiene en la política pública concreta *(policy)* si no supone el correcto ejercicio de la discrecionalidad técnica de gestión[16].

Un control que debe ser eficaz, que preserve los derechos afectados (tutela judicial de primer grado) y que no sea meramente de reparación de daños (tutela se segundo grado). Lo que tiene que ver, por ejemplo, con el rol a desempeñar por los órganos de control externo, que deben abandonar un modelo de "medicina forense" por un modelo de "medicina preventiva y de urgencia". De poco sirve, en un modelo de control en el siglo XXI, con las experiencias ya consolidas, notificar las causas "de una defunción" cuando con otro modelo dicho resultado podría haberle evitado o al menos laminado. Y es que controlar cuestiones formales a plazo vencido aporta poco valor a la función de fiscalización[17].

máximo las herramientas y técnicas disponibles. Para ello se insta a los Estados a elaborar programas adecuados de formación.

[16] Vid. PONCE, J. (2016): "Remunicipalización y privatización de los servicios públicos y derecho a una buena administración. Análisis teórico y jurisprudencial del rescate de concesiones", *Cuadernos de Derecho Local (QDL)*, núm. 40, p. 96. Sobre esta cuestión se insiste en el libro colectivo de CAAMAÑO, F., GIMENO, J.M., QUINTEROS, G., y SALA, P., (2017): *Servicios públicos e ideología. El interés general en juego*, ed. Profit, Barcelona. Una motivación ajena a los intereses públicos (la Sentencia TJUE de 5 de noviembre de 2014, Computer Resources International (Luxembourg) SA. y Comisión Europea, advierte que, "según una jurisprudencia reiterada, el concepto de desviación de poder se refiere al hecho de que una autoridad administrativa haga uso de sus facultades con una finalidad distinta de aquella para la que le fueron conferidas"), puede comportar un vicio de desviación de poder, que invalidará la decisión y que, en sentido amplio, supone un caso de corrupción pública.

[17] GIMENO FELIU, J.M. (2022): "Los fondos next generation y el rol de los órganos de control externo", en libro col. *Auditoría y control de la respuesta al COVID-19 y de la implementación de la iniciativa Next Generation UE*, Civitas.

1. Profesionalización y capacitación como elementos de garantía de una mejor contratación pública[18]

La profesionalización resulta elemento imprescindible para poder cumplir con las exigencias derivadas de la compra pública estratégica[19]. Y debe ser vista como elemento palanca para la mejor movilización del contrato público como inversión[20]. Importancia de

---

[18]　La opción de la Unión Europea sobre esta política de profesionalización de la contratación pública queda muy bien reflejada en la Recomendación (UE) 2017/1805 de la Comisión, de 3 de octubre de 2017, sobre la profesionalización de la contratación pública – Construir una arquitectura para la profesionalización de la contratación pública. (BOE de 7 de octubre). En esta importante Recomendación se recuerda que los Estados miembros deben elaborar y aplicar estrategias de profesionalización a largo plazo para la contratación pública, adaptadas a sus necesidades, recursos y estructura administrativa, de manera autónomas o como parte de políticas más amplias de profesionalización de la administración pública. El objetivo es atraer, desarrollar y retener competencias, centrarse en el rendimiento y los resultados estratégicos y aprovechar al máximo las herramientas y técnicas disponibles. Para ello se insta a los Estados a elaborar programas adecuados de formación.

[19]　Sobre la necesidad de profesionalización en la contratación pública pueden verse los recientes trabajos de VALCÁRCEL FERNÁNDEZ. P. (2020): "La especialización o la profesionalización, la independencia y el liderazgo como elementos clave para el buen funcionamiento del recurso especial en materia de contratación pública español" en libro col. *Contratación pública global: Visiones comparadas*, Tirant lo Blanch, Valencia, pp. 587-615, de GUERRERO MANSO (2021): "La imperiosa necesidad de profesionalización como clave del éxito en la contratación pública. La utilización de la herramienta ProcurCompEU", en libro col. *Observatorio de los Contratos Públicos 2020*, Aranzadi, 2021, pp. 91-125, CANTERO MARTÍNEZ, J. (2020): "La profesionalización de la contratación pública como herramienta de innovación", en libro col. *Administración electrónica, transparencia y contratación pública*, Iustel, Madrid, pp. 197-246 y GARCÍA MEILÁN, J.C. (2020): "Buen gobierno y profesionalización de las compras públicas" en libro col. *Transparencia y participación para un gobierno abierto*, El Consultor de los ayuntamientos, Madrid, pp. 269-289.

[20]　Al respecto resulta de especial interés el trabajo de SANMARTÍN MORA, M.A. (2012): "La profesionalización de la contratación pública en el ámbito de la Unión Europea" en GIMENO FELIU, J.M. (Dir.): *Observatorio de Contratos Públicos 2011*, Aranzadi, Pamplona, pp. 298-318. El Documento de trabajo de los servicios de la Comisión (SWD/2015/202) que acompaña a la Estrategia para el Mercado Único estima los beneficios económicos potenciales de solventar los problemas debidos a la profesionalización en más de 80. 000 millones de euros.

la profesionalización destacada e impulsada desde hace ya más de 10 años por las instituciones europeas[21]. Impulso renovado, como explica GUERRERO MANSO, un marco común aplicable en cada uno de los Estados miembros: ProcurCompEU, por parte de la Comisión Europea, fiel a su objetivo de mejorar la profesionalización de la contratación pública[22]. Este instrumento, que pivota sobre tres elementos básicos (**matriz de competencias, herramienta de autoevaluación y programa de formación**) pretende contribuir a la profesionalización de la contratación pública desde el reconocimiento y apoyo de su función estratégica, la cual le permite generar inversión pública destinada al crecimiento sostenible. Para ello define treinta competencias básicas y proporciona una referencia común a los distintos profesionales que intervienen en la contratación pública, tanto dentro como fuera de la Unión Europea[23].

---

[21] RECOMENDACIÓN (UE) 2017/1805 DE LA COMISIÓN de 3 de octubre de 2017 sobre la profesionalización de la contratación pública "Construir una arquitectura para la profesionalización de la contratación pública".

[22] de GUERRERO MANSO (2021): ob. cit., pp. 110-118. Disponible en https:// ec.europa.eu/info/policies/public-procurement/support-tools-public-buyers/ professionalisation-public-buyers/procurcompeu-european-competency-framework-public-procurement-professionals_es

[23] Como advierte GUERRERO MANSO (2018), "la herramienta tiene también algunos puntos débiles. Uno de ellos es el carácter subjetivo de la autoevaluación, la cual carece de control o verificación posterior. Así, si un profesional se considera injustificadamente como experto en materia de contratos o si, por el contrario, se infravalora y autocalifica sus competencias como básicas, el resultado de la evaluación no será conforme a la realidad ni, por consiguiente, será útil para mejorar la profesionalización de la organización ni del particular. Este riesgo es mayor si los profesionales confunden la finalidad de la autoevaluación y piensan que está vinculada a algún tipo de beneficio o reconocimiento en su trabajo, ya que tenderán a valorarse de manera menos fiel a la realidad. Junto a esto, otro aspecto negativo radica en la necesidad de tiempo y conocimientos previos para realizar de manera adecuada la autoevaluación. Efectivamente, al tratarse de una herramienta larga y detallada, será imposible que un profesional la rellene de manera adecuada si carece de alguno de los mencionados factores, ya que no podrá valorar de forma precisa si cuenta o no con las competencias requeridas en el nivel preciso". ob. cit., p. 118.

La profesionalización se refiere, en primer lugar, a la formación y preparación de todos los sujetos implicados en la contratación[24]. Solo así se puede conseguir una nueva actitud de los gestores que permita abandonar una posición "pasiva" y lanzarse a actuar en el mercado con una visión de sus funciones que se alejan de lo burocrático e incluyen la planificación estratégica y la gestión de proyectos y riesgos (lo que exige cambios en la organización y prospectiva de actuación)[25]. No en vano, al gestor público se le debe exigir una mayor y cualificada diligencia que al gestor privado puesto que "el gestor de fondos públicos está obligado a una diligencia cualificada en la administración de los mismos, que es superior a la exigible al gestor de un patrimonio privado"[26].

Además, y como consustancial a la idea de profesionalización, es fundamental que la actividad de los gestores públicos se atenga a un código ético estricto que evite el conflicto de intereses, y que se les dote de herramientas para detectar las prácticas colusorias y diseñar estrategias que las impidan[27]. Un adecuada profesionalización y "descontaminación política" de decisiones estrictamente administrativas, permitirá garantizar que la evaluación de las necesidades es adecuada (desde un análisis de eficiencia en la decisión final, con el

---

[24] Objetivo que se recoge en la Declaración de Cracovia, que contiene las conclusiones del primer Foro del Mercado Interior celebrado en dicha ciudad los días 3 y 4 de octubre de 2011, y que entre las medidas para mejorar el funcionamiento de la legislación comunitaria sobre contratación pública, propone *profesionalizar el sector de la contratación pública a través de una mejor formación*.

[25] GIMENO FELIU, J.M. (2015): "La reforma comunitaria en materia de contratos públicos y su incidencia en la legislación española. Una visión desde la perspectiva de la integridad", en libro colectivo *Las Directivas de Contratación Pública, número monográfico especial Observatorio de los Contratos Públicos*, Aranzadi, Cizur Menor.

[26] Sentencia del Tribunal de Cuentas de España 16/2004, de 29 de julio. Siendo preciso lo que se ha venido denominando como "agotar la diligencia" como afirma la 4/2006, de 29 de marzo, entre otras.

[27] Comisión Nacional de la Competencia, Guía sobre Contratación Pública y Competencia. Disponible en: http://www.cncompetencia.es/Inicio/Noticias/TabId/105/Default.aspx?contentid=296580. También CERRILLO I MARTINEZ, A. (2014): *El principio de integridad en la contratación pública: mecanismos para la prevención de los conflictos de interés y la lucha contra la corrupción*, Aranzadi, Cizur Menor, 2014 (hay segunda edición de 2018), pp. 192-198.

fin de optar por la más racional desde dicha perspectiva), evitando la provisión innecesaria, mal planificada o deficientemente definida[28]. La profesionalización es, en suma, uno de los factores clave para promover la integridad y reconducir prácticas irregulares de financiación de los partidos políticos[29]. Esta necesidad de profesionalización no incluye solo el sentido de mayor cualificación, sino que implica la re-delimitación de las funciones de políticos y alta función pública (fue clave en Italia tras el fenómeno *anticorrupción Manos Limpias*). Al político, definición de objetivos y control de resultados. Al manager o alto funcionario, diseño del contrato y seguimiento. Claro, también es necesaria una mayor cualificación y, por tanto, mejor status (retribuciones, reconocimiento e independencia).

Como ejemplo de la profesionalización, debe quedar claro que la composición de la mesa de contratación, como órgano de asesoramiento técnico, impide que participen cargos políticos. Y en todo expediente de licitación, en especial los de concesión o de importe elevado, debe existir con carácter habilitante un informe detallado de conveniencia financiera suscrito por funcionarios.

En este escenario de necesaria profesionalización convendría poner en valor las experiencias de excelencia en la gestión de la compra pública, como incentivo a la mejora de las Administraciones y como elemento de rendición de cuentas a la ciudadanía. Un modelo de certificación pública puede ser una excelente herramienta para poder conseguir este objetivo. Y también los pactos de integridad, cuya función y finalidad es "validar socialmente" la correcta actuación pú-

---

[28]   SANMARTIN MORA, A. (2012): "La profesionalización de la contratación pública en el ámbito de la Unión Europea", libro colectivo *Observatorio de los Contratos Públicos 2011*, Civitas, pp. 408-409. Este trabajo desarrolla las distintas posibilidades de la "profesionalización" de la contratación pública, que debe ser el eje sobre el que construir un nuevo modelo estratégico y eficiente, respetuoso con el principio ético exigible a toda actuación administrativa. También MALARET, E. (2016): "El nuevo reto de la contratación pública para afianzar la integridad y el control: reforzar el profesionalismo y la transparencia", Revista digital de Derecho Administrativo, núm. 15, pp. 38 y ss.

[29]   Como advierte FUERTES, M. (2017) en su trabajo "Semilla de la corrupción: los dineros de las formaciones políticas", en libro col. dirigidos por A. Betancor, *Corrupción, corrosión del Estado de Derecho*, pp. 155-188.

blica y la ausencia de indicios de falta de objetividad o de contaminación clientelar.

Los pactos de integridad son, en esencia, una figura de "observador civil cualificado" que ayuda a la Administración a detectar o laminar conflictos de intereses y que "exterioriza" hacia la ciudadanía la corrección de la actuación[30]. En tiempos actuales de desconfianza, y de percepción de "contaminación" de intereses en las decisiones contractuales (aun siendo legales), los pactos de integridad vienen a ser "marca de calidad" de la Administración, con intención de recuperar la confianza y credibilidad de la sociedad. No hay solapamiento, sino complementariedad y refuerzo de la actuación ética de una Administración pública que quiere ser transparente y rendir cuentas desde la confianza en el modelo[31].

Además, como necesario complemento a la profesionalización debe orientarse la legislación hacia una cultura ética de la actuación administrativa que garantice y promueva la integridad en la gestión de los asuntos públicos[32]. Pero esta nueva visión "ética" (y de profesionalización) no solo corresponde a los poderes adjudicadores. El

---

[30]   Sobre su funcionamiento puede consultarse el trabajo de ARRIBAS REYES, E. (2016): "Pactos de integridad: tres décadas de experiencias en Europa como ejemplo para su implementación en España", Revista Internacional Transparencia e Integridad, núm. 1, 2016. Ibídem (2017): Los pactos de integridad como herramienta para la prevención de la corrupción y el fomento de la integridad, la eficacia, la eficiencia y la competitividad a través de la transparencia de los procesos de contratación pública a nivel local", en libro colectivo *La nueva contratación pública en el ámbito local*, La Ley, Madrid, pp. 237-272.

[31]   En profundidad, GUERRERO MANSO, C. (2018): "La suscripción de pactos de integridad como mecanismo de lucha contra la corrupción en la contratación pública". libro col. Observatorio de los contratos públicos 2017, Aranzadi, pp. 225-265. También MIRANZO DÍAZ, J. (2019), "Los nuevos agentes de control en los procedimientos de compra pública: pactos de integridad y canales de denuncia", Observatorio de los contratos públicos 2018 (J.Ma Gimeno Feliú, dir., C. de Guerrero Manso, coord.), Aranzadi, Thomson Reuters, Cizur Menor, pp. 329-358.

[32]   CACIAGLI, M., (1996): *Clientelismo, corrupción y criminalidad organizada*, CEC, Madrid, ya advertía como un aspecto que "fomenta" la corrupción, la debilidad de la regla de la moralidad pública, que debe ser un componente del control, pues no solo hay transgresión jurídica por el incumplimiento formal de normas jurídicas (pp. 67 y ss.). En esta misma línea son ineludibles las reflexiones de Jesús GONZÁLEZ PÉREZ, J. (2014): *Corrupción, ética y moral en las Administraciones*

sector empresarial debe dar un paso al frente. Lo advierte C. GÓ-MEZ-JARA DÍEZ, al postular la idoneidad de adaptar los programas de cumplimiento «anti-corrupción» al ámbito de público, apuntando "una exigencia legal futura para la contratación pública". El autor entiende que la experiencia norteamericana parece conducir inde-fectiblemente a la necesidad de que cualquier empresa que desee contratar con la administración pública debería instaurar de manera efectiva un programa de cumplimiento «anti-corrupción» como exigencia legal[33]. Sin duda, la prevención ética es una cuestión exigible a todas las partes de la contratación pública[34].

---

[33] *públicas,* Civitas, Cizur Menor, (2ª ed.). También SABAN GODOY, A. (1991): *El marco jurídico de la corrupción,* Cuadernos Civitas, Madrid.
GÓMEZ-JARA DÍEZ, C. (2013): "La responsabilidad penal de las personas ju-rídicas en el ámbito público: hacia un compliance programs "anti-corrupción" como exigencias legales de contratación pública", en GARCES SANAGUSTIN, M. y PALOMAR OLMEDA, A. (Dir.) *La Gestión de los Fondos Públicos: Control y Res-ponsabilidades,* Aranzadi, Cizur Menor. GÓMEZ-JARA recuerda que desde el año 2008, la Administración estadounidense exige a los grandes contratistas revi-sar sus procedimientos internos de control y auditoría, así como de denuncias, en términos de diligencia debida (Due Diligence) sobre conductas ilegales de fraude, cohecho o cualquier otro tipo de actividad ilícita detectados en el seno de su empresa: "Esta regulación, especialmente la obligatoriedad de denuncia, han dado un vuelco significativo al panorama anterior, de tal manera que las denuncias de los propios contratistas están comenzando a fluir hacia las auto-ridades públicas. Más aún, el hecho de que los tribunales están considerando que la certificación que expresa la inexistencia de conductas ilícitas cuando el contratista debía estar al tanto de las mismas, constituye una falsedad documen-tal que es perseguible por las autoridades". Parece el momento de evaluar esta propuesta en aras a la consecución efectiva del principio de integridad en la contratación pública.

[34] Como destaca MATTARELLA, B.G. (2007), las normas éticas necesitan ser ad-ministradas, lo que exige una organización administrativa de la honestidad. *Le regole dell'onestà. Etica, politica, amministrazione,* Il Mulin, Bologna, p. 71.A modo de ejemplo, puede referenciarse el Código de principios y conductas recomen-dables en la contratación pública. Aprobado por Acuerdo de Gobierno de Ca-taluña el 1 de julio de 2014. Con la finalidad de contribuir a la excelencia en la actuación administrativa en el ámbito de la contratación pública, la Oficina de Supervisión y Evaluación de la Contratación Pública ha recogido en este código los fundamentos y las buenas prácticas que ya tienen integrados en su tarea diaria los departamentos de la Administración de la Generalitat de Cata-luña y las entidades que forman parte de su sector público, incorporando nue-

Prevención que debe extenderse a los partidos políticos, "generadores" en muchas ocasiones de las situaciones de "perversión" de las decisiones públicas. Así, como ineludible medida de regeneración democrática convendría extender las exigencias de los programas de *compliance* empresarial —que es más que cumplimiento legal, dado que al concepto clásico de Derecho positivo (*hard law*), se añade el cumplimiento ético, la responsabilidad social corporativa, etc. (*soft law*)— al organigrama gerencial de estas organizaciones, lo que permitiría detectar y evitar casos de financiación ilegal, contrataciones fraudulentas, supuestos de sobornos, etc. Lo que exigiría regular la figura del *chief compliance officer* **responsable de la misma**. *Y dentro de ese programa de compliance* debería regularse la incidencia de los grupos lobistas, entendiendo al respecto cualquier comunicación directa o indirecta con agentes públicos, decisores públicos o representantes políticos con la finalidad de influenciar la toma de decisión pública, desarrollada por o en nombre de un grupo organizado[35].

---

vos contenidos para la determinación de las conductas y las recomendaciones que contiene, las cuales también provienen de aportaciones procedentes del Grupo de Trabajo para el impulso y la mejora de los procesos de contratación pública, constituido en el seno de la Junta Consultiva de Contratación Administrativa de la Generalitat de Cataluña, de la Oficina Antifraude de Cataluña, de la Autoridad Catalana de la Competencia, del Colegio de Secretarios, Interventores y Tesoreros de la Administración local de Cataluña, así como de organizaciones empresariales o sindicales. Con el Código, se quiere consolidar la ética en la contratación como parte de la cultura y los valores de los órganos de contratación. Las buenas prácticas contractuales contenidas en el Código se estructuran en los siguientes apartados: a) La determinación de los principios y de los valores éticos centrales que deben presidir la contratación pública; b) La identificación de determinadas conductas de utilidad para conformar una guía de actuación ante múltiples posibles circunstancias reales concretas; c) La concreción de prácticas contractuales especialmente convenientes y d) La concienciación, la formación y el seguimiento del compromiso ético.

[35] Como destacan REVUELTA, A. y VILLORIA, M., (2016): ("La regulación de los grupos de interés como instrumento de prevención de la corrupción", en libro col. La corrupción en España, ob.cit., pp. 409-433), los lobistas pueden ser no sólo lobistas profesionales (intermediadores de intereses), sino también representantes del sector privado dedicados a esta labor desde sus empresas (*in-house lobbyists*), consultores de relaciones públicas, representantes de ONG, corporaciones, asociaciones industriales y profesionales, sindicatos, *think tanks*, despachos de abogados, organizaciones religiosas y académicas.

2. Refuerzo del sistema de control administrativo previo mediante un control independiente

Para corregir el problema de ineficiencias o malas prácticas en la contratación pública no basta con una regulación reaccional de carácter penal (mediante la tipificación como ilícita de la información privilegiada, cohecho, tráfico de influencias, fraudes y exacciones ilegales, negociaciones prohibidas a funcionarios públicos[36]), ya que dichas medidas son necesarias, pero insuficientes[37]. Como bien advirtiera D. KAUFMANN, la corrupción no se combate combatiendo la corrupción[38]. El derecho penal es la última ratio del Estado de Derecho[39]. Es necesaria una estrategia del control preventivo que sea efectivamente útil (mediante planes preventivos de la corrupción). Un ordenamiento jurídico que se pretenda efectivo y eficiente en la aplicación de sus previsiones necesita de mecanismos procedimentales y procesales que permitan "reparar y corregir" de forma eficaz las contravenciones a lo dispuesto[40]. Por ello, extender la acción pública —o al menos ampliarla, más allá de los potenciales interesados— en

---

[36] Interesa el libro colectivo dirigido por A. Castro y P. Otero, Prevención y tratamiento punitivo de la corrupción en la contratación pública y privada, Dykinson, Madrid, 2016. También, desde la perspectiva general del derecho penal, el libro dirigido por los citados autores *Corrupción y delito: aspectos de Derecho Penal Español y desde la perspectiva comparada*, Dykinson, Madrid, 2017.

[37] La ciudadanía "exige" esta depuración de responsabilidades penales, pero lo importante es evitar que las conductas patológicas se produzcan. Sobre la responsabilidad penal y administrativas de empresas resulta de interés en estudio de BACIGALUPO S. y LIZCANO J. (2013):, *Responsabilidad penal y administrativa de las personas jurídicas*, ed. Programa EUROsociAL, Colección Estudios nº 1.

[38] KAUFMANN, D. (2005): "Diez mitos sobre la gobernabilidad y la corrupción", *Revista Finanzas & Desarrollo*, pp. 41-43.

[39] Como bien recuerda S. BACIGALUPO, que insiste en la idea de la prevención. BACIGALUPO, S. (2016): "Prevención de la corrupción en los negocios y en el sector público: buen gobierno y transparencia", en libro col. *La corrupción en España*, op. *cit.*, p. 436. Sobre la respuesta penal en contratación pública resulta de interés el trabajo de QUERALT, J.J. (2016): "Aspectos penales de la corrupción pública", en. LAPUENTE, V. *La corrupción en España. Un Paseo por el lado oscuro de la democracia y el Gobierno*, Alianza Ensayo, Madrid, pp. 118 ss.

[40] GIMENO FELIU, J.M. (2021): "Integridad y transparencia en la contratación pública. De las ideas a la acción", en libro col. *Etica publica en el siglo XXI. INAP, Madrid, pp. 31-54.*

defensa del derecho a una buena administración puede ser, como sugiere J. PONCE, una solución muy efectiva[41].

De lo contrario se asume un riesgo de corrupción y desconfianza en un sistema que, si bien formalmente puede ser correcto, en la práctica deviene como "generador o facilitador" de incumplimientos que se consolidan y favorecen la idea de que la justicia no es igual para todos los ciudadanos (de hecho, esta dualidad según importe, podría ser inconstitucional, tal y como, para un caso análogo, como ha recordado S. DIEZ, declaró el Tribunal Constitucional Austriaco en la sentencia de 30 de noviembre de 2000) [42].

No resulta admisible, en mi opinión, el argumento de que las medidas de prevención implican mayor burocracia y mayor gasto, lo que avala la tendencia de no corregir las disfunciones y justificarlas como un mal estructural necesario para preservar la eficacia administrativa. Y así se limitan los controles (o se captura al vigilante) y se recorta en la formación para una necesaria profesionalización (garantía de independencia), para eludir los principios públicos inherentes a la buena administración.

Los controles previos en la propia Administración deben ser contextualizados como una inversión, tanto económica (pues permite la eficiencia real del modelo, al permitir una efectiva concurrencia)

---

[41]   J. PONCE, (2013): "La prevención de la corrupción mediante la garantía de un derecho a un buen gobierno y a una buena administración en el ámbito local", en *Anuario de Derecho Local 2012*, IDP, Barcelona, pp. 136-137. Esta vinculación de la contratación pública al derecho a una buena administración fue expresamente advertida en el Acuerdo 44/2012, del Tribunal Administrativo de Contratos Públicos de Aragón. Esta opinión, que liga la funcionalidad institucional a la dimensión colectiva del derecho a una buena administración es la que mantiene PRATS CATALA, J. (2007), en su trabajo "La lucha contra la corrupción como parte integrante del derecho, el deber y las políticas de buena administración", Cuadernos de Derecho Público núm. 31, p. 21. Especial interés sobre esta cuestión de la ampliación de la legitimación tiene la monografía de PEÑALVER, A., (2016): *La defensa de los intereses colectivos en el contencioso-administrativo: legitimación y limitaciones económicas. En administrativo: legitimación y limitaciones económicas*, Aranzadi, Cizur Menor.

[42]   DIEZ SASTRE, S. (2012): *La tutela de los licitadores en la adjudicación de contratos públicos*, Marcial Pons, pp. 310-312.

como social, en tanto permite la regeneración democrática y da credibilidad al sistema institucional del control público[43]. De hecho, el artículo 36 de la Convención de las Naciones Unidas contra la corrupción celebrada en Nueva York el 31 de octubre de 2003 (Instrumento de Ratificación del Reino de España, de 9 de junio de 2006, publicado en BOE de 19 de julio de 2006) establece la obligación de que se disponga "de uno o más órganos o personas especializadas en la lucha contra la corrupción mediante la aplicación coercitiva de la ley". *Órganos que deben ser independientes y a los que deberá proporcionarse "formación adecuada y recursos suficientes para el desempeño de sus funciones"*[44]. Lo que obliga a superar el clásico recurso administrativo[45], para diseñar una estrategia para la mejor transparencia median-

---

[43]   GIMENO FELIU, J.M. (2018):"Reflexiones sobre la planta del sistema de tribunales administrativos de resolución del recurso especial desde la perspectiva de efecto útil de las previsiones europeas de control eficaz y el modelo de la ley 9/2017, de 8 de noviembre, de contratos del sector público. Hacia un modelo independiente y profesionalizado", *libro Estudios de Derecho Público en Homenaje a Luciano Parejo Alfonso, Tirant lo Blanch, Valencia, 2018, pp. 1753-1768.*.

[44]   Un ejemplo lo tenemos, en España, en la creación de la Oficina independiente de Regulación y Supervisión de la Contratación (artículo 332 Ley 9/2017, de Contratos del Sector Público). La Unión Europea había insistido en la necesidad de la creación de una figura de este tipo: Recomendación de Decisión del Consejo por la que se formula una advertencia a España para que adopte medidas dirigidas a la reducción del déficit que se considera necesaria para poner remedio a la situación de déficit excesivo, de 27.7.2016, COM(2016) 518 final, en su Considerando 14, se incluía la siguiente afirmación: "La falta de un organismo independiente encargado de garantizar la eficacia y el cumplimiento de la legislación en materia de contratación pública en todo el país obstaculiza la aplicación correcta de las normas de contratación pública y puede generar oportunidades para cometer irregularidades, lo cual tiene efectos negativos sobre la situación de la hacienda pública española." Afirmación repetida en posteriores documentos como el *Country Report Spain 2017. Including an In-Depth Review on the prevention and correction of macroeconomic imbalances, de 22.2.2017 SWD* (2017) 74 final, (p. 56). Está Oficina se encuentra adscrita orgánicamente al Ministerio de Hacienda, pero formada por personal independiente (plazo de 6 años inamovibles), que asume las funciones de Gobernanza de las Directivas de contratación pública.

[45]   Como bien ha destacado el Profesor BAÑO LEON, J.M. [(2016): "El recurso administrativo como ejemplo de la inercia autoritaria del Derecho Público español", en libro colectivo *Las vías administrativas a debate*, INAP, p. 669] el sistema de recursos administrativos ordinarios no está configurado en clave de

te la arquitectura de un control preventivo que sea efectivamente útil, rápido, e independiente, vinculado al derecho a una buena administración y no a las prerrogativas de la Administración[46].

De la experiencia en España, en un contexto de mayor profesionalización y coherencia del sistema de control desde una perspectiva integral, convendría analizar las ventajas de resituar a los órganos de recursos contractuales como órganos independientes "adscritos" al Parlamento correspondiente. Se solucionaría así el cuestionamiento sobre la adscripción organizativa en un Administración Pública (y la posible "tutela administrativa" como sospecha), se fortalecería el carácter de órgano jurisdiccional a efectos del artículo 237 TFUE y facilitaría la planta de estos órganos de control, al permitir un control que englobase toda la actividad contractual pública de cualquier poder adjudicador (es decir, se unificaría la opción de órganos de recursos contractuales para la actividad de licitación de todos los poderes adjudicadores con independencia de su naturaleza parlamentaria o local)[47]. Se reforzaría, en definitiva, la percepción de independencia, y permitiría reorientar la función del control externo hacia un rol más ejecutivo y también completo. En todo caso, es necesario determinar y limitar de forma clara el número de órganos de recursos contractuales, que deberán garantizar en todo caso la nota de independencia y especialización y la debida colegialidad[48].

---

protección de la legalidad, pues pretende proteger a la Administración. De hecho, como bien explica, el sistema de justicia administrativa es un ejemplo de la inercia autoritaria del Derecho Público español. Por ello, como bien afirma, "la mejor alternativa al recurso administrativo es un buen recurso administrativo, entendiendo por tal el que garantiza una revisión de la actuación administrativa eficiente por un órgano funcionalmente independiente".

[46]   Vid. GIMENO FELIU, J.M. (2016): *Sistema de control de la contratación pública en España. (cinco años de funcionamiento del recurso especial en los contratos público. La doctrina fijada por los órganos de recursos contractuales. Enseñanzas y propuestas de mejora)*. Aranzadi, Cizur Menor.

[47]   Esa es la propuesta que formulo en mi trabajo (2017): "Medidas de prevención de corrupción y refuerzo de la transparencia en la contratación pública". *REALA*, nº 7, 2017, pp. 45-67.

[48]   Es también necesaria una reflexión sobre el modelo de compatibilidad de los miembros del Tribunal (muy conveniente para poder incorporar "auténticos especialistas"). Esta opción permite captar a especialistas, pero debe contem-

Conviene reseñar que el correcto funcionamiento del modelo exige una dotación presupuestaria adecuada y suficiente[49]. Las restricciones presupuestarias actuales condicionan la función de control, lo que puede afectar a la consecución de la rapidez de este recurso, con los perjuicios desde la perspectiva de la eficacia que se ocasiona para el órgano demandante de la prestación suspendida hasta la resolución expresa.

----

plarse tal opción desde un sistema de Tribunal administrativo estable y con medios materiales y personales propios, que tenga esa única competencia. Y debe vigilarse de forma activa los posibles conflictos de interés (visibles y difusos) en aras a preservar la nota de objetividad. En todo caso, la "exclusividad" de los miembros de estos órganos de recursos contractuales no es garantía de adecuada profesionalización, pues esta va ligada a la capacitación y conocimiento y no al elemento formal/burocrático de su régimen estatutario (el Decreto-Ley 3/2017, de 20 de junio, por el que se modifica la Ley 3/2011, de 24 de febrero, de medidas en materia de Contratos del Sector Público de Aragón, para la profesionalización de los miembros del Tribunal Administrativo de Contratos Públicos de Aragón "confunde", así, profesionalización con un modelo burocratizado. La Memoria final aprobada de la primera etapa del TACPA – marzo de 2011 a 31 diciembre de 2017 acredita por si el carácter profesional de este órgano en ese periodo de tiempo, pese al sistema de compatibilidad, como la *auctoritas* de sus Acuerdos).

[49] El 'Informe de evaluación: impacto y eficacia de la legislación comunitaria sobre contratación pública'(http://ec.europa.eu/internal_market/publicprocurement/modernising_rules/evaluation/index_en.htm#maincontentSec1) recoge las opiniones y recomendaciones de más de seiscientos profesionales sobre la efectividad de las actuales directivas que rigen la contratación en organismos públicos. El informe destaca que las directivas sobre contratación pública han fomentado la apertura y la transparencia provocando que la competencia se haya intensificado. Esto se ha traducido en un ahorro de costes o inversión pública adicional que se cuantifica en 20.000 millones de euros, un cinco por ciento de los 420.000 millones de euros que se licitan anualmente a escala europea en contratos públicos. También recoge el deseo unánime de recortar, agilizar y flexibilizar los trámites burocráticos. Este aspecto resulta fundamental para las pequeñas y medianas empresas (PYME) que actualmente sufren completando la cantidad de exigencias administrativas que obligan los procesos de licitación. Este análisis ha servido de punto de partida para la revisión de las directrices que se acometió a finales del pasado año. Con ella se pretende mantener una política equilibrada que preste apoyo a la demanda de bienes, servicios y obras que sean respetuosos con el medio ambiente, socialmente responsables e innovadores, ofreciendo además a las autoridades adjudicadoras unos procedimientos más sencillos y flexibles y que garanticen un acceso más fácil a las empresas, particularmente a las PYME.

El diseño del sistema del recurso especial en contratos públicos debe estar alejado de la idea de que su consolidación es un gasto. Como se ha venido defendiendo en este Informe, el control de la contratación pública debe ser contextualizado como una inversión, tanto económica (pues permite la eficiencia real del modelo, al permitir una efectiva concurrencia) como social, en tanto permite la regeneración democrática y da credibilidad al sistema institucional del control público[50].

III. A MODO DE CONCLUSIÓN FINAL

La contratación pública necesita de una transformación radical para poder avanzar hacia una nueva cultura de contratación pública con vocación de transformación, abierta, responsable, profesiona-

---

[50]   El Informe de la Comisión al Parlamento Europeo y al Consejo sobre la eficacia de la Directiva 89/665/CEE y la Directiva 92/13/CEE, modificadas por la Directiva 2007/66/CE (Directivas de recursos en adelante), en cuanto a los procedimientos de recurso en el ámbito de la contratación pública publicado el pasado 24 de enero recoge la evaluación de los resultados de la aplicación de las citadas Directivas y en concreto si se consideran adecuadas a los objetivos propuestos atendiendo a si minimizan las cargas y los costes asociados y maximizan la posible simplificación de los procedimientos. Desde el punto de vista de la eficiencia, las Directivas sobre procedimientos de recurso proporcionan beneficios globales en consonancia con los efectos esperados, tanto directos como indirectos muy superiores a los costes que supone presentar y defender un procedimiento de recurso para los proveedores y las autoridades contratantes representando por lo general entre el 0,4 % y el 0,6 % del valor del contrato. Sin embargo, la Comisión entiende que los costes no se reducirían a cero si las Directivas sobre procedimientos de recurso fueran revocadas. Por el contrario, serían incluso mayores, debido a las diferencias nacionales en la normativa sobre revisión y recursos y a la falta de armonización a escala de la UE, dando lugar a un contexto más farragoso para licitadores y otras partes interesadas. Y añade el informe que en la evaluación de la legislación en materia de contratación pública de la UE que se publicó en el año 2011 se estimó, en general, que el ahorro del 5 % conseguido en los 420 000 millones de euros en contratos públicos que se publicaron a escala de la UE se traducirían en un ahorro o una mayor inversión pública por un importe superior a 20 000 millones de euros al año. La aplicación efectiva de las Directivas sobre procedimientos de recurso puede, por tanto, aumentar la probabilidad de que se consiga un ahorro similar al estimado procedente de las Directivas sobre contratación pública.

lizada, tecnológica y proactiva. Lo que exige una clara innovación administrativa y empresarial (en lo organizativo y en las formas de relacionarse) como paso previo y donde lo tecnológico debe servir de herramienta para su correcto impulso. Sin la innovación en la organización ni en los procedimientos (en la burocracia) de nada servirá el mantra de la contratación pública electrónica. Para avanzar hay que "mirar atrás" para detectar errores, pues solo así, más allá de la esfera del confort (o de cierta autocomplacencia) se puede elegir la ruta correcta. Frente a inercias o dogmatismos, la situación "global" obliga a repensar soluciones jurídicas en la contratación pública que promuevan la eficacia de las políticas públicas y que concilien los interesen públicos en juego, diseñando procedimientos eficaces y eficientes (que importante las nuevas tecnologías, como los modelos *blockchain*), que pongan el acento en la calidad de la prestación y que eviten una indebida deslocalización empresarial. El camino a donde debemos ir no es la burocracia sino la estrategia[51]. Y no es el precio y el ahorro, sino el valor y la inversión. En ello va el futuro de un derecho público que piensa en las personas (y en la transformación) y no en los privilegios ni en el inmovilismo del "siempre ha sido así".

Para cumplir la nueva función de la contratación pública resulta necesaria una moderna y eficaz política de profesionalización y capacitación, que es mucho más que la suma de curso de divulgación o la rutina de gestión del día a día. Profesionalizar supone invertir en talento, tanto a nivel de los entes contratantes como de las empresas que optan a las licitaciones. Supone, claro capacitación a través de conocimiento actualizado tanto a nivel teórico como práctico, pero, sobre todo, una visión horizontal y no vertical de la toma de decisiones de contratación pública. Supone superar la tradicional inercia burocrática hacia un modelo que articule de forma armónica los denominados círculos de excelencia: excelencia de servicios (pensar primero en las personas), excelencia de procesos (hacer lo que toca sin burocracia indebida) y excelencia técnica (tener talento y cono-

---

[51]   Vid. GIMENO FELIU, J.M, (2022): El necesario big bang en la contratación pública: hacia una visión disruptiva regulatoria y en la gestión pública y privada, que ponga el acento en la calidad", *Revista General de Derecho Administrativo* núm. 59, 2022.

cimiento). En este punto Universidades y centros profesionales de formación deben alinear esfuerzos y estrategias donde debería haber un claro liderazgo institucional que indique el camino, los tiempos y los recursos necesarios. Y donde se identifique claramente quienes deben ser los impulsores y supervisores de la profesionalización, impidiendo la existencia de un perverso mercado secundario de modelos de profesionalización no validados institucionalmente y carentes de credibilidad cualitativa.

Conocer el contexto y depurar conceptos y principios, comprender su correcto alcance, es un presupuesto necesario para poder articular una correcta política de contratación pública profesionalizada alejada del papeleo de una burocracia formal[52]. Nuevas formas de contratación pública, y de exigencias de conocimiento, que deben implicar también al sector empresarial, que debe asumir y alinearse con el nuevo contexto. Solo así se posible escalar las operaciones contractuales con velocidad y agilidad y permitir también incorporar los cambios del entorno empresarial para que puedan ser adquiridos por los poderes públicos. Para ello los responsables de las empresas deben estar adecuadamente formados en las singularidades de lo que es la contratación pública con la finalidad de conseguir el mejor rendimiento y la función estratégica que tiene para todas las partes afectadas[53].

---

[52] *Papeles y papeleo (ediciones El Cronista 2015)* es el titulo, de por sí elocuente, del profesor italiano Luciano Vandelli, que analiza, a lo largo de la literatura, el rol de la burocracia y su evolución en la Administración pública. El papel, el papeleo innecesario, han sido referencias con las que el ciudadano ha tenido que relacionarse con la Administración, que ha encontrado en reglas y trámites formales claramente innecesarios un argumento (y argumentarios) para hacer del procedimiento administrativo una carga y no una garantía ligada al derecho a buena administración.

[53] Para ello, las empresas deberían contar con personas con habilidades adecuadas que lideren los sistemas de compra. Los responsables de compras deben asumir la oportunidad de una nueva forma de operar para para aportar un valor significativo a la organización. Para lo que resultaría conveniente redefinir las políticas de compras públicas, con un modelo operativo de objetivos que permita superar la inercia hacia visiones cortoplacistas estrechamente integradas con las finanzas.

LA IMPRESCINDIBLE PROFESIONALIZACIÓN PARA UNA COMPRA PÚBLICA RESPONSABLE Y SOSTENIBLE

José Antonio Moreno Molina
Universidad de Castilla la Mancha

SUMARIO: I. PANDEMIA DE LA COVID-19, CONTRATACIÓN PÚBLICA Y NECESARIA PROFESIONALIZACIÓN; II. COMPRA PÚBLICA ESTRATÉGICA EN EL DERECHO INTERNACIONAL Y DE LA UNIÓN EUROPEA; III. EL PROCESO HACIA UNA CONTRATACIÓN PÚBLICA SOSTENIBLE Y RESPONSABLE IMPULSADO POR LA LEY ESPAÑOLA DE CONTRATOS DEL SECTOR PÚBLICO; IV. REFERENCIAS BIBLIOGRÁFICAS.

I. PANDEMIA DE LA COVID-19, CONTRATACIÓN PÚBLICA Y NECESARIA PROFESIONALIZACIÓN

La contratación pública ha sido uno de los sectores del Derecho público más afectados por la COVID-19, al hacer necesitado adquirir los Gobiernos y Administraciones nacionales, regionales y locales muchos bienes y servicios y contratar obras para hacer frente a la gravísima situación ocasionada y atender los derechos y servicios esenciales para los ciudadanos, especialmente relacionados con la protección de su vida y salud[1].

Las compras públicas han sido tramitadas en muchos casos por procedimientos excepcionales y de emergencia, lo que ha ocasiona-

---

[1] Puede verse GIMENO FELIÚ, J.M., y GARCÍA ALVAREZ, G., *Compra pública de medicamentos y servicios de innovación y tecnología sanitaria: eficiencia y creación de valor*, Cizur Menor, 2020 y, en general, el monográfico contenido en *El Cronista del Estado Social y Democrático de Derecho*, núm. 86-87, 2020, bajo el título "Coronavirus y otros problemas" (disponible en http://www.elcronista.es/El-Cronista-número-86-87-Coronavirus.pdf, última fecha de consulta: 29/07/2021).

do graves problemas de adquisiciones con sobreprecios, en las que no se ha controlado la necesaria calidad de los bienes y servicios adquiridos[2].

La Comisión de la Unión Europea aprobó una Comunicación con "Orientaciones sobre el uso del marco de contratación pública en la situación de emergencia relacionada con la crisis del COVID-19", de 1 de abril de 2020 (2020/C 108 I/01)[3].

Como han puesto de manifiesto GAMERO CASADO y MIRANZO DÍAZ[4], el uso generalizado de tramitaciones de emergencia, necesario en esta situación de pandemia sanitaria, no debía suponer que no se respetasen los principios de la publicidad y transparencia[5] y en este sentido juega un papel decisivo la contratación administrativa electrónica.

Entre los aspectos más criticables a nivel global, se puede señalar, además de la falta de publicidad y transparencia de muchos de estos contratos para hacer frente al COVID-19[6]: las graves carencias de pla-

---

[2]   GIMENO FELIÚ, J.M., "Riesgo y ventura del contrato público en tiempos de incertidumbres y la necesidad de garantizar el principio de "honesta equivalencia", www.obcp.es, consultada el 7 de junio de 2022

[3]   GALLEGO CÓRCOLES, I., "De las orientaciones de la Comisión europea sobre contratación pública en la crisis del covid-19 y de sus implicaciones en el caso español", http://www.obcp.es/, consultado el 8 de abril de 2020.

[4]   GAMERO CASADO, E. "Transparencia y contratación de emergencia ante el Covid-19" http://obcp.es/print/pdf/node/6885 y MIRANZO DÍAZ, J., "Reflexiones sobre la transparencia y la integridad contrataciones relacionadas con el Covid-19", publicado en Observatorio de Contratación Pública, artículo disponible en http://www.obcp.es/opiniones/reflexiones-sobre-la-transparencia-y-la-integridad-en-contrataciones-relacionadas-con-el, consultados el 6 de junio de 2021.

[5]   En relación con los principios generales puede verse la Recomendación del Consejo de la OCDE sobre contratación pública (disponible en http://www.oecd.org/gov/public-procurement/recommendation/, consultada el 3 de agosto de 2020), que comentan ROMERO MOLINA y GÓMEZ MONTERROZA, "El principio de balance en la contratación pública", Gabilex, nº 22 (2020), págs. 265 y ss.

[6]   La Oficina Independiente de Regulación y Supervisión de la Contratación de España publicó durante el Estado de alarma el "Informe especial de supervisión: principio de publicidad en los contratos tramitados por emergencia durante la vigencia de la declaración del estado de alarma como consecuencia

nificación y programación de las compras públicas[7]; la ausencia de compras conjuntas por parte de distintas Administraciones, tanto a nivel nacional como internacional[8]; así como la paralización de los contratos públicos en ejecución o de los procedimientos de licitación pública en curso no relacionados con la COVID-19 pero que afectaban a servicios públicos de los ciudadanos y que no deberían haberse suspendido.

Resultaba y resulta por ello de una gran importancia la profesionalización de la contratación pública, tanto en el sector público como en el sector privado[9].

En la Unión Europea hay que destacar en este sentido las propuestas de la Recomendación (UE) 2017/1805 de la Comisión de 3 de octubre de 2017 sobre la profesionalización de la contratación pública, así como de "ProcurCompEU", un instrumento diseñado

---

del COVID-19". El informe, que se fue actualizando semanalmente hasta la finalización del estado de alarma, supervisó el cumplimiento del requisito de publicidad que establecen los artículos 151 y 154 de la LCSP 2017, en relación a los contratos adjudicados por trámite de emergencia como consecuencia de las actuaciones derivadas de la crisis sanitaria provocada por el COVID19 (puede consultarse https://www.hacienda.gob.es/es-ES/RSC/Paginas/OIReSuC/INFORME-ESPECIAL-(PUBLICIDAD-EMEREGENCIAS-COVID-19).aspx, visto el 23 de julio de 2020).

[7]   PEIRÓ BAQUEDANO, JARAMILLO VILLACÍS, BUESO GUILLÉN y DE GUERRERO MANSO, "Oportunidades para afrontar el COVID-19 y crisis similares a través de la Compra Pública de Innovación —una perspectiva legal y económica-", www.obcp.es, consultado el 20 de julio de 2020.

[8]   GARCÍA JIMÉNEZ, A., "La contratación pública en los tiempos del coronavirus", www.obcp.es, consultado el 3 de julio de 2020.

[9]   Véase SANMARTÍN MORA, M. A., "La profesionalización de la contratación pública", AAVV, *Observatorio de Contratos Públicos 2011* (dirección GIMENO FELIÚ, J.M), Civitas, 2012, págs. 318 y ss.; MALARET, E. "El nuevo reto de la contratación pública para afianzar la integridad y el control: reforzar el profesionalismo y la transparencia", *Revista digital de Derecho Administrativo*, n° 15 (2016), págs. 21-60; y CANTERO MARTÍNEZ, J., "La profesionalización de la contratación pública como herramienta de innovación", en *Administración electrónica, transparencia y contratación pública* (Dir. MARTÍN DELGADO, I. y MORENO MOLINA, J.A.), Iustel, Madrid, 2020, págs. 197 y ss.

por la Comisión Europea para contribuir a la profesionalización de la contratación pública[10].

Como señala este último documento, esta profesionalización es esencial para garantizar que los compradores públicos dispongan de las capacidades, los conocimientos y la integridad necesarios para llevar a cabo su trabajo y sus tareas de conformidad con la ley, y de una manera eficiente, eficaz y estratégica con vistas a lograr rentabilidad para los ciudadanos.

El Marco Europeo de Competencias para los profesionales de la contratación pública (ProcurCompEU) tiene por objeto valorizar la profesión de la contratación como una función estratégica y prepararla para los retos futuros, desarrollando un marco de competencias como herramienta de recursos humanos que define el conjunto de conocimientos y capacidades que los profesionales deben poseer para realizar su trabajo y sus tareas de una manera eficaz y eficiente. Este marco de competencias en la contratación pública puede ayudar a los profesionales a autoevaluar sus capacidades y puntos fuertes, detectar las deficiencias y las necesidades de formación, diseñar y planificar un itinerario de desarrollo personal y profesional, y mejorar el rendimiento.

El profesor GIMENO FELIÚ destaca la necesidad de una nueva cultura de contratación pública "responsable, abierta, innovadora, cooperativa, profesionalizada, tecnológica y transformadora. Una contratación pública estratégica y proactiva y no meramente reactiva, que ponga en valor la calidad de la prestación. La postcrisis es la oportunidad para impulsar este modelo"[11].

---

[10]   Puede consultarse en el enlace https://ec.europa.eu/info/sites/info/files/procurcompeu_ecf_for_pp_es.pdf (última visita, 13 de mayo de 2022).

[11]   GIMENO FELIÚ, J.M., "La crisis sanitaria COVID-19. Reflexiones sobre su incidencia en la contratación pública y las soluciones adoptadas", disponible en   http://www.obcp.es/sites/default/files/2020-04/LA-CRISIS%20SANITA-RIA%20COVID19.%20REFL%20EXIONES%20SOBRE%20SU%20INCIDEN-CIA%20EN%20LA%20CONTRATACIOi%CC%80N%20PUi%CC%80BLI-CA%20Y%20LAS%20SOLUCIONES%20ADOPTADASv2.pdf, consultado el 18 de junio de 2021.

La programación y planificación resultan fundamentales en el nuevo sistema de compras públicas que debe tener como grandes objetivos el impulso de la contratación estratégica, la simplificación procedimental y la plena efectividad de la contratación pública electrónica.

En efecto, otro de los principales retos de la contratación pública que más claramente ha puesto de manifiesto la pandemia de la COVID-19 ha sido la necesidad de impulsar el proceso de implantación de la licitación electrónica y garantizar la plena efectividad de la utilización de medios electrónicos en todos los procesos y fases de los procedimientos de compra pública.

De la pandemia también resulta la necesidad de impulsar la transparencia, la publicidad y la contratación abierta a todos los ciudadanos[12].

La Comisión para la Reconstrucción Social y Económica del Congreso de los Diputados de España, creada para hacer frente a los efectos de la COVID-19, en sus conclusiones aprobadas el 29 de julio de 2020, recoge la necesidad de promover la contratación pública social y medioambientalmente responsable para alcanzar un modelo de gestión más eficiente del gasto público, en cumplimiento de la LCSP 2017 y de las directivas de la Unión Europea en la materia[13].

II. COMPRA PÚBLICA ESTRATÉGICA EN EL DERECHO INTERNACIONAL Y DE LA UNIÓN EUROPEA

El vigente Derecho de la Unión Europea, con la Directiva 2014/24 a la cabeza y con la hoja de ruta marcada por la Estrategia Europa

---

[12]   Las principales características de un sistema de contratación abierta las define la Guía sobre Gobierno Abierto de la Open Contracting Partnership, https://www.opengovpartnership.org/wp-content/uploads/2019/06/open-gov-guide_summary_cross-cutting-topics_ES.pdf, consultado el 21 de abril de 2022.

[13]   El Foro de la Contratación Socialmente Responsable había solicitado a la Comisión que en sus conclusiones acogiera la idea de que toda la contratación pública que se lleve a cabo con ocasión de los fondos que se movilicen para paliar los efectos de la pandemia utilizara criterios sociales y medioambientales. Puede verse   http://www.conr.es/contenido/la-comisi%C3%B3n-para-la-reconstrucci%C3%B3n-social-y-econ%C3%B3mica-acoge-los-postulados-del-foro-conr, consultada el 2 de diciembre de 2020.

2020 para un crecimiento inteligente, sostenible e integrador[14], impulsa como uno de sus objetivos fundamentales el uso estratégico de la contratación pública y propone que los compradores utilicen mejor la contratación pública, elemento clave de las economías nacionales de la UE[15], en apoyo de objetivos sociales comunes como la protección del medio ambiente[16], una mayor eficiencia energética y en el uso de los recursos, la lucha contra el cambio climático, la promoción de la innovación[17], el empleo y la integración social y la prestación de servicios sociales de alta calidad en las mejores condiciones posibles[18].

---

[14]   Documento de la Comisión COM 2010, 2020.

[15]   Las autoridades públicas gastan cada año aproximadamente una quinta parte del PIB de la UE en la adquisición de obras, suministros y servicios (Informe especial del Tribunal de Cuentas Europeo n° 17/2016, "Las instituciones de la UE pueden hacer más para facilitar el acceso a su contratación pública", Luxemburgo, 2016 —informe presentado con arreglo al artículo 287, apartado 4, párrafo segundo, del TFUE—). Puede verse también la Comunicación de la Comisión Europea "Conseguir que la contratación funcione en Europa y para Europa", de 3 de octubre de 2017 (COM 2017, 572 final, pág. 3) y Comisión Europea: "Fichas temáticas del semestre europeo. Contratación Pública", https://ec.europa.eu/info/sites/info/files/file_import/european-semester_thematic-factsheet_public-procurement_es.pdf (fecha de consulta 16 de julio de 2020).

[16]   Véase ALONSO GARCÍA, C., "La consideración de la variable ambiental en la contratación pública en la nueva Directiva europea 2014/24/UE", *La Ley Unión Europea*, n° 26 (2015), págs. 5 y ss., y PERNÁS GARCÍA, J., *Contratación Pública Verde*, La Ley, Madrid, 2011 y "El uso estratégico de la contratación pública como apoyo a las políticas ambientales", en *Observatorio de políticas ambientales 2012*, Civitas, Cizur Menor, 2012, págs. 299-323.

[17]   VALCÁRCEL FERNÁNDEZ, P., "Impulso de la compra pública para la innovación (CPI) a través de las distintas modalidades de contratación conjunta: análisis de casos", *Compra conjunta y demanda agregada en la contratación del sector público: un análisis jurídico y económico*, Aranzadi, Cizur Menor, 2016, págs. 349 y ss.; e "Impulso decisivo en la consolidación de una contratación pública responsable. Contratos verdes: de la posibilidad a la obligación", *Actualidad Jurídica Ambiental*, n° 1 (2011), págs. 16 a 24.

[18]   AAVV, *Inclusión de cláusulas sociales y medioambientales en los pliegos de contratos públicos. Guía práctica profesional* (Dir. PARDO LÓPEZ, M. y SÁNCHEZ GARCÍA, A.), Aranzadi, Cizur Menor, 2019; y MARTÍNEZ FERNÁNDEZ, J.M., (Coord.), "Hacia una contratación socialmente eficiente", *El Consultor de los ayuntamientos y de los juzgados*, especial: La Ley de Contratos del Sector Público, n° 23 (2017).

La contratación pública estratégica es una herramienta clave para impulsar la innovación, como reconoce la Comisión Europea en el Plan de Acción de la UE para la Economía Circular de 2015[19]. Resulta decisivo el papel de la contratación pública sostenible (CPS) a la hora de fomentar la economía verde y los cambios de comportamiento[20].

La Comunicación de la Comisión al Parlamento Europeo, al Consejo, al Comité Económico y Social Europeo y al Comité de las Regiones: "Plan de Inversiones para una Europa Sostenible. Plan de Inversiones del Pacto Verde Europeo"[21], plantea el Pacto Verde Europeo como la respuesta de la Unión Europea a los retos climáticos y medioambientales. Se prevé en el Pacto que la Comisión "propondrá nuevas normas y orientaciones para la contratación pública ecológica (…) y un instrumento de control para la contratación pública sostenible que garantice la ecologización de los proyectos de infraestructuras públicas".

En el Dictamen del Comité Europeo de las Regiones: "Aplicación del paquete sobre energía limpia: los planes nacionales de energía y clima como instrumento para el enfoque de gobernanza local y te-

---

[19] Comunicación de la Comisión al Parlamento Europeo, al Consejo, al Comité Económico y Social Europeo y al Comité de las Regiones: "Cerrar el círculo: un plan de acción de la UE para la economía circular", COM/2015/0614 final.

[20] En este sentido, el Dictamen del Comité Europeo de les Regiones: "Un planeta limpio para todos – La visión estratégica europea a largo plazo de una economía próspera, moderna, competitiva y climáticamente neutra" (2019/C 404/11, DOUE de 29 de noviembre de 2019) efectúa una serie de recomendaciones políticas en relación con la Comunicación de la Comisión al Parlamento Europeo, al Consejo Europeo, al Consejo, al Comité Económico y Social Europeo, al Comité de las Regiones y al Banco Europeo de Inversiones «Un planeta limpio para todos. La visión estratégica europea a largo plazo de una economía próspera, moderna, competitiva y climáticamente neutra» y "apoya el objetivo de la UE de alcanzar el nivel de cero emisiones netas (neutralidad) de gases de efecto invernadero de aquí a 2050". Por lo que se refiere a la contratación pública, el Comité Europeo reconoce la función de ejemplo de las autoridades públicas en todos los sectores y resalta la importancia de la aplicación de los criterios de contratación pública sostenible (CPS) y los sistemas de gestión energética y ambiental, dentro del respeto de los criterios ambientales mínimos.

[21] COM (2020) 21 final, de 14 de enero de 2020.

rritorial sobre el clima y la energía activa y pasiva"[22], se destaca cómo los entes locales y regionales deben involucrarse especialmente en las iniciativas de las «ciudades inteligentes», en paralelo a la contratación pública ecológica en el ámbito de la energía limpia dentro de sectores como el ahorro de energía en el transporte urbano, las estrategias de transporte interregional, la colaboración en nuevas tecnologías de almacenamiento y los edificios públicos inteligentes.

El nuevo escenario de la normativa contractual y los relevantes principios que deben respetarse en todos los contratos públicos, han sido destacados recientemente por la sentencia del Tribunal de Justicia de la Unión Europea de 30 de enero de 2020, asunto C-395/18 (ECLI:EU:C:2020:58), con referencia expresa a la necesidad de respetar los requisitos sociales y ambientales por parte de todas las Administraciones y Entidades públicas.

La Comisión Europea ha publicado recientemente la segunda edición del documento: "Adquisiciones sociales — Una guía para considerar aspectos sociales en las contrataciones públicas—"[23], que define la contratación pública socialmente responsable (CPSR) como aquella cuyo objetivo es abordar la repercusión que los bienes, servicios y obras adquiridos por el sector público tienen en la sociedad. Reconoce que a los compradores públicos no solo les interesa comprar al menor precio posible u obtener la mejor relación calidad-precio posible, sino que también quieren garantizar que la contratación genere beneficios sociales y evite la aparición de efectos sociales adversos durante la ejecución del contrato o los mitigue.

Por otra parte, hay que destacar también la Comunicación de la Comisión Europea: "Orientaciones sobre la contratación pública en materia de innovación" (2021/C 267/01, 6 de julio de 2021); y, en

---

[22]   2020/C39/07. El Reglamento (UE) 2018/1999 del Parlamento Europeo y del Consejo, de 11 de diciembre de 2018, sobre la gobernanza de la Unión de la Energía y de la Acción por el Clima, obliga a cada Estado miembro de la UE a elaborar un plan nacional de energía y clima, "sentando las bases de un enfoque más global y transversal para las políticas climáticas y energéticas".

[23]   DOUE 2021/C 237/01, de 18 de junio de 2021, https://eur-lex.europa.eu/legal-content/ES/TXT/PDF/?uri=OJ:JOC_2021_237_R_0001&amp, consultada el 16 de julio de 2021

el ámbito de la OCDE, el informe "Government at a Glance 2021" (https://www.oecd.org/gov/[24]), que destaca que el uso de la contratación pública estratégica se encuentra presente en la regulación de 26 países de la OCDE y de un socio como Brasil.

En el mismo sentido, la Agenda 2030 de Naciones Unidas para el Desarrollo Sostenible[25], plantea los "Objetivos de Desarrollo Sostenible" (ODS), entre los cuales el objetivo nº 12, de carácter transversal, propone garantizar modalidades de consumo y producción sostenibles. Quiere así fomentar el uso eficiente de los recursos y la energía, la construcción de infraestructuras que no dañen el medio ambiente, la mejora del acceso a los servicios básicos y la creación de empleos ecológicos, justamente remunerados y con buenas condiciones laborales[26].

Para la integración de los ODS en las políticas públicas, el Gobierno de España ha aprobado el "Plan de Acción para la Implementación de la Agenda 2030. Hacia una Estrategia Española de Desarrollo Sostenible"[27].

Pues bien, entre las "Medidas transformadoras" que propone el Plan, la número 8 pretende "Alinear la compra pública con los ODS" y plantea que la Estrategia Nacional de Contratación Pública[28] incor-

---

[24] MEDINA ARNÁIZ, T., "Publicación del estudio de la Organización para la Cooperación y el Desarrollo Económicos (OCDE) Government at a Glance 2021", www.obcp.es, consultada el 13 de julio de 2021.

[25] Resolución de Naciones Unidas "Transformar nuestro mundo: la Agenda 2030 para el Desarrollo Sostenible" aprobada por la Asamblea General el 25 de septiembre de 2015 (A/70/L.1).

[26] Una de las metas a alcanzar al respecto es "promover prácticas de adquisición pública que sean sostenibles, de conformidad con las políticas y prioridades nacionales" (meta 12.7).

[27] El plan fue aprobado en el Consejo de Ministros del 29 de junio de 2018.

[28] El artículo 334 LCSP define la Estrategia Nacional de Contratación Pública como "el instrumento jurídico vinculante, aprobado por la Oficina Independiente de Regulación y Supervisión de la Contratación, que se basará en el análisis de actuaciones de contratación realizadas por todo el sector público incluyendo todos los poderes adjudicadores y entidades adjudicadoras comprendidas en el sector público estatal, autonómico o local, así como las de otros entes, organismos y entidades pertenecientes a los mismos que no tengan la naturaleza de poderes adjudicadores".

porará la Agenda 2030 y, en particular, el ODS 12 (meta 12.7) en su marco general, objetivos y metas, y promoverá las medidas necesarias para utilizar las posibilidades de la contratación pública para apoyar los ODS.

III. EL PROCESO HACIA UNA CONTRATACIÓN PÚBLICA SOSTENIBLE Y RESPONSABLE IMPULSADO POR LA LEY ESPAÑOLA DE CONTRATOS DEL SECTOR PÚBLICO

Al trasponer las directivas de cuarta generación sobre contratación pública[29], la Ley 9/2017, de 8 de noviembre, de contratos del sector público (en adelante, LCSP) trata de conseguir que se utilice la contratación pública como instrumento para implementar las políticas tanto europeas como nacionales en materia social, medioambiental, de innovación y desarrollo, y de promoción de las PYMES.

El decisivo apartado 3 del artículo 1 establece de forma preceptiva en toda contratación pública la incorporación de manera transversal criterios sociales y medioambientales siempre que guarde relación con el objeto del contrato.

Expresa en este sentido la propia disposición legal su convencimiento de que la inclusión de estos criterios "proporciona una mejor relación calidad-precio en la prestación contractual, así como una mayor y mejor eficiencia en la utilización de los fondos públicos. Igualmente se facilitará el acceso a la contratación pública de las pequeñas y medianas empresas, así como de las empresas de economía social"[30].

La importante referencia a la transversalidad para la obligatoria incorporación de criterios sociales y ambientales resalta la necesidad de motivación de las fases del procedimiento en el que se insertan y

---

[29] GIMENO FELIÚ, J.M., *El nuevo paquete legislativo comunitario sobre contratación pública: de la burocracia a la estrategia (el contrato público como herramienta del liderazgo institucional de los poderes públicos)*, Aranzadi, Cizur Menor, 2014, págs. 39 y ss.

[30] Véase en este sentido la monografía de PINTOS SANTIAGO, J., *Los principios generales de desarrollo humano y sostenibilidad ambiental en la contratación pública*, INAP, Madrid, 2017.

sitúa esta elección como uno de los aspectos trascendentales para el éxito de las iniciativas[31].

Otros decisivos preceptos de la LCSP que recogen esta obligación de consideración de los aspectos sociales y ambientales, además del artículo 145 referido a los criterios de adjudicación de los contratos que será objeto de análisis en el siguiente apartado de este trabajo, son los artículos 28.2 (las entidades del sector público "valorarán la incorporación de consideraciones sociales, medioambientales y de innovación como aspectos positivos en los procedimientos de contratación pública"), 35.1 (incluye en el contenido mínimo del contrato la "definición del objeto y tipo del contrato, teniendo en cuenta en la definición del objeto las consideraciones sociales, ambientales y de innovación"), y 99.1 (el objeto de los contratos del sector público se podrá definir en atención a las necesidades o funcionalidades concretas que se pretenden satisfacer, sin cerrar el objeto del contrato a una solución única. En especial, "se definirán de este modo en aquellos contratos en los que se estime que pueden incorporarse innovaciones tecnológicas, sociales o ambientales que mejoren la eficiencia y sostenibilidad de los bienes, obras o servicios que se contraten").

En la LCSP, las consideraciones de tipo social, medioambiental y de innovación y desarrollo podrán recogerse en los pliegos de cláusulas administrativas particulares (artículo 122.2) tanto al diseñarse los criterios de adjudicación, como criterios cualitativos para evaluar la mejor relación calidad-precio, o como condiciones especiales de ejecución, si bien su introducción está supeditada a que se relacionen con el objeto del contrato a celebrar, como exige la jurisprudencia del TJUE[32].

A través de la contratación pública socialmente responsable o la contratación pública estratégica de carácter social, destaca el Real

---

[31]   GIMENO FELIÚ, J.M. "Las condiciones sociales en la contratación pública: posibilidades y límites", en *Anuario del Gobierno Local 2017.Participación ciudadana y regeneración política. Retos de la gestión de los servicios públicos y de los derechos sociales* (Dir. FONT I LLOVET, T. y GALÁN GALÁN, A.), Fundación Democracia y Gobierno Local, 2017, págs. 241 y ss.

[32]   Por todas, puede verse la sentencia del TJUE de 24 de enero de 2008, Lianakis, asunto C-532/06, ECLI:EU:C:2008:40.

Decreto 94/2018 que las autoridades públicas pueden promover "oportunidades de empleo, trabajos dignos, inclusión social, accesibilidad, diseño para todos, comercio justo, el cumplimiento de los derechos laborales y sociales de los trabajadores, la más amplia aplicación de las normas sociales, así como compromisos voluntarios más exigentes en el ámbito de la responsabilidad social de las empresas. Estas actuaciones permiten influir en el mercado e incentivar a las empresas a desarrollar una gestión socialmente responsable, por una parte de manera directa mediante los bienes y servicios concretos que se adquieren, e, igualmente, por vía indirecta a través del ejemplo de las Administraciones públicas. Todo ello permite impulsar el avance progresivo de la sociedad por la senda del desarrollo sostenible e integrador"[33].

Mediante la LCSP se incorporaron al ordenamiento jurídico español la Directiva 2014/24/UE del Parlamento Europeo y del Consejo, de 26 de febrero de 2014, sobre contratación pública y la Directiva 2014/23/UE del Parlamento Europeo y del Consejo, de 26 de febrero de 2014, relativa a la adjudicación de contratos de concesión.

La exposición de motivos de la LCSP 2017 comienza reconociendo su dependencia respecto del Derecho de la Unión Europea, que extiende mucho más allá de la incorporación de las Directivas 23 y 24 de 2014 al recordar que

> "La exigencia de la adaptación de nuestro derecho nacional a esta normativa ha dado lugar, en los últimos treinta años, a la mayor parte de las reformas que se han ido haciendo en los textos legales españoles.
>
> En concreto, la última Ley de Contratos del Sector público encontró su justificación, entre otras razones, en la exigencia de incorporar a nuestro ordenamiento una nueva disposición comunitaria, como fue la Directiva 2004/18/CE del Parlamento Europeo y del Consejo, de 31 de marzo de 2004, sobre coordinación de los procedimientos de adjudicación de los contratos públicos de obras, de suministro y de servicios.

---

[33] Apartado 3 de la exposición de motivos del Real Decreto 94/2018, de 2 de marzo, por el que se crea la Comisión Interministerial para la incorporación de criterios sociales en la contratación pública.

En la actualidad, nos encontramos ante un panorama legislativo marcado por la denominada «Estrategia Europa 2020», dentro de la cual, la contratación pública desempeña un papel clave (...)".

El Derecho de la Unión Europea ha tenido, desde la entrada de España en las Comunidades Europeas en 1986, una influencia decisiva en el desarrollo y evolución de la normativa nacional sobre contratos públicos[34], cuya regulación ha ido estando mayoritariamente integrada, en un proceso continuo de expansión, por disposiciones que transponían las directivas comunitarias sobre contratos públicos[35].

La adaptación del ordenamiento interno español a las directivas y a la jurisprudencia comunitarias en materia de contratación pública constituyó la causa directa e inmediata de la aprobación de la norma que marcó un punto de inflexión en el Derecho nacional de la contratación, esto es, la Ley 13/1995, de 18 de mayo, de Contratos de las Administraciones Públicas (LCAP), que incorporó las Directivas 92/50, 93/36 y 93/37/CEE sobre contratos de servicios, suministros y de obras. Lo mismo ocurrió con la norma que la sustituyó, la Ley 30/2007, de 30 de octubre, de Contratos del Sector Público (LCSP), que respondió a la obligatoria incorporación al ordenamiento interno de la Directiva 2004/18/CE.

La Ley de contratos del sector público de 2017 transpone al ordenamiento jurídico español las Directivas 2014/22 y 24, pero también lleva a cabo la incorporación de la trascendente jurisprudencia del TJUE que ha marcado desde hace años la ruta por la que se ha desarrollado este hoy completo *corpus iuris* europeo en la materia.

Lo reconoce el apartado I de la exposición de motivos de la LCSP de 2017 al señalar de forma expresa que la norma recoge "diversos aspectos resaltados por la jurisprudencia del Tribunal de Justicia de la Unión Europea relativa a la contratación pública".

---

[34]   Véase MEILÁN GIL, J.L., "Un «meeting point» de los ordenamientos jurídicos sobre contratación pública", *Revista de Administración Pública*, n° 198 (2015), págs. 43 y ss.

[35]   GIMENO FELIÚ, J.M., *El nuevo paquete legislativo comunitario sobre contratación pública: de la burocracia a la estrategia (el contrato público como herramienta del liderazgo institucional de los poderes públicos)*, Aranzadi, Cizur Menor, 2014, págs. 39 y ss.

En los primeros considerandos de la Directiva 2014/24 también se insiste en la vinculación de la norma a la "reiterada jurisprudencia del Tribunal de Justicia de la Unión Europea relativa a la contratación pública", así como la obligación establecida por el TJUE de respeto de los principios del TFUE y, en particular, la libre circulación de mercancías, la libertad de establecimiento y la libre prestación de servicios, así como los principios que se derivan de estos, tales como los de igualdad de trato, no discriminación, reconocimiento mutuo, proporcionalidad y transparencia.

La aprobación de las nuevas directivas de la Unión Europea se enmarca en la Estrategia Europa 2020 para un crecimiento inteligente, sostenible e integrador[36] y supone ya la cuarta generación de normas comunitarias en la materia[37]. Junto a las citadas normas, hay que resaltar también la aprobación por las instituciones europeas de la Directiva 2014/25, sobre procedimientos de contratación en los sectores del agua, los transportes, la energía y las telecomunicaciones y la 2014/55/UE relativa a la facturación electrónica en la contratación pública.

Por primera vez se regulan en sede europea tanto las fases de preparación y adjudicación de los contratos públicos como las de ejecución y resolución de los mismos[38].

---

[36]   Documento de la Comisión COM 2010, 2020.
       Puede verse VALCÁRCEL FERNÁNDEZ, PATRICIA; "The relevance of promoting collaborative and Joint Cross Border Procurement for buying innovative solutions", Joint Public Procurement and Innovation. Lessons across borders (edited by Racca, G. and Christopher Yukins), Bruylant, Brussels, 2019, págs. 133-169.

[37]   Véase GIMENO FELIÚ, J.M., «Novedades en la nueva Normativa Comunitaria sobre contratación pública», *Revista de estudios locales*, n° 161 (2013), págs. 15 a 44 y "Las nuevas directivas —cuarta generación— en materia de contratación pública. Hacia una estrategia eficiente en compra pública", *Revista Española de Derecho Administrativo*, n° 159 (2013), págs. 39 a 106; y MORENO MOLINA, J.A., "La cuarta generación de directivas de la Unión Europea sobre contratos públicos", en AAVV (Dir. GIMENO FELIÚ, J.M., coord. BERNAL BLAY, M.A.), *Observatorio de Contratos Públicos 2012*, Aranzadi, Cizur Menor (Navarra), 2013, págs. 115 a 163.

[38]   MORENO MOLINA, J.A.; PUERTA SEGUIDO, F.; PUNZÓN MORALEDA, J. y RAMOS PÉREZ OLIVARES, A.: *Claves para la aplicación de la Directiva 2014/24/*

Más allá de la incorporación del nuevo Derecho europeo, la LCSP 2017 pretende en palabras de su exposición de motivos "diseñar y ejecutar un nuevo sistema de contratación pública, más eficiente, transparente e íntegro, mediante el cual se consiga un mejor cumplimiento de los objetivos públicos, ya señalados, tanto a través de la satisfacción de las necesidades de los órganos de contratación, como mediante una mejora de las condiciones de los operadores económicos, así como un mejor servicio para los usuarios de los servicios públicos."

También la Memoria del análisis de impacto normativo del anteproyecto de ley de contratos del sector público elaborada por el Ministerio de Hacienda y Administraciones Públicas subraya que, además de la transposición del derecho europeo, el proyecto persigue elaborar "una nueva Ley de Contratos que pueda acometer las reformas del vigente TRLCSP y que, desde su publicación, se habían vuelto muy necesarias."

En este sentido, la nueva norma persigue aclarar las normas vigentes, en aras de una mayor seguridad jurídica y "trata de conseguir que se utilice la contratación pública como instrumento para implementar las políticas tanto europeas como nacionales en materia social, medioambiental, de innovación y desarrollo y promoción de las PYMES, y todo ello, garantizando la eficiencia en el gasto público y respetando los principios de igualdad de trato, no discriminación, transparencia, proporcionalidad e integridad."

Aunque estos objetivos también provienen del nuevo Derecho de la Unión Europea en materia de contratación pública, que plantea una visión estratégica de los contratos[39] y propone superar el tradi-

---

UE sobre contratación pública, Wolters Kluwer-El Consultor de los Ayuntamientos, Madrid, 2016, págs. 197 y ss.

[39] Véase GIMENO FELIU, J.M., "El valor interpretativo de las directivas comunitarias sobre contratación pública y del derecho "pretoriano". Las opciones de transposición en España en la propuesta de reforma", en AAVV (Dir. GIMENO FELIÚ, J.M., coord. BERNAL BLAY, M.A.), Observatorio de Contratos Públicos 2014, Aranzadi, Cizur Menor (Navarra), 2015, p. 19.

cional enfoque burocrático en la materia[40], la vocación social y ambiental de la ley española supera el alcance jurídico obligatorio de las normas europeas, como se desprende del esencial artículo 1.3 LCSP 2017.

La nueva compra pública que implanta la LCSP y el Derecho de la Unión Europea está ya impregnando la actuación normativa y contractual de las Administraciones públicas españolas. Buena muestra de ello es la aprobación del Plan de Contratación Pública Ecológica de la Administración General del Estado, sus organismos autónomos y las entidades gestoras de la Seguridad Social (Orden PCI/86/2019, de 31 de enero) y la creación también en el ámbito estatal de las Comisiones Interministeriales para la incorporación de criterios ecológicos y sociales en la contratación pública; así como las Leyes 7/2021, de 20 de mayo, de cambio climático y transición energética y 7/2022, de 8 de abril, de residuos y suelos contaminados para una economía circular. A nivel autonómico destaca la Ley Foral 2/2018, de contratos públicos; la Ley 12/2018, de 26 de diciembre, de contratación pública socialmente responsable de Extremadura y el Decreto-Ley 1/2022, de medidas urgentes de mejora de la calidad en la contratación pública para la reactivación económica; la Ley Foral 17/2021, de 21 de octubre, que modifica la Ley Foral 2/2018, de contratos públicos; el Acuerdo del Gobierno, de fecha 22/03/2022, por el que se aprueba el Plan de acción de compra pública verde de Catalunya 2022-2025[41]; la Ley 8/2018, de 8 de octubre, de medidas frente al cambio climático y para la transición hacia un nuevo modelo energético en Andalucía; la Ley 7/2019, de 29 de noviembre, de Economía Circular de Castilla-La Mancha y el Acuerdo de 3 de mayo de 2018, del Consejo de Gobierno, por el que se establece la reserva de con-

---

[40]   GIMENO FELIÚ, J.M., *Informe Especial. Sistema de control de la contratación pública en España*, Observatorio de Contratación Pública, 2015, págs. 3 y ss.: http://www.obcp.es/index.php/mod.documentos/mem.descargar/fichero.documentos_INFORME_ESPECIAL_OBPC__RECURSO_ESPECIAL_Y_DOCTRINA_2015_0f8f25d8%232E%23pdf/chk.13f88f1fcc7d3864e48c973df4e880f7, fecha de consulta 3 de febrero de 2017.

[41]   Puede verse en el enlace https://contractacio.gencat.cat/ca/principis/contractacio-estrategica/guies-contractacio-estrategica/, consultado el 12 de mayo de 2022.

tratos públicos a favor de ciertas entidades de la economía social y se impulsa la utilización de cláusulas sociales y ambientales en la contratación pública de la Comunidad de Madrid.

IV. REFERENCIAS BIBLIOGRÁFICAS

AAVV, Inclusión de cláusulas sociales y medioambientales en los pliegos de contratos públicos. Guía práctica profesional (Dir. PARDO LÓPEZ, M. y SÁNCHEZ GARCÍA, A.), Aranzadi, Cizur Menor, 2019

ALONSO GARCÍA, C., "La consideración de la variable ambiental en la contratación pública en la nueva Directiva europea 2014/24/UE", La Ley Unión Europea, nº 26 (2015), págs. 5 y ss.

CANTERO MARTÍNEZ, J., "La profesionalización de la contratación pública como herramienta de innovación", en *Administración electrónica, transparencia y contratación pública* (Dir. MARTÍN DELGADO, I. y MORENO MOLINA, J.A.), Iustel, Madrid, 2020, págs. 197 y ss.

DÍAZ BRAVO, E., El Recurso en Materia de contratación pública en el Derecho Europeo y su aplicación en España, Tirant lo Blanch, Valencia, 2020

GALLEGO CÓRCOLES, I., "De las orientaciones de la Comisión europea sobre contratación pública en la crisis del covid-19 y de sus implicaciones en el caso español", http://www.obcp.es/

GAMERO CASADO, E. "Transparencia y contratación de emergencia ante el Covid-19", http://obcp.es/

GARCÍA JIMÉNEZ, A., "La contratación pública en los tiempos del coronavirus", www.obcp.es

GIMENO FELIÚ, J.M., "Riesgo y ventura del contrato público en tiempos de incertidumbres y la necesidad de garantizar el principio de "honesta equivalencia", www.obcp.es

GIMENO FELIÚ, J.M., y GARCIA ALVAREZ, G., *Compra pública de medicamentos y servicios de innovación y tecnología sanitaria: eficiencia y creación de valor,* Cizur Menor, 2020

GIMENO FELIÚ, J.M., "La crisis sanitaria COVID-19. Reflexiones sobre su incidencia en la contratación pública y las soluciones adoptadas", http://obcp.es/

GIMENO FELIÚ, J.M., *El nuevo paquete legislativo comunitario sobre contratación pública: de la burocracia a la estrategia (el contrato público como herramienta del liderazgo institucional de los poderes públicos),* Aranzadi, Cizur Menor, 2014

GIMENO FELIÚ, J.M. "Las condiciones sociales en la contratación pública: posibilidades y límites", en *Anuario del Gobierno Local 2017.Participación ciudadana y regeneración política. Retos de la gestión de los servicios públicos y de los derechos sociales* (Dir. FONT I LLOVET, T. y GALÁN GALÁN, A.), Fundación Democracia y Gobierno Local, 2017, págs. 241 y ss.

GIMENO FELIÚ, J.M., "Novedades en la nueva Normativa Comunitaria sobre contratación pública", *Revista de estudios locales*, nº 161 (2013), págs. 15 a 44 y "Las nuevas directivas —cuarta generación— en materia de contratación pública. Hacia una estrategia eficiente en compra pública", *Revista Española de Derecho Administrativo*, nº 159 (2013), págs. 39 a 106

GIMENO FELIU, J.M., "El valor interpretativo de las directivas comunitarias sobre contratación pública y del derecho "pretoriano". Las opciones de transposición en España en la propuesta de reforma", en AAVV (Dir. GIMENO FELIÚ, J.M., coord. BERNAL BLAY, M.A.), *Observatorio de Contratos Públicos 2014*, Aranzadi, Cizur Menor (Navarra), 2015

GIMENO FELIÚ, J.M., Informe Especial. Sistema de control de la contratación pública en España, Observatorio de Contratación Pública, 2015, págs. 3 y ss.: http://www.obcp.es/

MALARET, E. "El nuevo reto de la contratación pública para afianzar la integridad y el control: reforzar el profesionalismo y la transparencia", *Revista digital de Derecho Administrativo*, nº 15 (2016), págs. 21-60

MARTÍNEZ FERNÁNDEZ, J.M., (Coord.), "Hacia una contratación socialmente eficiente", *El Consultor de los ayuntamientos y de los juzgados*, especial: La Ley de Contratos del Sector Público, nº 23 (2017)

MEDINA ARNÁIZ, T., "Publicación del estudio de la Organización para la Cooperación y el Desarrollo Económicos (OCDE) Government at a Glance 2021", www.obcp.es

MEILÁN GIL, J.L., "Un "meeting point" de los ordenamientos jurídicos sobre contratación pública", *Revista de Administración Pública*, nº 198 (2015), págs. 43 y ss.

MIRANZO DÍAZ, J., "Reflexiones sobre la transparencia y la integridad contrataciones relacionadas con el Covid-19", http://www.obcp.es/

MORÓN URBINA, J.C., *El recurso ante tribunales especiales en materia de contratación pública*, Tirant lo Blanch, Valencia, 2022

MORENO MOLINA, J.A.; PUERTA SEGUIDO, F.; PUNZÓN MORALEDA, J. y RAMOS PÉREZ OLIVARES, A.: *Claves para la aplicación de la Directiva 2014/24/UE sobre contratación pública*, Wolters Kluwer-El Consultor de los Ayuntamientos, Madrid, 2016

MORENO MOLINA, J.A., "La cuarta generación de directivas de la Unión Europea sobre contratos públicos", en AAVV (Dir. GIMENO FELIÚ, J.M., coord. BERNAL BLAY, M.A.), *Observatorio de Contratos Públicos 2012*, Aranzadi, Cizur Menor (Navarra), 2013, págs. 115 a 163.

PEIRÓ BAQUEDANO, JARAMILLO VILLACÍS, BUESO GUILLÉN y DE GUERRERO MANSO, "Oportunidades para afrontar el COVID-19 y crisis similares a través de la Compra Pública de Innovación —una perspectiva legal y económica-", www.obcp.es

PERNÁS GARCÍA, J., *Contratación Pública Verde*, La Ley, Madrid, 2011 y "El uso estratégico de la contratación pública como apoyo a las políticas ambientales", en *Observatorio de políticas ambientales 2012*, Civitas, Cizur Menor, 2012, págs. 299-323.

PINTOS SANTIAGO, J., *Los principios generales de desarrollo humano y sostenibilidad ambiental en la contratación pública*, INAP, Madrid, 2017

RODRÍGUEZ ARANA, J., *Derecho internacional de las contrataciones administrativas* (junto a JINESTA LOBO, E., NAVARRO MEDAL, K. y MORENO MOLINA, J.A.), Konrad Adenauer Stiftung, Programa Estado de Derecho para Latinoamérica, eds. Guayacan, San José (Costa Rica), 2011.

ROMERO MOLINA y GÓMEZ MONTERROZA, "El principio de balance en la contratación pública", *Gabilex*, nº 22 (2020), págs. 265 y ss.

SANMARTÍN MORA, M. A., "La profesionalización de la contratación pública", AAVV, *Observatorio de Contratos Públicos 2011* (dirección GIMENO FELIÚ, J.M.), Civitas, 2012, págs. 318 y ss.

VALCÁRCEL FERNÁNDEZ, P., "Impulso de la compra pública para la innovación (CPI) a través de las distintas modalidades de contratación conjunta: análisis de casos", *Compra conjunta y demanda agregada en la contratación del sector público: un análisis jurídico y económico*, Aranzadi, Cizur Menor, 2016, págs. 349 y ss.

VALCÁRCEL FERNÁNDEZ, P., "Impulso decisivo en la consolidación de una contratación pública responsable. Contratos verdes: de la posibilidad a la obligación", *Actualidad Jurídica Ambiental*, nº 1 (2011), págs. 16 a 24.

VALCÁRCEL FERNÁNDEZ, PATRICIA; "The relevance of promoting collaborative and Joint Cross Border Procurement for buying innovative solutions", Joint Public Procurement and Innovation. Lessons across borders (edited by Racca, G. and Christopher Yukins), Bruylant, Brussels, 2019, págs. 133-169

VALCÁRCEL FERNÁNDEZ, P.; "La Directiva de concesiones (Directiva 2014/23/UE) y la gestión de Servicios de Interés General", en el libro colectivo, *Servicios de Interés General, colaboración público-privada y sectores específicos* (Coord.: V. PARISIO, V. AGUADO I CUDOLÁ, B. NOGUERA DE LA MUELA), Giappichelli, Turín; Tirant Lo Blanch, Valencia, 2016, págs. 79 y ss.

PROFESIONALIZAR LOS MECANISMOS DE CONTROL DE LA CONTRATACIÓN PÚBLICA: RELEVANCIA DE OBSERVAR LOS PRINCIPIOS DE MÉRITO Y CAPACIDAD EN LA SELECCIÓN DE LOS MIEMBROS DE LOS ÓRGANOS QUE CONOCEN DEL RECURSO ESPECIAL EN MATERIA DE CONTRATACIÓN[1]

Patricia Valcárcel Fernández
Universidad de Vigo

SUMARIO: I. DE LA FORMACIÓN A LA PROFESIONALIZACIÓN. LA PROFESIONALIZACIÓN COMO CLAVE DEL ÉXITO DEL SECTOR PÚBLICO; II. LA NECESARIA PROFESIONALIZACIÓN DE LA CONTRATACIÓN PÚBLICA; III. LA EXIGENCIA DE ESPECIALIZACIÓN EN LA FASE DE CONTROL DE LA GESTIÓN REALIZADA DE LAS COMPRAS PÚBLICAS; IV. LA ESPECIALIZACIÓN, LA PROFESIONALIZACIÓN Y LA INDEPENDENCIA ELEMENTOS BÁSICOS PARA GARANTIZAR LA CALIDAD EN EL FUNCIONAMIENTO DE LOS

---

[1] El presente trabajo se ha realizado en el marco del Proyecto de Investigación titulado: *"Desafíos estratégicos de la contratación pública en la era de la 4ª revolución industrial: sostenibilidad, gobernanza e inteligencia artificial"* (2021-2024). Ministerio de Economía y Competitividad. Referencia: PID2020-117707RB-I00. El estudio tiene su origen en uno de los aspectos tratados en un trabajo más amplio cuya referencia es VALCÁRCEL FERNÁNDEZ, Patricia; "El recurso especial en materia de contratos públicos: en la senda del derecho a una buena Administración", *Las vías administrativas de recurso a debate*, AEPDA-INAP, Madrid, 2016, pp. 303-367; si bien se han realizado adaptaciones, actualizaciones y, asimismo, se ha profundizado en algunos de los planteamientos inicialmente expuestos y constituye, en parte, una ampliación y una nueva actualización del estudio "La especialización o profesionalización, la independencia y el liderazgo como elementos clave para el buen funcionamiento del recurso especial en materia de contratación pública español", (Coord.: Enrique Díaz Bravo), *Contratación pública global: visiones comparadas*, Tirant Lo Blanch, Valencia, 2020, pp. 587-615.

ÓRGANOS DE RECURSOS ESPECIALES EN MATERIA DE CONTRATACIÓN. IMPORTANCIA DE LOS PRINCIPIOS DE MÉRITO Y CAPACIDAD EN LA SELECCIÓN DE SUS MIEMBROS; V. CONCLUSIONES.

I. DE LA FORMACIÓN A LA PROFESIONALIZACIÓN. LA PROFESIONALIZACIÓN COMO CLAVE DEL ÉXITO DEL SECTOR PÚBLICO

El nivel de formación y conocimiento de los empleados públicos de un país afecta directamente a su desarrollo económico, social y democrático[2]. Conscientes de esto, desde hace muchas décadas, Gobiernos y Administraciones, se esfuercen por impulsar la mejor formación posible de quienes les prestan sus servicios. En unos casos, ese esfuerzo se evidencia en el sometimiento del acceso a la función pública a pruebas selectivas en las que se incluyen planes de formación concretos; en otros, en particular respecto de quienes ya forman parte de la estructura administrativa, el esfuerzo para mejorar su capacitación se manifiesta a través de posibilitar su formación para atender funciones específicas[3].

Ahora bien, si siempre ha sido relevante la formación de los empleados públicos, en un mundo cada vez más globalizado, más cambiante, más especializado, más tecnificado, y ante una ciudadanía cada vez más exigente, esa necesidad se acrecienta notablemente. Experimenta un salto cualitativo que desemboca en una demanda cada vez mayor de un grado de formación más elevado, más completo, más profundo, más técnico, que se canaliza a través de la llamada "profesionalización". Siendo que el incremento de la profesionalización de la Administración pública es una de las dimensiones más importantes de los desafíos que para el futuro plantea su reforma y modernización.

La profesionalización es una cualidad atribuible a una institución o individuo que realiza su trabajo específico con relevante capacidad

---

[2]   JUAN JOSÉ RASTROLLO SUÁREZ (2021); "Gerencia profesional y contratación pública estratégica: una perspectiva comparada", *Gestión Y Análisis De Políticas Públicas*, (26), pp. 46-80. https://doi.org/10.24965/gapp.i26.10844, p. 49.

[3]   Cfr. RODRÍGUEZ-ARANA MÚÑOZ, JAIME; "Profesionalización en la contratación pública", *Anuario da Facultade de Dereito da Universidade da Coruña*, Vol. 25 (2021), pp. 243-264.

para cumplir eficientemente su desempeño, sus cometidos. Se manifiesta en ejecutar sus tareas con máxima atención, cuidado, exactitud, rapidez y competencia. Se fundamenta en emplear los principios, métodos, formas y medios que corresponden a su actividad profesional, basada en una elevada preparación y experiencia. Pero la profesionalización no es estática, sino que se liga a un proceso continuo de perfeccionamiento personal y laboral en una determinada práctica profesional, pues demanda la formación y esfuerzo constante de quienes se dicen profesionales de un campo en los modos de actuación propios del mismo, desde una sólida comprensión y desempeño de las tareas propias de un puesto especializado aplicado los avances de los conocimientos científicos y técnicos y los métodos de la ciencia y la lógica de la profesión y el contexto histórico determinado.

Resulta claro que esta forma de entender la profesionalización está íntimamente ligada a la idea de maximización de la calidad en el quehacer público. Y resulta claro también que el sector público en modo alguno puede renunciar a que quienes se desempeñan en sus distintos puestos tiendan idealmente a desarrollar al máximo sus potencialidades, capacidades, habilidades y destrezas, en relación con el campo o sector determinado en el que se desempeñan. Por todo ello, la profesionalización actualmente es vista como un elemento básico, esencial, central, irrenunciables, plenamente ligado a la idea de buena administración y a la buena atención de sus competencias y funciones por parte del sector público (derecho a una buena administración que hoy sanciona el artículo 41 de la Carta Europea de Derechos Fundamentales).

Explica RODRÍGUEZ-ARANA que la existencia de funcionarios públicos seleccionados de acuerdo con los criterios de mérito, idoneidad y capacidad en el marco de la libre concurrencia constituye una condición necesaria para que la Administración pública pueda cumplir la tarea que le es propia y para la que precisa de una cierta autonomía técnica que vendrá preservada precisamente por la profesionalidad de sus empleados[4]. Y este mismo planteamiento es tam-

---

[4]   Cfr. RODRÍGUEZ-ARANA MÚÑOZ, JAIME; "Profesionalización en la contratación pública", *Anuario da Facultade de Dereito da Universidade da Coruña*, Vol. 25 (2021), pp. 243-264.

bién perfectamente válido y extrapolable cuando se habla del progreso en la carrera profesional del sector público.

Precisamente esta forma de selección y de progreso —primando la idoneidad, el mérito y la capacitación acreditada— es lo que posibilita que se cuente con personas con preparación contrastada, que han demostrado ser las mejores en cada procedimiento de selección convocado para cubrir las plazas que ocupan y que se genere un halo de mayor objetividad en las decisiones que adopta el sector público. Hasta el punto de que se considera que los países que han implementado sistemas de profesionalización integrales y dinámicos que garanticen el ingreso y la progresión en la carrera a través del mérito, la capacidad y la idoneidad son quienes mejor están en condiciones de implementar políticas públicas que realmente mejoren las condiciones de vida de los ciudadanos[5].

II. LA NECESARIA PROFESIONALIZACIÓN DE LA CONTRATACIÓN PÚBLICA

El mismo razonamiento expuesto cabe aplicarlo al ámbito específico de la contratación pública. Este sector ha ido adquiriendo un enorme protagonismo en las últimas décadas y se caracteriza por haber incrementado significativamente su complejidad y su tecnicismo. Hoy por hoy se entiende que la contratación pública no es ya, como se veía en tiempos pretéritos, una mera competencia o función administrativa burocratizada, sino que se ha transformado en un importantísimo instrumento de impulso de políticas públicas de gran calado por su conexión aspectos sociales, medioambientales, de fomento de la innovación, o de lucha contra la corrupción.

Por ello la preparación de quienes trabajan en este ámbito se ha ido considerando cada vez más un elemento más·relevante; imprescindible, en el entendido de que es un elemento básico indispensa-

---

[5]   Cfr. RODRÍGUEZ-ARANA MÚÑOZ, JAIME; "Profesionalización en la contratación pública", *Anuario da Facultade de Dereito da Universidade da Coruña*, Vol. 25 (2021), pp. 243-264.

bles para garantizar el éxito de la tan anhelada consolidación de una contratación pública auténticamente estratégica[6].

Cuando quienes gestionan y supervisan la contratación pública en cualquiera de sus fases son seleccionados sobre la base del respeto a los principios de mérito y la capacidad, y son adecuadamente formados tanto al inicio como durante toda su carrera y cuentan con la autonomía suficiente para tomar sus decisiones de forma independiente, mejora la calidad del proceso contractual en su conjunto[7], del ciclo integral de la contratación pública.

El surgimiento de la demanda de una adecuada profesionalización en quienes participan en cualquier fase del ciclo de la contratación pública ha sido lento, pero avanza con paso firme.

Un primer hito relevante en este camino lo constituyen los documentos elaborados en el marco de la OCDE a partir del año 2009 —destacando el titulado *Integridad en la contratación pública buenas prácticas de la "A" a la "Z"*-que de forma constante y clara reclaman la necesidad de la profesionalización en este ámbito[8]. Se aludía, entre otros aspectos, a la necesidad de:

> "generar profesionalidad entre los responsables de contratación con un conjunto común de normas profesionales y éticas es igualmente importante. Los resultados del estudio resaltaban que la contratación pública es un factor significativo para gestionar correctamente los recursos públicos y, por ello, deberían considerarse como una profesión estratégica y no sólo como una función administrativa."

---

[6]   GIMENO FELIÚ, JOSÉ MARÍA; "La necesaria política de profesionalización en la contratación pública. Alguna reflexión propositiva", en este mismo libro; JUAN JOSÉ RASTROLLO SUÁREZ (2021); "Gerencia profesional y contratación pública estratégica: una perspectiva comparada", *Gestión Y Análisis De Políticas Públicas*, (26), pp. 46-80. https://doi.org/10.24965/gapp.i26.10844, p. 49; Cfr. RODRÍGUEZ-ARANA MÚÑOZ, JAIME; "Profesionalización en la contratación pública", *Anuario da Facultade de Dereito da Universidade da Coruña*, Vol. 25 (2021), pp. 243-264.

[7]   JUAN JOSÉ RASTROLLO SUÁREZ (2021); "Gerencia profesional y contratación pública estratégica: una perspectiva comparada", *Gestión Y Análisis De Políticas Públicas*, (26), pp. 46-80. https://doi.org/10.24965/gapp.i26.10844, p. 49

[8]   https://www.oecd.org/fr/gov/ethique/38947794.pdf

"mejorar la profesionalidad de la contratación se ha convertido en algo aún más importante. Se han dedicado esfuerzos para dotar a los responsables de la contratación de los conocimientos adecuados, experiencia y calificación para evitar riesgos para la integridad en la contratación pública. Los responsables de la contratación (a los que se exige cada vez más que desempeñen la función de "gestor contractual", además de sus obligaciones tradicionales) han comenzado a tener nuevos conocimientos, es decir, no sólo conocimientos especializados relativos a la contratación pública, sino también con respecto a la gestión de proyectos y aptitudes de gestión de riesgos".

A partir de ahí otros muchos documentos de la OCDE han seguido subrayando la importancia de asegurar de que los profesionales de la contratación tengan un alto nivel de capacitación técnica y aptitud para la puesta en práctica de sus función y la trascendencia de ofrecerles un sistema de carrera atractivo, competitivo, basado en el mérito, estableciendo vías de acceso según baremos claros, brindando protección frente a la injerencias políticas en la gestión de la contratación pública, y promoviendo en las escenas nacional e internacional las buenas prácticas para los sistemas de carrera profesional con el fin de mejorar el rendimiento de los empleados[9].

Por si parte, la Unión Europea ha hecho lo propio, desde luego a partir del año 2017, momento en el que ve la luz la *Recomendación (UE) 2017/1805 de la Comisión de 3 de octubre de 2017 sobre la profesionalización de la contratación pública. Construir una arquitectura para la profesionalización de la contratación pública*[10]. De acuerdo con la citada Recomendación la profesionalización de la contratación pública tiene que estructurarse alrededor de tres objetivos clave: la definición de la atribución de responsabilidades y tareas de las instituciones, la mejora de la formación y la gestión de la carrera de los profesionales en materia de contratación, y la proporción de herramientas y metodologías de soporte de la práctica profesional en este ámbito mate-

---

[9]   https://www.oecd.org/gov/public-procurement/OCDE-Recomendacion-sobre-Contratacion-Publica-ES.pdf
       https://www.oecd.org/gov/ethics/recomendacion-sobre-integridad-es.pdf
[10]   https://www.boe.es/doue/2017/259/L00028-00031.pdf

rial. Se apuntaba que la profesionalización debe abarcar a todos los intervinientes en el proceso de contratación pública, se identifiquen las necesidades de capacitación, se planifique y motive la carrera profesional y se promueva la integridad a nivel individual e institucional como parte intrínseca de la conducta profesional[11].

En esta misma línea, más recientemente ha vuelto a insistir con fuerza en la idea de la profesionalización de la contratación pública el Comité Económico y Social Europeo, que emitió un Dictamen el 15 de febrero de 2020 en el que analizaba la Recomendación de la Comisión europea de 2017 y en la que indica que es esencial avanzar con resolución hacia una gran profesionalización de los servicios contratantes y un claro reconocimiento de las cualificaciones adquiridas, equipándolos con un marco común europeo de competencias técnicas e informáticas que hagan posible un enfoque común en todo el mercado interior europeo. Es tal la importancia de la materia que el Comité Económico y Social destaca en su informe que más que una Recomendación se debería haber aprobado un Directiva a fin de garantizar una estructura efectiva y coherente para la profesionalización de la contratación pública[12].

Buena muestra de la preocupación a nivel europeo por la profesionalización de la contratación pública lo evidencia el impulso de la herramienta ProcurComp, instrumento de ayuda que pivota sobre tres elementos que se retroalimentan y articulan de forma flexible: una matriz de competencias, una herramienta de autoevaluación y un programa básico de formación[13].

---

[11]   CIUTAT CORONADO, ANNA; "La profesionalización en contratación como medida preventiva. Retos diferentes para colectivos diferentes", *Riesgos para la integridad en la contratación pública Opiniones expertas*, Oficina Antifraude de Cataluña, 2019, disponible en: https://www.antifrau.cat/sites/default/files/Documents/Recursos/OE03_profesionalizacion-contratacion-medida-preventiva-retos-diferentes-colectivos-diferentes.pdf; SANMARTÍN MORA, María Asunción; "La profesionalización de la contratación pública en el ámbito de la Unión Europea", *Observatorio de contratos públicos 2011*, (Dir.: José María Gimeno Feliú. Coord.: Miguel Ángel Bernal Blay), Thomson Reuters Aranzadi, 2012, pp. 407-429.

[12]   Cfr. RODRÍGUEZ-ARANA MÚÑOZ, JAIME; "Profesionalización en la contratación pública", *Anuario da Facultade de Dereito da Universidade da Coruña*, Vol. 25 (2021), pp. 243-264.

[13]   DE GUERRERO MANSO (2021): "La imperiosa necesidad de profesionalización como clave del éxito en la contratación pública. La utilización de la he-

III. LA EXIGENCIA DE ESPECIALIZACIÓN EN LA FASE DE CONTROL DE LA GESTIÓN REALIZADA DE LAS COMPRAS PÚBLICAS

Como se ha indicado, la necesaria especialización que defendemos alcanza a quienes asumen responsabilidades relacionadas con cualesquiera ámbitos ligados con la contratación pública. Eso sí, esa especialización puede graduarse, como apuntamos, en atención a la función que en cada caso se atiende. Lógicamente ha de darse en un grado muy elevado en los gestores del día a día que diseñan y licitan contratos, o en un grado eminentemente técnico ligado al que en cada caso sea el objeto prestacional del contrato, en quienes asumen las funciones de "responsable del contrato". En todo caso, y por lo que al objeto de este trabajo se refiere, no se duda de que la especialización ha de respetarse entre quieres asumen la función de control de la contratación pública en cualquiera de sus manifestaciones: control en vía administrativa en vía jurisdiccional o a través de órganos externos de fiscalización.

No obstante, sí cabe defender que se hace particularmente exigible cuando, como es el caso de España, el legislador ha optado por crear un sistema de recursos administrativos especializados en el ámbito del control de la contratación pública. La propia esencia del recurso pone de manifiesto que quienes lo resuelvan han de contar con un grado de especialización muy elevado, pues solo conocen de esa materia.

Este recurso fue creado en 2010 como respuesta a la necesidad de cumplir con las exigencias impuestas por la Directiva 89/665/CEE del Consejo, de 21 de diciembre de 1989, relativa a la coordinación de las disposiciones legales, reglamentarias y administrativas referentes a la aplicación de los procedimientos de recurso en materia de adjudicación de los contratos públicos de suministros y de obras, y la Directiva 92/13/CEE del Consejo, de 25 de febrero de 1992, relativa a la coordinación de las disposiciones legales, reglamentarias y administrativas referentes a la aplicación de las normas comunitarias en los procedimientos de formalización de contratos de las entidades que operen en los sectores

---

rramienta ProcurCompEU", *Observatorio de los Contratos Públicos 2020*, Aranzadi, 2021, pp. 91-125.

del agua, de la energía, de los transportes y de las telecomunicaciones. Directivas (conocidas con el sobrenombre de "Directivas de recursos") que fueron sustancialmente modificadas por la Directiva 2007/66/CE del Parlamento Europeo y del Consejo de 11 de diciembre.

El objetivo prioritario de estas directivas era que los Estados miembros contasen con un mecanismo procesal que garantizase de forma "rápida" y "eficaz" el cumplimiento de las Directivas europeas sustantivas en materia de contratación. De esta suerte, las Directivas sustantivas fueron completadas con las correlativas Directivas "procesales" en las que se delinean las exigencias que deben observar los mecanismos de control a los debe poder acudirse en caso de que se entienda producida una vulneración del contenido de las anteriores.

Así las cosas, como se ha señalado, desde 2010 y para dar cumplimiento a las exigencias impuestas por las Directivas de recursos en España se ha apostado por la vertebración de un recurso administrativo especial basado en la creación de órganos especializados e independientes.

La creación de este recurso administrativo especial ha supuesto un notable avance en la consecución de un control efectivo de legalidad en esta materia. En pocos ámbitos de actuación administrativa se ha avanzado tanto, tan razonablemente bien y en tan poco tiempo como en el sector de la contratación pública. Y ello ha sido en gran medida gracias al diseño previsto para este recurso especial.

Los datos[14] demuestran que, en líneas generales, aún con sus imperfecciones y defectos[15], el recurso diseñado ha resultado exitoso y

---

[14]   Los principales datos que arroja el funcionamiento de este sistema de recursos son anualmente sistematizados y analizados a través del *Centro de Investigación sobre Justicia Administrativa* (CIJA) de la Universidad Autónoma de Madrid y divulgados en el *Informe sobre la Justicia Administrativa* que elabora anualmente desde el año 2015. Los análisis, ciertamente rigurosos y exhaustivo, se llevan a cabo a partir de la información de las Memorias de actividad que cada año elaboran los órganos y tribunales de recursos contractuales y que están accesibles en abierto en la web: http://cija-uam.org/informe/

[15]   Los principales aspectos que entendía mejorables de este recurso tuve ocasión de identificarlos en el trabajo "El recurso especial en materia de contratos públicos: en la senda del derecho a una buena Administración", *Las vías administrativas de recurso a debate*, AEPDA-INAP, Madrid, 2016, pp. 303-367. Algunos de ellos, como la extensión de su ámbito objetivo de aplicación, han sido mejora-

ha contribuido a corregir importantes vicios de los que venía adoleciendo la práctica de la contratación pública en España y, con ello, a consolidar una auténtica tutela restitutoria que ampara las posiciones jurídicas singulares de los operadores económicos.

El éxito del modelo descansa en una multiplicidad de factores. No obstante, en este momento se busca subrayar la importancia de seleccionar a quienes ocupen los puestos en estos órganos respetando principios de mérito y capacidad. Con ello se favorece la independencia, la especialización y la profesionalización de estos órganos.

IV. LA ESPECIALIZACIÓN, LA PROFESIONALIZACIÓN Y LA INDEPENDENCIA ELEMENTOS BÁSICOS PARA GARANTIZAR LA CALIDAD EN EL FUNCIONAMIENTO DE LOS ÓRGANOS DE RECURSOS ESPECIALES EN MATERIA DE CONTRATACIÓN. IMPORTANCIA DE LOS PRINCIPIOS DE MÉRITO Y CAPACIDAD EN LA SELECCIÓN DE SUS MIEMBROS

Continuando este orden de ideas, ya indicamos que mucho se habla en los últimos tiempos del derecho a una buena administración que, recordemos, es definido en el artículo 41 de la Carta de los Derechos Fundamentales de la Unión Europea justamente por referencia a que las instituciones, los órganos y los organismos públicos traten los asuntos de cualquier persona de manera imparcial, equitativa y los atiendan en un plazo razonable[16].

---

dos a través de la Ley 9/2017. Otros, como el reclamo del carácter obligatorio del recurso, siguen sin encontrar plasmación en sede normativa.

[16]　El origen del reconocimiento normativo del derecho fundamental a la buena administración se localiza en la Recomendación n° R (80) 2, del Comité de Ministros del Consejo de Europa adoptada el 11 de marzo de 1980, relativa al ejercicio de poderes discrecionales por las autoridades administrativas. A partir de aquí, la jurisprudencia tanto del actual TJUE como del TEDH ha ido paulatinamente aquilatando su contenido. Además, la inclusión explícita de este derecho en el artículo 41 de la Carta de Derechos Fundamentales de la Unión Europea, de 7 de diciembre de 2000, significó un gran impulso para el mismo que jurídicamente se vio muy reforzado cuando el Tratado de Lisboa otorgó a dicha Carta rango de Derecho primario, y por tanto, fuerza vinculante.

Pues bien, la procura de una "buena administración" guarda también una directa relación con la adecuada preparación de quienes ocupan los distintos puestos en el poder público, singularmente, de quienes ejercen labores de dirección y toma de decisiones en los distintos órganos y organismos públicos.

En el sistema de recursos que nos ocupa, la especialización y la independencia de quienes integran los órganos de recursos resulta fundamental.

La especialización a que nos referimos se puede predicar con carácter general tanto de la mayor parte de los órganos que los resuelven, como de los miembros que los integran. Por lo que a los órganos se refiere implicaría que los que integran el sistema conocen exclusivamente de los recursos interpuestos en materia de contratación pública. Como decimos, tal ocurre en la mayor parte de los órganos que se han creado, que solo conocen estos recursos. No obstante, existen algunas excepciones, por ejemplo, en la Comunidad autónoma de Castilla y León, en la que su Consejo Consultivo, entre otras competencias, tiene la referida a la resolución de estos recursos.

Por lo que a la especialización de quienes son miembros de los órganos —aspecto mucho más relevante de la especialización—, la misma supondría que todos ellos han de contar con una experiencia de amplia trayectoria en el estudio y práctica de las cuestiones relacionadas con el Derecho de los contratos públicos. Y esto es, en esencia, así, aunque dependiendo de los distintos órganos de recursos que existen se cumple de una manera desigual.

Una de las pretensiones fundamentales de este trabajo consiste en llamar la atención acerca de que estos órganos no son órganos políticos y la especialización de la función que están llamados a desarrollar demanda que quienes los integren hayan acreditado que cuentan para acceder al respectivo puesto con una preparación sólida en materia de contratación pública. Cualquier otra motivación conduciría a desnaturalizar el sistema y la bondad de su diseño y, en definitiva, a poner en riesgo la más optima consecución de los fines para los que fue creado, además, dicho sea de paso, a poner en tela de juicio el respeto por un importante principio que debe regir por su puesto el acceso, pero también la promoción, en el ámbito de la función pública, como es el de mérito y capacidad. Pero vayamos poco a poco.

La normativa que regula la composición de estos órganos establece los requisitos que han de cumplir quienes los integren. Así, en el Estado, de acuerdo con el artículo 45 de la LCSP el Tribunal Administrativo Central de Recursos Contractuales (TACRC) está compuesto por un Presidente y un mínimo de dos Vocales. Pueden ser designados Vocales los funcionarios de carrera de cuerpos y escalas a los que se acceda con título de licenciado o de grado que, además, hayan desempeñado su actividad profesional por tiempo superior a diez años, preferentemente en el ámbito del Derecho Administrativo relacionado directamente con la contratación pública. Por su parte, el Presidente del Tribunal debe ser funcionario de carrera, de un cuerpo o escala para cuyo acceso sea requisito necesario el título de licenciado o grado en Derecho y haber desempeñado su actividad profesional por tiempo superior a quince años, preferentemente en el ámbito del Derecho Administrativo relacionado directamente con la contratación pública. En ambos casos, si el Presidente o los Vocales son designados entre funcionarios de carrera incluidos en el ámbito de aplicación de la LBEP, deberán pertenecer a cuerpos o escalas clasificados en el Subgrupo A1 del artículo 76 de dicha Ley. La diferencia entre la designación del Presidente y la de los vocales es que la norma obliga a que el Presidente sea licenciado o graduado en Derecho, aspecto que no se exige expresamente para los vocales. Aunque para entender muchos aspectos de la contratación pública resulta altamente interesante contar con conocimientos ajenos a los jurídicos —como, significativamente, los económicos—, lo cierto es que para integrar un órgano de recursos de la naturaleza del que tratamos, en el que se dilucidan cuestiones netamente jurídicas —pues de lo que se trata es de verificar que se ha cumplido adecuadamente la normativa de este sector, esto es, realizar un control de legalidad—, lo más apropiado hubiese sido exigir que si no todos al menos un mínimo de los vocales del órgano contasen con preparación jurídica. Coincido con el profesor SANTAMARÍA[17], en considerar que no exigir este perfil jurídico puede ser disfuncional, pues difícilmente podrá elaborar resoluciones fundadas en Derecho y sobre cuestiones tan complejas como las que conocen estos órganos quienes carezcan de profundos conocimientos jurídicos.

La redacción del precepto hace que pueda pensarse que los años de experiencia pudiesen ser en ámbitos ajenos al Derecho Administrativo relacionado directamente con la contratación, pues la norma utiliza el adverbio *"preferentemente"* a la hora de incluir esa referencia. Tal solución sería asimismo criticable, pues la especialización de los miembros de estos órganos en lo tocante al Derecho de la contratación pública se pretende que sea uno de los puntos fuertes del sistema ideado. Que quienes vayan a integrar estos órganos cuenten con una previa especialización en esta materia antes de incorporarse a ellos resulta capital para que su funcionamiento sea el más exitoso posible. De ahí, que, como luego se explicará, si, por ejemplo, la selección de los miembros de estos órganos se hace mediante la convocatoria de un concurso, sería difícilmente justificable seleccionar a quienes no acreditasen contar con méritos y/o experiencia en el marco de la contratación pública frente a candidatos que sí acreditasen tenerla. En los casos de nombramiento por libre designación, nombrar a alguien que no cuenta con un bagaje mínimo en este campo, podría inducir a sembrar sospechas de politización y dudas sobre el ejercicio del cargo con plena independencia.

Por lo que se refiere a la normativa de las CCAA, aún no siendo plenamente coincidente, suele exigir que tanto Presidentes como Vocales de sus órganos sean licenciados o graduados —incluso alguna norma habla de doctorados[18]— en Derecho y cuenten con una experiencia profesional de un número variable de años que oscila entre los cinco y los quince dependiendo de los casos. A partir de ahí, las fórmulas para aludir al conocimiento de la materia sobre la que versarán

---

[17]   *Cfr.* SANTAMARÍA PASTOR; Juan Alfonso; *Los recursos especiales en materia de contratos del sector público*, Thomson Reuters Aranzadi, Cizur Menor, Navarra, 2015, p. 57.

[18]   Así se recoge en la normativa del País Vasco.

los recursos que habrán de resolverse son diversas, aunque orientadas en la misma dirección. Por ejemplo, se indica que la experiencia ha de ser *"preferentemente en el ámbito del Derecho Administrativo relacionado con la contratación pública"* (Andalucía); *"en la rama de Derecho Administrativo relacionada directamente con la contratación pública"* (Aragón); o que se ha de contar con *"cualificaciones jurídicas y profesionales que garanticen un adecuado conocimiento en materia de contratación administrativa y en especial, de la normativa contractual comunitaria"* (Canarias); que se valorará *"su experiencia profesional en el ámbito de la contratación pública"* (Galicia); o que han de *"poseer una experiencia profesional….preferentemente en el ámbito del derecho administrativo relacionado directamente con la contratación pública"* (Comunidad Foral de Navarra).

Requisitos como los indicados no se exigen en el caso de la Comunidad Autónoma de Castilla y León que ha optado porque su órgano de recursos coincida con una parte de la actividad que desarrolla su Consejo Consultivo. En este caso, Presidente y Vocales del órgano de recursos se corresponden automáticamente con quienes ejercen como Presidente y Consejeros en la citada institución. Es cierto que los Consejos Consultivos —al igual que el Consejo de Estado— tienen atribuidas ciertas competencias relacionadas con la contratación pública, tal como se desprende de distintos preceptos de la actual LCSP, y así han de informar normas sobre la materia, pliegos de cláusulas administrativas generales, el ejercicio de las prerrogativas de la Administración en este ámbito (ej.: modificaciones contractuales) o emitir dictamen en caso de que la Administración opte por la resolución de un contrato, etc. Ahora bien, considerando el tipo de problemas a los que habrán de dar respuesta al resolver los recursos que se formulen, que los miembros del órgano cuenten con experiencia previa en relación con la contratación pública —de la que pueden carecer el Presidente o los Consejeros de los Consejos Consultivos cuando entran a formar parte del órgano— sería lo procedente. Si lo que se buscaba en esta Comunidad Autónoma era contar con un órgano de recursos propio pero sin crear nuevas estructuras ni incurrir en nuevos costes, hubiese sido más coherente para garantizar que quienes resuelven los recursos cuentan ya cuando asumen tal responsabilidad con una experiencia "a pie de tierra" en materia de contratación, haber atribuido las funciones de órgano de recursos a sus respectivas Juntas Consultivas de Contratación Administrativa, en las que algunos de sus miembros —especialmente los que forman parte de sus Comisiones Permanentes— sí la tienen. El ahorro que se ha podido lograr puede ser a costa de ahorrar también en especialización y profesionalización.

Pero volviendo al supuesto anterior y más generalizado de creación de nuevos órganos, no entraremos en este momento a valorar qué número de años de experiencia sería adecuado exigir para garantizar que quienes los integran cuentan con la suficiente para atender con rigurosidad y acierto las funciones que van a desempeñar. En lo que sí conviene insistir es en que un conocimiento intenso sobre contratación pública resulta fundamental para resolver con solvencia y rapidez (como exige el Derecho europeo) los recursos que en la materia pueden presentarse.

En este sentido, aludiremos en el apartado siguiente al hablar de la independencia, como ésta puede verse intensificada si el nombramiento de los miembros de estos órganos se hace previa convocatoria de un procedimiento concurrencial (un concurso de méritos) resuelto, sobre la base de los méritos alegados por los aspirantes, por una comisión nombrada al efecto que aplique un baremo previamente definido. Insistimos en ello por cuanto sería una forma objetiva de contrastar la experiencia y los conocimientos que garanticen la especialización. Y es que la especialización no ha de presuponerse sino que debiera quedar acreditada y contrastada.

Que quienes vayan a integrar estos órganos cuenten con una previa especialización en esta materia antes de incorporarse a ellos resulta capital para que su funcionamiento sea el mejor posible. De ahí, que, como luego se explicará, si, por ejemplo, la selección de los miembros de estos órganos se hace mediante una convocatoria pública, sería difícilmente justificable seleccionar a quienes no acreditasen contar con méritos y/o experiencia en el marco de la contratación pública frente a candidatos que sí acreditasen tenerla. En los casos de nombramiento por libre designación, nombrar a alguien que no cuenta con un bagaje mínimo en este campo, podría inducir a sembrar sospechas de politización y dudas sobre el ejercicio del cargo con plena independencia.

Es lógico exigir un grado elevado de experiencia, de especialización, para ocupar los puestos del órgano encargado de controlar en "primera instancia" —con la importancia que el control tiene a este nivel— la aplicación de la normativa sobre contratación. Y ello por cuanto uno de los ámbitos de actuación administrativa en los que la complejidad y la sofisticación ha ido aumentando de forma significativa con el paso del tiempo es, sin duda alguna, el de las compras públicas. Es una materia caracterizada por un enorme y creciente dinamismo que se ha convertido en una parte del Derecho administrativo —como hay otras— con un elevado componente técnico. En efecto, estamos ante un sector en el que estar al día de las novedades normativas requiere de gran atención y es uno de los ejemplos que mejor sirven para explicar la idea de "legislación motorizada". Pero, además, conocer a fondo los vericuetos de esta regulación y, sobre todo, saber aplicarla, o si se está aplicando con la destreza y habilidad debida, o cómo ha de interpretarse, no se logra si no se cuenta con una intensa familiarización con el sector y una considerable experiencia práctica.

Así, conocer el régimen de revisión de precios de los contratos; saber si los criterios de adjudicación de un contrato definidos en el pliego son objetivos, si se han incluido juicios de valor improcedentes o si puede afectar a la adecuada ponderación de las ofertas el empleo de según qué tipo de fórmulas matemáticas en los mismos; conocer a fondo qué es el "coste de ciclo de vida" de un contrato; saber cómo se pueden fijar fórmulas para identificar ofertas anormalmente bajas o desproporcionadas cuando se adjudica el contrato utilizando varios criterios; qué es una oferta anormalmente baja con viabilidad no acreditada; saber si la "experiencia" se está exigiendo auténticamente como criterio de solvencia profesional; cuando una "división en lotes" puede hacerse; cuándo la reserva de contratos no implica vulneración del principio de concurrencia[19]; cuándo un convenio encierra en realidad un contrato, cuándo se pueden incluir

---

[19]   Sobre los principios básicos de la contratación pública cfr. DE LA ROSA, Stephane y VALCÁRCEL FERNÁNDEZ, Patricia (Editors); *Principles of public contracts in Europe / Les principes des contrats publics en Europe*, Bruylant, Bruselas, 2022; MORENO MOLINA, J.A.; "Principios generales del Derecho de la contra-

cláusulas vinculadas a la idea de fomentar la compra pública estratégica[20], etc., son algunos ejemplos de entre los muchos que podrían proponerse para hacer ver que no es sencillo dominar con soltura estas cuestiones si no es a través de la adquisición de una experiencia que no se consigue de un día para otro.

Desde hace tiempo se viene demandando cada vez con mayor insistencia la necesidad de avanzar en una auténtica profesionalización de la contratación pública, en razón de su mencionada complejidad[21]. La misma UE viene insistiendo en la necesidad de preocuparse por la profesionalización de quienes se ocupan de funciones en este campo[22], y en la LCSP este objetivo ha empezado a hacer acto de

---

tación pública internacional", Contratación pública global: visiones comparadas, Tirant lo Blanch, Valencia, 2020, págs. 19 a 42.

[20] Sobre esto cfr. GIMENO FELIÚ, JOSÉ MARÍA; "La visión estratégica en la contratación pública en la Ley de Contratos del Sector Público: hacia una contratación socialmente responsable y de calidad", *Economía Industrial,* nº 415, 2020, pp. 89-97; MORENO MOLINA, J.A.; *Compra pública socialmente responsable. Inclusión de las personas con discapacidad,* Tirant lo Blanch, Valencia, 2022; "Criterios sociales de adjudicación en el marco de la contratación pública estratégica y sostenible post-COVID 19", *Revista Española de Derecho Administrativo,* nº 210 (2021).

[21] Este objetivo se recoge en la Declaración de Cracovia, que contiene las conclusiones del primer Foro del Mercado Interior celebrado en dicha ciudad los días 3 y 4 de octubre de 2011, y que entre las medidas para mejorar el funcionamiento de la legislación comunitaria sobre contratación pública, propone ahondar en la profesionalización del sector a través de una mejor formación. Sobre el alcance de la profesionalización en esta materia, *cfr.* SANMARTÍN MORA, María Asunción; "La profesionalización de la contratación pública en el ámbito de la Unión Europea", *Observatorio de contratos públicos 2011,* (Dir.: José María Gimeno Feliú. Coord.: Miguel Ángel Bernal Blay), Thomson Reuters Aranzadi, 2012, pp. 407-429. Sobre la importancia de la profesionalización para la reconducción de la práctica de la contratación pública en España, *cfr.* GIMENO FELIÚ, José María: «La nueva regulación de la contratación pública en España desde la óptica de la incorporación de las exigencias europeas: hacia un modelo estratégico, eficiente y transparente», en Gimeno Feliú (Dir.), *Estudio Sistemático de la Ley de Contratos del Sector Público,* Aranzadi, 2018, pp. 1253 y ss.

[22] *Cfr.,* por ejemplo, la Recomendación (UE) 2017/1805 de la Comisión, de 3 de octubre de 2017 *sobre la profesionalización de la contratación pública. Construir una arquitectura para la profesionalización de la contratación pública,* o el Dictamen del Comité Económico y Social Europeo sobre la comunicación de la Comisión al Parlamento Europeo, al Consejo, al Comité Económico y Social Europeo y al Co-

presencia de forma más explícita[23]. Especialización que, obviamente, comprende a los operadores que han de aplicar las normas de esta sub-rama del Derecho público, pero también a quienes estén encargados del control de su cumplimiento. En realidad, la necesidad de profesionalización debe predicarse —insistimos— de cualquiera que actúe en este campo, señaladamente, por lo que a este trabajo importa, de todos cuantos participan en el control de las decisiones adoptadas en aplicación de la normativa de contratos públicos.

Una buena gobernanza en materia contractual, entendida como garantía del "derecho a una buena administración", demanda la profesionalización con el alcance amplio al que nos estamos refiriendo, abarcando no solo los aspectos relativos a la gestión, sino también los relacionados con su control.

La competitividad, la eficacia, y la eficiencia en cualquier organización dependen en gran medida de la profesionalización de las personas que la dirigen. En este caso, la experiencia acumulada permite afirmar, en mi opinión, que buena parte del éxito que se considera ha tenido inicialmente el sistema ha radicado precisamente en que los órganos han estado mayoritariamente compuestos por especialistas en contratación pública. Aunque la especialización es desigual, el nivel general ha sido elevado. En esta nota descansa la calidad de sus resoluciones y en su calidad la *auctoritas* que muchos de estos órganos se han ido ganando a pulso. La especialización hace que estos órganos actúen con un mayor conocimiento técnico, pero también contribuye a que lo hagan con un mayor grado de objetividad. Por ello,

---

mité de las Regiones – Conseguir que la contratación pública funcione en Europa y para Europa [COM(2017) 572 final], sobre la comunicación de la Comisión al Parlamento Europeo, al Consejo, al Comité Económico y Social Europeo y al Comité de las Regiones – Apoyar la inversión mediante una evaluación voluntaria previa de los aspectos de contratación de los grandes proyectos de infraestructura [COM(2017) 573 final], sobre la recomendación de la Comisión, de 3 de octubre de 2017, sobre la profesionalización de la contratación pública – Construir una arquitectura para la profesionalización de la contratación pública [C(2017) 6654 final-SWD(2017) 327 final] 2018/C 227/06 – (DOUE de 28 de junio de 2018).

[23]   Así, el artículo 334.1 LCSP menciona la profesionalización como uno de los aspectos a los que hay que prestar atención en el marco de la Estrategia Nacional de Contratación pública.

las resoluciones de estos recursos sean estimatorias o desestimatorias, parecen ser más convincentes para los recurrentes, que demuestran tener una mayor confianza en este sistema. Esto hace, por ejemplo, como ya se ha mencionado, que las resoluciones que dictan no sean habitualmente impugnadas en la vía judicial, lo que, a su vez, contribuye a la descongestión de los tribunales y la rápida satisfacción de los interesados. Además, naturalmente, la alta especialización en general de los órganos y de los miembros que los nutren también repercute en el tiempo medio de resolución de los recursos.

Por otra parte, tampoco debe pasarse por alto que la profesionalización o, más ampliamente, la especialización es uno de los factores clave para promover la integridad. De ahí que deban plantearse estrategias públicas que apuesten cada vez más por una mayor cualificación de los "gestores" públicos. La profesionalización deja también su impronta en un actuar independiente y en la interiorización de valores adecuados en las conductas de los empleados públicos, tan fundamental para garantizar la calidad en el funcionamiento de los sistemas públicos[24] en la que descansa la buena administración.

Todavía conviene poner de relieve un aspecto más de la especialización. Se trata del hecho de que los miembros de los órganos que resuelven los recursos contractuales suelen estar plenamente al día de la doctrina que va sentando el TJUE en materia de contratos y, en particular, han tenido que basar la resolución de distintos asuntos en las sentencias en las que del Tribunal europeo se pronuncia sobre cómo se debe garantizar el efecto útil tanto de las Directivas sustantivas en materia de contratos como de la propia Directiva de Recursos.

La otra gran clave de bóveda del sistema es la independencia funcional de los órganos de recursos[25]. La independencia es un elemento básico para promover y potenciar la imparcialidad en la resolución de las controversias que se susciten. De un actuar independiente e

---

24   *Cfr.* LONGO, Francisco; ALBAREDA, Adriá; *Administración pública con valores. Instrumentos para una gobernanza ética*, INAP, Madrid, 2015.

25   Cfr. VILALTA REIXACH, Marc; "Las garantías de independencia de los Tribunales Administrativos de Recursos Contractuales", *Revista de Estudios de la Administración Local y Autonómica: Nueva Época*, nº 18, 2022, pp. 119-136.

imparcial depende la credibilidad del mecanismo. Y respecto de este recurso la independencia, también se predica tanto de los órganos de recursos como de los miembros que los integran.

Seguramente la censura más feroz que se había hecho a la configuración del recurso especial en materia de contratación pública previsto en la versión original de la Ley 30/2007 radicaba en la falta de independencia que podía achacársele. Esta conclusión se sustentaba en que la competencia para la resolución del recurso, cuando se trataba de contratos celebrados por una Administración Pública, se residenciaba en el propio órgano de contratación que había dictado el acto objeto del mismo, o en el titular del departamento, órgano, ente u organismo al que estaba adscrita la entidad contratante o al que correspondía su tutela, cuando lo celebraba un ente que no tenía tal naturaleza. Tal solución ponía en tela de juicio la eficacia real del mecanismo, pues hacía peligrar o, cuando menos, hacía cuestionar la imparcialidad suficiente que es necesaria para resolverlo.

La fórmula ideada en 2010 para corregir este importante dislate consistió en imprimir un cambio de rumbo radical al sistema a través de la creación de un nuevo órgano administrativo independiente al que se atribuye la resolución de los recursos especiales en materia de contratación pública: el TACRC, y de posibilitar la existencia de órganos semejantes en el nivel autonómico, local y en relación con otros poderes del Estado. Está claro que cuando se habla de la independencia de estos órganos administrativos se habla de independencia no en sentido absoluto o integral, sino que necesariamente ha de quedar circunscrita a una independencia funcional de la labor que desarrollan.

Como es lógico, todos los órganos están "adscritos" a una Administración de la que dependen material y presupuestariamente. Pero tal adscripción, que deriva de su condición de órgano administrativo, no puede enturbiar o poner en entredicho la neutralidad con la que han de desempeñar las competencias que se les atribuyen.

Por lo que se refiere a la independencia de los miembros del órgano de recursos, esta se refiere esencialmente a que no reciben presiones o injerencias por parte de nadie en el desempeño de las actividades que asumen. A tal efecto, algunas normas autonómicas contienen referencias que vienen a completar esta la básica de independencia con indicaciones acerca de lo que la misma entraña. No es infrecuente que aludan a que los órganos cumplirán con su cometido con objetividad e imparcialidad sin sometimiento a vínculo jerárquico alguno o a instrucciones de ninguna clase.

Pero la independencia no ha de resultar un mero atributo predicable cual cláusula de estilo formal, sino que debe estar preservada legalmente de la forma más amplia posible.

Naturalmente, la independencia puede verse intensificada si el nombramiento de quienes vayan a ocupar los puestos en estos órganos se hace previa convocatoria de un procedimiento concurrencial (un concurso de méritos) resuelto, sobre la base de los méritos alegados por los aspirantes, por una comisión nombrada al efecto que aplique un baremo previamente definido. Insistimos en ello por cuanto sería una forma objetiva de contrastar la experiencia y los conocimientos que garanticen la especialización. Y es que la especialización no ha de presuponerse sino que debiera quedar acreditada. En otras palabras, la forma de nombramiento de los miembros de estos órganos puede contribuir, como poco, a generar una sensación de mayor o menor independencia e imparcialidad. El nombramiento convendría hacerlo aplicando criterios de selección cuyo carácter objetivo pudiera contrastarse.

Pues bien, veamos lo que establece la normativa al respecto.

Tanto la LCSP, para el caso del órgano de recursos estatal, como las normas autonómicas de creación de los órganos equivalentes, contienen previsiones concretas a fin de salvaguardar la independencia.

En primer lugar, una referencia expresa a que los miembros de estos órganos, una vez nombrados, serán inamovibles durante el tiempo que dure su mandato, salvo que concurra alguna de las causas tasadas de remoción que también especifican. En la legislación estatal —artículo 45.4 de la LCSP— las causas de remoción previstas son las siguientes[26]: a) expiración de su mandato, b) renuncia al cargo aceptada por el Gobierno; c) pérdida de la nacionalidad española; d) incumplimiento grave de las obligaciones; e) condena a pena privativa de libertad o de inhabilitación absoluta o especial para empleo

---

[26]   La normativa autonómica sanciona causas similares.

o cargo público por razón de delito; f) incapacidad sobrevenida para el ejercicio de su función. Es obvio que algunos de los supuestos que se mencionan no encierran supuestos de remoción del cargo, singularmente las dos primeras, pero lo verdaderamente trascendente en orden a velar por una auténtica independencia es la aplicación que pueda hacerse de otras de las causas que se enumeran. Una excesiva generosidad, por ejemplo, a la hora de concretar qué entraña un "incumplimiento grave de las obligaciones", puede echar por tierra una independencia en condiciones.

Solo cuando durante su mandato los miembros del órgano administrativo no puedan ser destituidos más que a petición propia y que su cese o remoción no pueda sino acordarse en virtud de las causas legalmente previstas y previa la tramitación de un procedimiento dotado de las cautelas adecuadas, puede hablarse de independencia. En estos casos se estarán dando, en fin, las prerrogativas y garantías que presiden el ejercicio de la función jurisdiccional que debe servir de espejo en relación con este aspecto[27].

De otra parte, el plazo de duración previsto para el desempeño del cargo. Como explica el Profesor SANTAMARÍA[28], cabe reconocer que el nivel de independencia de un órgano se intensifica cuanto más largo es el tiempo de duración del mandato de sus miembros. Pues bien, el plazo de duración del mandato para el caso de los miembros del TACRC se fija en seis años improrrogables (artículo 45.5 de la LCSP). Por su parte, las CCAA se han decantado por soluciones dispares sobre el particular. En cualquier caso, para garantizar un grado de neutralidad elevado de quienes ocupan los puestos en estos órganos, parece más acorde el establecimiento de un plazo de duración para cada mandato que sea superior al de una legislatura. Lo que sí puede resultar inconveniente en aras a defender dicha independencia es dejar abierta la posibilidad de reelecciones posterio-

---

[27]   Cfr. PARDO GARCÍA-VALDECASAS, Juan José; "El Tribunal Administrativo Central de Recursos Contractuales", *DA. Revista Documentación Administrativa*, nº 288, septiembre-diciembre 2010, pp. 19-41.

[28]   Cfr. SANTAMARÍA PASTOR; Juan Alfonso; *Los recursos (…) opus cit.* p. 62.

res, en tanto que la "amenaza" de la no renovación podría utilizarse para intentar influir en las decisiones de estos órganos.

A mayores de lo indicado, ya se ha apuntado que la forma de nombramiento de los miembros de estos órganos puede contribuir, como poco, a generar una sensación de mayor o menor independencia. El nombramiento debiera hacerse aplicando criterios de selección cuyo carácter objetivo pudiera contrastarse. En relación con este aspecto, el artículo 45.4 LCSP determina simplemente que en el TACRC el Presidente y los Vocales se designarán por el Consejo de Ministros a propuesta conjunta de los Ministros de Economía y Hacienda y de Justicia. Más luz normativa sobre cómo se ha de realizar la propuesta aporta el Real Decreto 814/2015, de 11 de septiembre, por el que se aprueba el Reglamento de los procedimientos especiales de revisión de decisiones en materia contractual y de organización del TACRC. Su artículo 3.2 señala que tal propuesta se hará previa convocatoria hecha por el Ministerio de Hacienda y Administraciones Públicas que deberá publicarse en el «Boletín Oficial del Estado» especificando los requisitos que habrán de reunir los que aspiren a ser designados para cubrir cada uno de los puestos convocados. Por ejemplo, en la Comunidad Foral de Navarra el Presidente y los dos Vocales de su Tribunal son designados por el Gobierno de Navarra, previo informe de la Comisión Foral de Régimen Local, de conformidad con la propuesta que le eleve el Pleno de la Junta de Contratación Pública. Como hemos visto, para ambos casos, las normas exigen que quienes puedan ser designados cuenten con ciertos requisitos y una experiencia específica.

En el caso del Estado la experiencia tanto del Presidente como de los Vocales ha de darse *"preferentemente"* en el ámbito de la contratación pública; pero nada se indica acerca de cómo se constata o acredita esa experiencia. Disposiciones semejantes se encuentran en otras normas autonómicas, en particular, en aquellas en las que se ha creado *ex novo* un órgano de recursos. Hasta la publicación del Real Decreto 814/2015 solo la normativa catalana y gallega incluían una referencia expresa a que las propuestas de nombramiento se harán previa publicación en el Diario oficial correspondiente de una convocatoria en la que se concreten los requisitos exigibles a los aspirantes.

Pues bien, en general y salvo escasas y honrosas excepciones[29], hay que reconocer, los principios de mérito y capacidad todavía no se respetan con la suficiente intensidad a la hora de cubrir los puestos de los órganos de recursos especiales en materia de contratación. La práctica revela que tanto el Estado como muchas CCAA operan haciendo una convocatoria pública a la que concurren los interesados que cumplen con las exigencias precisas y que entre los que se presentan se hacen las propuestas de nombramiento. El problema, a mi modo de ver, es que en dichas convocatorias no hay baremo orientativo básico y, en última instancia, el nombramiento se realiza por libre designación sin, en más de una ocasión, sin exponer las razones sustantivas por las que eran más apropiados para el puesto la persona o personas escogidas sobre el resto de los candidatos que concurrían[30]. Que se haga una convocatoria pública es algo positivo, pero insuficiente.

---

[29]   *Cfr.* en la Comunidad de Madrid, la Orden de 4 de junio, de 2018, de la Consejera de Economía, Empleo y Hacienda, por la que se aprueba convocatoria pública para la provisión de dos puestos de trabajo vacantes en el Tribunal Administrativo de Contratación Pública, por el procedimiento de concurso de méritos objetivo (BOCM nº 145, de 19 de junio de 2018).

[30]   *Cfr.* a título de ejemplo, en el Estado la Orden EHA/2237/2010, de 10 de agosto, por la que se convoca la provisión de puestos de Presidente y Vocales del Tribunal Administrativo Central de Recursos Contractuales (BOE nº 198, de 16 de agosto de 2010); o Ministerio de Hacienda y Función Pública, Resolución de 14 de marzo de 2017, de la Subsecretaría, por la que se convoca la provisión de puestos de Presidente y Vocal del Tribunal Administrativo Central de Recursos Contractuales (BOE nº 63, de 15 de marzo de 2017); o Resolución de 27 de abril de 2021, de la Subsecretaría, por la que se convoca la provisión de puestos de Vocal del Tribunal Administrativo Central de Recursos Contractuales (BOE, nº 116, de 15 de mayo).

En Cataluña, la Resolución ECO/273/2022, de 8 de febrero, de convocatoria para la provisión, por el sistema de libre designación, del puesto de presidente/a del Tribunal Catalán de Contratos del Sector Público, adscrito al Departamento de Economía y Hacienda (convocatoria de provisión núm. ECO/07/22) o la Resolución ECO/1110/2022, de 19 de abril, de convocatoria para la provisión, por el sistema de libre designación, de dos puestos de trabajo de vocal del Tribunal Catalán de Contratos del Sector Público, adscrito del Departamento de Economía y Hacienda (convocatoria de provisión núm. ECO/17/22); si bien en el marco de estas convocatorias catalanas hay que señalar que si bien no se publicó en las convocatorias baremo alguno —aspecto que debería corre-

"La mujer del césar no solo tiene que serlo sino parecerlo", por lo que en aras a despejar posibles sombras de politización y/o falta de independencia en el nombramiento de quienes integran los órganos de recursos, salvaguardar la independencia, garantizar la máxima especialización, sería conveniente operar respetando los "principios constitucionales de mérito y capacidad". Para ello lo más oportuno —en atención al carácter técnico de las funciones que han de atenderse— consistiría en convocar un concurso de méritos al que pudieran presentarse quienes cumplan los requisitos exigibles (que ya supondría una criba inicial que haría que los que se presentasen no fuesen probablemente demasiados) y dejar que una comisión resolviese sobre la base de los méritos alegados por los aspirantes aplicando un baremo previamente definido.

En este sentido, los principios de mérito y capacidad, tal y como los concebimos hoy en día, se encuentran indisolublemente unidos

---

girse— posteriormente en el desarrollo de la selección sí se manejó. En Galicia Orde do 17 de novembro de 2017 pola que se convoca o proceso para seleccionar o/a presidente/a do Tribunal Administrativo de Contratación Pública da Comunidade Autónoma de Galicia (DOG nº 220, de 20 de noviembre de 2017); Orde do 19 de febreiro de 2021 pola que se convoca o proceso para seleccionar o/a presidente/a do Tribunal Administrativo de Contratación Pública da Comunidade Autónoma de Galicia (DOG, nº 40, de 1 de marzo de 2021). En Andalucía la Resolución de 17 de noviembre de 2014, de la Viceconsejería, por la que se anuncia convocatoria pública para cubrir dos puestos de trabajo de libre designación (BOJA nº 230, de 25 de noviembre de 2014); Consejería de Hacienda y Financiación Europea. Resolución de 21 de diciembre de 2021, de la Viceconsejería, por la que se anuncia convocatoria pública para cubrir puesto de trabajo de libre designación próximo a quedar vacante (BOJA nº 247 de 27 de diciembre de 2021). En Aragón, la Orden HAP/1213/2017, de 10 de agosto, por la que se convoca la provisión, por el sistema de libre designación, de un puesto vacante en el Departamento de Hacienda y Administración Pública (BOA nº 163, de 28 de agosto de 2017). En Canarias la Orden de 3 de marzo de 2015, por la que se convoca, por el procedimiento de libre nombramiento, la designación del Titular del Tribunal Administrativo de Contratos Públicos de la Comunidad Autónoma de Canarias, adscrito a la Consejería de Economía, Hacienda y Seguridad (BOC nº 44, de 5 de marzo de 2015). En Cataluña la Resolución PRE/579/2012, de 26 de marzo, de convocatoria de provisión por el sistema de libre designación de un puesto de trabajo adscrito al Departamento de la Presidencia (DOGC nº 6100, de 2 de abril de 2012).

al principio de igualdad en el acceso a la función pública. La Constitución española de 1978 opta sin ambages por un modelo de función pública meritocrático y profesional cuando en el artículo 103.3 CE dispone que: *"La ley regulará el estatuto de los funcionarios públicos, el acceso a la función pública profesional de acuerdo con los principios de mérito y capacidad, las peculiaridades del ejercicio de su derecho a sindicación, el sistema de incompatibilidades y las garantías para la imparcialidad en el ejercicio de sus funciones"*.

Ambos principios, aunque especialmente ligados al momento de acceso a la función pública, han de tener también un protagonismo posteriormente, así en el momento en el que se busca seleccionar a los miembros de órganos administrativos que se van a caracterizar por la especialización y la independencia. Es cierto que el Tribunal Constitucional ha considerado que es diferente el rigor e intensidad con que son exigibles estos principios según se trate del ingreso en la función pública o del ulterior desarrollo o promoción de la propia carrera administrativa. Sin embargo, no resulta de recibo olvidarlos plenamente una vez superado el acceso a la función pública. No observarlos de una forma mínima y suficiente en un estadio como el que abordamos, sería contrario a la igualdad de trato y, en última instancia, repercutiría negativamente en la selección de quien estuviese en una mejor disposición —por su mayor preparación y/o experiencia— de atender las funciones del cargo que trata de cubrirse.

Apunta SÁNCHEZ PIQUERO[31] que ha existido una clara despreocupación doctrinal y jurisprudencial por deslindar el significado y alcance de estos principios que suelen invocarse de manera conjunta y sin aclarar cuál es su respectivo contenido o en qué se diferencian. Aunque han existido distintas corrientes doctrinales y jurisprudenciales que han puesto el acento en distintos aspectos a la hora de subrayar las particularidades de ambos principios, en este momento llegará con señalar que cada uno de ellos cumple su

---

[31]   SÁNCHEZ PIQUERO, JAVIER; "Igualdad, mérito y capacidad en el acceso a la función pública docente no universitaria", Tesis doctoral, UNED, 2016, pp. 132-167. Tesis accesible a través de: http://e-spacio.uned.es/fez/eserv/tesisuned:Derecho-Jsanchez/SANCHEZ_PIQUERO_Javier_Tesis.pdf

propia función y, por tanto, no existe ninguna relación de subordinación o dependencia entre ambos. Mientras que el principio de capacidad garantiza la eficacia de la Administración Pública al exigir que todos los candidatos que acceden a una determinada función pública tengan la aptitud necesaria para el buen desempeño de sus funciones y tareas; mediante el principio de mérito se establecen criterios objetivos de comparación entre los aspirantes, al objeto de seleccionar al más idóneo para ese concreto empleo, y garantizando, de esa manera, la igualdad en el acceso a la función pública entre todos los candidatos.

Y precisamente en distintos procedimientos que se han venido siguiendo para seleccionar los miembros de los órganos de contratación de ambos principios el que no ha quedado adecuadamente salvaguardado es el de mérito. Este principio se atiende a través de la valoración de la mayor idoneidad de un candidato respecto de otros, lo que, por ejemplo, puede contrastarse a través del establecimiento de un baremo de méritos previamente determinado que el concursante deberá podrá acreditar para demostrar su mayor aptitud respecto de sus competidores.

De los principios constitucionales de mérito y capacidad se derivan un conjunto de exigencias que deberían observarse en todos los procesos selectivos que se sigan en el sector público —a excepción, si se quiere, de los puestos que se cubren ateniendo a la confianza personal—. Por ejemplo, la proscripción de la mera discrecionalidad como criterio de selección o la carencia de una, al menos, mínima justificación o motivación de la selección efectuada.

No atender estas exigencias, supondría la desatender la efectiva realización de tales principios, desde luego, del principio de mérito.

La buena selección de quienes ocupen puestos públicos es condición *sine qua non* para favorecer la buena actuación del ente y órgano en el que desempeñen sus funciones. En el espíritu de la Constitución late que para llegar a un cargo en la función pública se respeten el mérito y la capacidad, esto es, se tenga en cuenta tanto la adecuada formación profesional de los aspirantes (capacidad), como, además, supuesta aquella, lo que cada uno de los aspirantes haya podio realizar previamente (mérito).

Del respeto de estos principios dependerá que se lleve a cabo la mejor selección posible para cubrir los miembros de los órganos de recursos especiales en materia de contratación y, en consecuencia, en gran medida el éxito en un mejor cumplimiento de la labor que estos órganos están llamados a desarrollar.

La libre designación en el nombramiento de los puestos de ciertos órganos puede ser apropiada en ciertos casos en los que sea precisa consolidar una relación de confianza —política— en la persona o personas que ocupen un órgano normalmente llamado a adoptar decisiones de naturaleza más política o a desarrollar ciertas políticas públicas. Pero no parece que esté justificado ni resulte la mejor solución respecto del tipo de órganos que conocen del recurso especial en materia de contratación. En este caso por lo que debe velarse es por consolidar una confianza pero en que el desempeño que el órgano va a atender va a ser el mejor de los posibles respecto del control de los contratos que va a realizar. Y para ello la selección de los miembros aplicando criterios basados en la acreditación de los mejores méritos en el conocimiento y experiencia en el campo de la contratación es la mejor garantía para generar esa confianza.

En otro orden de cosas, cabe asimismo pensar que la autonomía e independencia de un órgano de estas características puede quedar mejor preservada, de una parte, atribuyendo al órgano carácter colegiado, pues una composición plural hace que las decisiones tengan que adoptarse por mayoría y, de otra, exigiendo dedicación exclusiva de los miembros al mismo.

Otras previsiones relevantes que dejan también su impronta en la tutela de la independencia exigible se contienen en el artículo 59 de la LCSP. El precepto declara que las resoluciones de estos órganos son directamente ejecutivas y que contra las mismas no cabrá más que interponer, en su caso, un recurso contencioso-administrativo, no procediendo tampoco la revisión de oficio ni de sus resoluciones ni de ninguno de los actos que dicten —ningún órgano de naturaleza administrativa, cualquiera que sea su nivel jerárquico, estará facultado para revocar los citados actos— y no estando sujeta su actividad a fiscalización por los órganos de control interno de las Administraciones a que cada uno de ellos se encuentre adscrito.

Si analizamos ahora la independencia desde la óptica del procedimiento administrativo aplicable, es evidente que ésta se pone de manifiesto de manera sustancial en el momento en que estos órganos dictan sus acuerdos o resoluciones. Sin embargo, no debe reducirse únicamente a este instante su manifestación, sino que debe observarse en cada una de las fases procedimentales. En consecuencia, debe traslucirse, por ejemplo, a la hora de poder practicar las pruebas que sean necesarias, para oír a todas las partes del procedimiento o para acceder a todo el contenido del expediente administrativo que le deba servir de base a él y a las partes para formular adecuadamente su juicio sobre el fondo del asunto[32]. Tal ocurre en el procedimiento administrativo que han de seguir los órganos que resuelven los recursos especiales en materia de contratación pública.

Hasta aquí nos hemos referido a la independencia de estos órganos y a las expresiones de la misma adoptando una perspectiva estrictamente jurídica. Pero pese a todo lo expuesto, garantizar eficazmente la independencia no es sencillo y ésta puede quedar malograda con relativa facilidad si existen presiones de cualquier índole que afecten, si no a la imparcialidad, sí a la rigurosidad con la que actúe el órgano. En realidad, que esto suceda va a depender mucho de la profesionalidad que pueda predicarse de las personas que se nombren. No cabe duda de que la integridad, tan esencial para la existencia de la buena administración, guarda una íntima relación con el ejercicio de funciones con autonomía e independencia por parte de los órganos. En este sentido, la otra nota en la que descansa el sistema, la relativa a la especialización del órgano y de sus miembros, puede contribuir, asimismo, a garantizar la independencia.

V. CONCLUSIONES

A lo largo de estas páginas se ha puesto de relieve como el progresivo desarrollo de la sociedad ha conducido a que hoy en día la

---

[32]   *Cfr.* PARDO GARCÍA-VALDECASAS, Juan José; "El Tribunal Administrativo Central de Recursos Contractuales", *DA. Revista Documentación Administrativa*, n° 288, septiembre-diciembre 2010, pp. 19-41.

profesionalización de quienes se desempeñan en el sector público haya adquirido, en general, un papel protagonista en las políticas de organización administrativa, estando muy ligada al derecho a una buena administración sancionado en el artículo 41 de la Carta Europea de Derechos Fundamentales.

Esta realidad afecta a un ámbito cada vez más complejo y técnico como el de la contratación pública. En este sector la profesionalización a la que ha de tenderse ha de alcanzar a todas las fases vinculadas a la compra pública que puedan distinguirse, incluyéndose, por tanto, la relativa a los distintos controles que para garantizar el cumplimiento de la normativa en este campo existan. Siendo esto así, la profesionalización también debe afectar a la selección de quienes sean miembros de los órganos de recurso especial en materia de contratación, en tanto que sistema ideado en 2010 por el legislador español para dar cumplimiento a las llamadas Directivas de recursos de la Unión Europea.

No obstante, la realidad demuestra que todavía queda un importante camino por recorrer para que la selección de quienes cubren los puestos en los órganos y tribunales de recursos se realice siguiendo un concurso de méritos en el que rijan, auténticamente, los principios constitucionales de mérito y capacidad. Hoy por hoy, hay que reconocer que, salvo excepciones, los principios de mérito y capacidad todavía no se respetan con la suficiente intensidad a la hora de cubrir los puestos de los órganos de recursos especiales en materia de contratación. La práctica revela que tanto el Estado como muchas CCAA operan haciendo convocatorias públicas a la que concurren los interesados que cumplen con las exigencias precisas y que entre los que se presentan se hacen las propuestas de nombramiento. No obstante, con carácter general, en estas convocatorias no se incluye un baremo orientativo básico para realizar la selección de los miembros de los órganos de recursos y, en última instancia, el nombramiento se realiza por libre designación sin que deban motivarse las razones sustantivas por las que las personas seleccionadas se han considerado las más apropiadas o idóneas sobre el resto de los candidatos que concurrían. Que se haga una convocatoria pública es algo positivo, pero insuficiente. Esta forma de proceder alienta posibles sombras de politización y/o falta de independencia en el nombramiento de quienes integran los órganos de recursos y desatiende la exigencia constitucional de operar respetando los "principios constitucionales de mérito y capacidad" que debieran regir tanto en el ingreso en la función pública como en la provisión de miembros de órganos especializados como son los órganos de recursos especiales en materia de contratación.

LA NECESARIA PROFESIONALIZACIÓN COMO APUESTA PARA UNA COMPRA PÚBLICA DE FUTURO

Teresa Medina Arnaiz
Universidad de Burgos[1]

SUMARIO: I. INTRODUCCIÓN. II. LA APUESTA EUROPEA POR LA PROFE-SIONALIZACIÓN DEL PERSONAL QUE INTERVIENE EN LOS PROCEDIMIEN-TOS DE CONTRATACIÓN. III. LA PROFESIONALIZACIÓN COMO ELEMENTO CLAVE PARA CUMPLIR CON UNA CONTRATACIÓN PÚBLICA ESTRATÉGI-CA. 1. La importancia de conocer el mercado. 2. El presupuesto del contrato y los costes salariales. 3. Los indicadores de comportamiento medioambiental. 4. La búsqueda de soluciones de innovación. III. LA PROFESIONALIZACIÓN COMO HERRAMIENTA PARA LUCHAR CONTRA LA CORRUPCIÓN. 1. La ela-boración de planes de medidas antifraude. 2. Identificación de las circuns-tancias en las que pueden surgir conflictos de intereses. IV. LA PROFESIO-NALIZACIÓN DE LA ESTRUCTURA ORGANIZATIVA DE LA CONTRATACIÓN PÚBLICA. 1. El órgano de contratación. 2. El responsable del contrato. V. A MODO DE CONCLUSIÓN. VI. REFERENCIAS BIBLIOGRÁFICAS

I. INTRODUCCIÓN

La contratación pública se configura como una institución emi-nentemente formal que exige la observancia de determinadas for-malidades y requisitos a la hora de seleccionar a la persona física o jurídica más idónea para llegar a ser contratista público. Así, la normativa de contratación pública establece procedimientos especí-ficos de adjudicación de los contratos cuya finalidad es satisfacer, en

[1] Este trabajo se enmarca en las actividades del Proyecto de investigación conce-dido por Ministerio de Economía y Competitividad titulado "La contratación pública como estrategia para la implementación de políticas públicas y al servi-cio de una nueva gobernanza", Referencia: PID2019-109128RB-C21.

las mejores condiciones posibles, las necesidades de los órganos de contratación permitiendo que las compras públicas se realicen de manera racional y transparente garantizando la igualdad de acceso a los contratos públicos.

La correcta aplicación de estos procedimientos exige que las personas que realizan o participan en tareas relacionadas con la contratación tengan una serie de capacidades, conocimientos y habilidades que respondan a su complejidad —por ejemplo, para negociar las condiciones del contrato en los procedimientos con negociación— o para responder a los márgenes de discrecionalidad técnica que el ordenamiento jurídico les reconoce —por ejemplo, en relación con la elaboración de los informes técnicos en los que se funda la evaluación de los criterios de adjudicación dependientes de un juicio de valor o en la valoración de la justificación de las ofertas incursas en presunción de temeridad.

La necesidad de una mayor formación, especialización y multidisciplinariedad en el ámbito de las compras públicas se está haciendo más patente a medida que la gestión de los procedimientos se ha vuelto más compleja y ha superado la visión de la contratación únicamente como herramienta de aprovisionamiento de los poderes públicos. El reto que supone la utilización estratégica de la contratación pública obliga a los órganos de contratación, y al resto del personal implicado en su gestión, a enfrentarse a nuevos desafíos que van más allá de aplicar correctamente los procedimientos de adjudicación desde una labor meramente administrativa[2].

Como trataremos a lo largo de este capítulo, hacer realidad una compra pública eficiente y responsable implica el desempeño de una serie de funciones que requieren de un amplio conocimiento de la normativa aplicable, pero también de un saber profesional de todos aquellos que, en distinto grado, participan en una licitación.

---

[2]   En este sentido se manifiesta CANTERO MARTÍNEZ, J., "La profesionalización de la contratación pública como herramienta de innovación", en la obra colectiva *Administración electrónica, transparencia y contratación pública*, Iustel, Madrid, p. 198.

Estas exigencias competenciales las podemos observar en todas las fases contractuales. En la fase de preparación del contrato, al momento de fijar las necesidades a satisfacer mediante el contrato, al elaborar la documentación preparatoria del contrato, en la evaluación de los costes necesarios para su ejecución o en la determinación de las fórmulas de valoración de ofertas que permitan al órgano de contratación evaluar las de mejor relación calidad-precio. En la fase de adjudicación, al valorar las proposiciones de los licitadores o al analizar la viabilidad de las ofertas presentadas. En la fase de ejecución contractual, al supervisar su ejecución y dictar las instrucciones necesarias con el fin de asegurar la correcta realización de la prestación contractual.

En palabras de PALACÍN SÁENZ, la contratación pública se ha vuelto poliédrica, por la necesidad de una especialización de carácter laboral, económica, social, jurídica y medioambiental[3]. La profesionalización de los intervinientes en las distintas fases del contrato (órganos de contratación, miembros de la unidad administrativa responsable de la gestión contractual; integrantes de la mesa de contratación, del comité de expertos y de las comisiones técnicas de valoración y del responsable del contrato) es uno de los retos sobre los que pivota el actual sistema contractual que pretende contribuir a hacerlo más eficiente. A este respecto, el Documento de trabajo de los servicios de la Comisión que acompaña a la *Estrategia para el Mercado Único* estimaba los beneficios económicos potenciales de solventar los problemas debidos a la profesionalización en más de 80.000 millones de euros, al entender que la baja profesionalización supone, junto a la corrupción, una de las mayores ineficiencias del sistema contractual[4].

---

[3]   PALACÍN SÁENZ, B., *A la responsabilidad social por la contratación pública*, BOE, Madrid, 2022, p. 563. Desde un punto de vista de la organización administrativa involucrada en los procedimientos de adjudicación, este autor trata del conjunto de unidades y departamentos que, de una manera interconectada, se orientan al cumplimiento de la normativa contractual desde el ejercicio de diferentes competencias técnicas, procedimentales y de control.

[4]   *A Single Market Strategy for Europe – Analysis and Evidence Accompanying the document Upgrading the Single Market: more opportunities for people and business*, SWD/2015/202 final, de 28 de octubre de 2015, p. 61.

El objetivo de este trabajo es reflexionar sobre el reto de la profesionalización como un medio para lograr una compra pública más eficiente, íntegra y estratégica. Para elaborar estas reflexiones acudiremos al marco normativo de la Unión Europea y, con un mayor detalle, a lo dispuesto en la regulación española que menciona la profesionalización de los agentes públicos que participan en los procesos de contratación como uno de los objetivos transversales a recoger en la Estrategia Nacional de Contratación Pública (artículo 334 de la Ley 9/2017, de 8 de noviembre, de Contratos del Sector Público, en adelante LCSP).

Los aspectos sobre los que vamos a centrar el estudio son tres. El primero de ellos atiende a una compra pública estratégica, puesto que desde la Unión Europea y otras organizaciones internacionales se insiste en la idea de que una mayor profesionalización supone obtener una mejor relación calidad-precio de cada compra. El segundo se refiere a la integridad del personal encargado de la contratación pública y vinculado con ello a la prevención y corrección del fraude y de los conflictos de interés. El último de los apartados versa sobre la organización administrativa vinculada a la contratación pública y la importancia de garantizar una gestión profesional del personal que participa en los procedimientos de contratación. Todo ello sin hacernos olvidar que la razón última de contar con profesionales bien formados y preparados técnicamente reside en que a través de la contratación pública se ponen "al servicio de la ciudadanía y de los usuarios, bienes, infraestructuras y servicios que les permite mejorar sus condiciones de vida"[5].

II. LA APUESTA EUROPEA POR LA PROFESIONALIZACIÓN DEL PERSONAL QUE INTERVIENE EN LOS PROCEDIMIENTOS DE CONTRATACIÓN

La preocupación europea por la profesionalización en la contratación pública no es reciente, ni novedosa, pues ha ido en paralelo a

---

[5]   RODRÍGUEZ-ARANA MUÑOZ, J., "Profesionalización en la contratación pública", *Anuario da Facultade de Dereito da Universidade da Coruña*, núm. 25, 2021, p. 251.

los cambios normativos acaecidos en esta materia por efecto de potenciar una mayor interacción entre la contratación pública y otras políticas, concretamente en materia medioambiental, social y de innovación, y por el reto que ha supuesto también la utilización de medios electrónicos para simplificar y acelerar los procedimientos de adjudicación contractual[6].

Podemos señalar que tampoco es una preocupación exclusiva de la Unión Europea, puesto que la Organización para la Cooperación y el Desarrollo Económicos (OCDE) comparte el impulso hacia una mayor profesionalización de las compras públicas al entender que "la contratación pública se viene considerando cada vez más como una profesión que juega un importante papel en la correcta gestión de los recursos públicos (…) lo que ha conducido a algunos países a reconocer a la contratación pública como profesión estratégica, más que como simple función administrativa". La OCDE entiende que los sistemas de contratación pública se han ido desplazando cada vez más desde una situación en que se esperaba que los funcionarios cumplieran las normas, hacia un contexto en el que se persigue un objetivo más amplio: conseguir además un rendimiento de los fondos públicos al "desempeñar una labor fundamental en la prevención de la mala gestión, minimizando las posibilidades de corrupción"[7].

En Europa, la contratación pública ha experimentado una evolución significativa desde la aprobación de las Directivas 2004/17/CE y 2004/18/CE[8]. A partir de entonces, se ha ido avanzando en el reconocimiento de la contratación como herramienta al servicio de

---

[6]   En el *Libro Verde de la Comisión sobre la generalización del recurso a la contratación pública electrónica en la UE*, se señalaba que "el mayor obstáculo a la utilización de estos nuevos sistemas electrónicos consiste en la dificultad de estimular a las entidades adjudicadoras y a las comunidades de proveedores a servirse de ellos", COM (2010) 571, de 18 de octubre de 2010, p. 5.

[7]   OCDE., *La integridad en la contratación pública. Buenas prácticas de la A a la Z*, INAP-OCDE Publishing, Madrid, 2009, pp. 61 y 68.

[8]   La Directiva 2004/17/CE del Parlamento Europeo y del Consejo, de 31 de marzo de 2004, sobre la coordinación de los procedimientos de adjudicación de contratos en los sectores del agua, de la energía, de los transportes y de los servicios postales (sectores especiales) y la Directiva 2004/18/CE del Parlamento Europeo y del Consejo, de 31 de marzo de 2004, sobre coordinación de los pro-

los poderes públicos para la consecución de objetivos generales, y es a partir de entonces que podemos fechar el mayor interés por profesionalizar la gestión contractual al constatar que es una de las claves para el correcto funcionamiento del sistema[9].

Prueba de la importancia de la profesionalización es que, entre los problemas detectados con mayor frecuencia en la aplicación de las normas sobre contratación pública, encontramos numerosos aspectos que se refieren directamente al personal que interviene en los procedimientos de licitación: (i) un conocimiento insuficiente de las normas por parte de los profesionales de la contratación pública; (ii) una dotación inadecuada de personal (en cuanto a la calidad necesaria y a la variedad de los perfiles) y la retención de personal, sobre todo a escala local; (iii) la falta de competencias en materia de contratación pública y un conocimiento insuficiente del mercado; o (iv) la dificultad que tiene el poder adjudicador para formular unos criterios de calidad adecuados y significativos, en particular con respecto a la contratación pública estratégica[10].

Aun con todo, no es hasta el año 2017 que, por parte de la UE, se destaca de manera clara y prioritaria la necesidad de profesionalizar la contratación pública. El instrumento jurídico que se utiliza para ello es una recomendación no vinculante al entender que cada Estado miembro "se encuentra en una etapa diferente de su viaje" y

---

cedimientos de adjudicación de los contratos públicos de obras, de suministro y de servicios (sectores clásicos).

[9] SANMARTÍN MORA señala algunas de las iniciativas a favor de profesionalización que tuvieron lugar en el ámbito europeo durante el proceso de consulta iniciado para la aprobación de las vigentes Directivas sobre contratación pública. Sirva de ejemplo la *Declaración de Cracovia*, que recoge las conclusiones del primer Foro del Mercado Interior celebrado en dicha ciudad los días 3 y 4 de octubre de 2011, y que, entre las medidas para mejorar el funcionamiento de la legislación europea sobre contratación pública, proponía "profesionalizar el sector de la contratación pública a través de una mejor formación", en SANMARTÍN MORA, Mª A., "La profesionalización de la contratación pública en el ámbito de la Unión Europea", en la obra colectiva *Observatorio de Contratos Públicos 2011*, Thomson-Aranzadi, Cizur Menor (Navarra), 2012, p. 421.

[10] Informe de la Comisión *Aplicación y mejores prácticas de las políticas nacionales de contratación pública en el mercado interior*, COM (2021) 245 final, de 20 de mayo de 2021, p. 5.

que no se trata de prescribir un modelo específico para el desarrollo y aplicación de políticas de profesionalización. De esta manera, la Recomendación (UE) 2017/1805 de la Comisión, de 3 de octubre de 2017, sobre la profesionalización de la contratación pública *Construir una arquitectura para la profesionalización de la contratación pública*[11], se perfila como una especie de instrumento jurídico que no obliga a los Estados miembros, ni a sus Administraciones públicas, a transponer su contenido en plazo alguno, si bien cumple un importante papel de armonización ante determinados objetivos europeos[12].

Según lo dispuesto en esta Recomendación, el objetivo de la profesionalización de la contratación pública es reflejar la mejora general de toda la gama de cualificaciones y competencias profesionales, conocimientos y experiencia de las personas que realizan o participan en tareas relacionadas con la contratación. Abarca también las herramientas y metodologías de apoyo de la práctica profesional, así como la arquitectura política institucional que son necesarios para realizar el trabajo eficaz y obtener resultados.

En el contexto de la contratación pública, define la profesionalización como "la actividad tendente a conseguir una mejora general de toda la gama de cualificaciones y competencias profesionales, conocimientos y experiencias de las personas que realizan o participan en tareas relacionadas con la contratación". Asimismo, se refiere a disponer de las herramientas y conocimientos adecuados para llevar a cabo las licitaciones de una forma eficiente para contribuir a la aplicación global de la política de contratación pública.

De conformidad con esta Recomendación, una política de profesionalización eficaz debe basarse en un planteamiento estratégico global en torno a tres objetivos que resultan complementarios:

---

[11]   A esta Recomendación se acompaña un documento que proporciona a los Estados miembros y, en particular, a los órganos encargados de la contratación, un conjunto de buenas prácticas que se corresponden a cada una de las recomendaciones dirigidas a fomentar la profesionalización. Se trata del documento *Construir una arquitectura para la profesionalización de la contratación pública. Biblioteca de buenas prácticas y herramientas* https://data.europa.eu/doi/10.2873/05110

[12]   Es una opinión compartida con CANTERO MARTÍNEZ, J., "La profesionalización de la contratación pública (...)", *op. cit.*, p. 205.

El primero se refiere al desarrollo de una arquitectura organizativa adecuada y con respaldo político (estructura). El segundo atiende a la formación y gestión de una carrera profesional que vele por un personal con experiencia y motivado (recursos humanos) y, por último, el tercero está referido a los sistemas, y más concretamente, a las herramientas y metodologías de apoyo a la gestión profesional de la contratación pública (directrices, manuales, sistemas, procedimientos, formularios, plantillas, intercambio de buenas prácticas, etc.).

Los objetivos son ambiciosos y ponen en evidencia la necesidad de disponer de un personal dedicado a la contratación pública que conozca el marco normativo, que amplíe sus conocimientos en otras materias transversales, que cuente con especialización y que actúe de manera proactiva para aportar valor a las compras públicas. Es así como, la apuesta por una gestión profesional del personal que interviene en los procesos de contratación se articula en torno a la creación de trayectorias profesionales que permitan no solo una formación continua y la mejora de competencias, sino también un sistema de carrera atractivo, competitivo y basado en el mérito, estableciendo vías de ascenso y que brinde protección frente a las injerencias políticas[13].

Desde este planteamiento global, la Comisión ha diseñado un instrumento para contribuir a la profesionalización de la contratación pública mediante la definición de treinta competencias clave que concretan los conocimientos y capacidades que deben tener los miembros de cada equipo dedicado a la contratación pública. Ese

---

[13] Esta idea se manifiesta de manera más clara en la Recomendación de la OCDE sobre contratación pública del año 2015 https://www.oecd.org/gov/ethics/OCDE-Recomendacion-sobre-Contratacion-Publica-ES.pdf [Fecha de consulta: 13 de diciembre de 2022]. En este sentido, RASTROLLO SUÁREZ aboga por la creación de un cuerpo de gerentes especializados en prestar labores de asistencia a las distintas Administraciones para la implementación y desarrollo de los procedimientos de licitación pública al entender que "podría mejorar considerablemente la orientación estratégica de la contratación en las distintas Administraciones con independencia de su capacidad económica y técnica para invertir en la profesionalización", en RASTROLLO SUÁREZ, J.J., "Gerencia profesional y contratación pública estratégica: una perspectiva comparada", *Gestión y Análisis de Políticas Públicas*, núm. 26, julio 2021, p. 58.

instrumento se denomina ProcurCompEU y con él se pretende mejorar el nivel de competencia del personal de la contratación pública desde una dimensión multidisciplinar y estratégica[14].

Es importante destacar que ProcurCompEU no pretende imponer ninguna solución concreta a los Estados miembros, ni señala restricciones o requisitos mínimos para el acceso a las funciones de contratación pública. Al contrario, debe percibirse como una herramienta voluntaria y totalmente personalizable que tiene entre sus objetivos el de facilitar la formación y el desarrollo de la carrera profesional de todos los profesionales implicados en la contratación más allá de un enfoque estrictamente legalista y centrado en el cumplimiento que, a la postre, dificulta el logro de los retos estratégicos vinculados a la contratación.

III. LA PROFESIONALIZACIÓN COMO ELEMENTO CLAVE PARA CUMPLIR CON UNA CONTRATACIÓN PÚBLICA ESTRATÉGICA

La adjetivación de la contratación pública como estratégica supone atender a objetivos de interés general desde la normativa contractual más allá de regular los procedimientos de adjudicación de las entidades del sector público. De forma genérica, se alude a la contratación pública estratégica para referirnos al hecho de que la inversión pública que acompaña la contratación tenga en cuenta o impulse objetivos beneficiosos para toda la sociedad —principalmente de carácter medioambiental, social e innovación— desde un planteamiento que aboga por aprovechar sinergias para impulsar la sostenibilidad

---

[14]   https://ec.europa.eu/info/sites/default/files/procurcompeu_ecf_for_pp_es.pdf [Fecha de consulta: 13 de diciembre de 2022]. DE GUERRERO MANSO presenta los tres elementos básicos de ProcurCompEU y analiza las distintas competencias básicas y específicas que los profesionales de la contratación pública deben demostrar para llevar a cabo su trabajo de una manera eficaz y eficiente. DE GUERRERO MANSO, C., "La imperiosa necesidad de profesionalización como clave de éxito en la contratación pública. La utilización de la herramienta PROCURCOMPEU", en la obra colectiva *Observatorio de los Contratos Públicos 2020*, Thomson-Aranzadi, Cizur Menor (Navarra), 2021, pp. 91-125.

en distintas dimensiones (económica, social, medioambiental y de gobernanza). Así pues, la contratación pública estratégica comprende la contratación ecológica, la contratación socialmente responsable y la contratación de innovación.

Las normas relativas a la adjudicación de contratos públicos, además de orientarse a garantizar la máxima apertura a la competencia, pueden desempeñar un importante papel dinamizador respecto de otros cometidos públicos, bien por su poder ejemplarizante, bien por suponer un apoyo al mercado dada su considerable demanda agregada. Por lo tanto, y tal como venimos manifestando, parece claro que la contratación, en atención al elevado volumen de recursos que moviliza[15], no constituye únicamente una forma de abastecimiento de las entidades del sector público, sino que resulta una poderosa herramienta al servicio de los poderes públicos para hacer frente a los retos de una agenda política en beneficio de las personas y del planeta[16].

---

[15]   Según datos publicados por la Comisión Europea en diciembre de 2021, en el año 2018 el desembolso en compras públicas en la UE se cifraba en 2.163 billones de euros que equivalen a un 13,6 % del Producto Interior Bruto (PIB) europeo, excluyendo los servicios públicos (*utilities*) y algunas concesiones. https://ec.europa. eu/docsroom/documents/48156 [Fecha de consulta: 13 de diciembre de 2022].

[16]   La persecución de estos propósitos avala la idea, manifestada entre muchos otros autores por GIMENO FELIU, de que la contratación debe ser una técnica que permita conseguir objetivos sociales, ambientales, de investigación o de innovación, en la convicción de que los mismos comportan una adecuada comprensión de cómo deben canalizarse los fondos públicos, en GIMENO FELIU, J. Mª., "La nueva regulación de la contratación pública en España desde la óptica de la incorporación de las exigencias europeas: hacia un modelo estratégico, eficiente y trasparente", en la obra colectiva *Estudio sistemático de la Ley de Contratos del Sector Público*, Thomson-Aranzadi, Cizur Menor (Navarra), 2018, p. 54. En España, muchos otros autores han venido sosteniendo el valor estratégico de la compra pública. En este sentido, y sin ánimo de exhaustividad, caben citar los trabajos de GALLEGO CÓRCOLES, I., "La integración de cláusulas sociales, ambientales y de innovación en la contratación pública", *Documentación Administrativa*, núm. 4, enero-diciembre 2017, pp. 92-113; MORENO MOLINA, J. A., *Hacia una compra pública responsable y sostenible. Novedades principales de la Ley de Contratos del Sector Público*, Tirant lo Blanch, Valencia, 2018 y AGUADO I CUDOLÀ, V., *La contratación pública responsable. Funciones, límites y régimen jurídico*, Thomson-Aranzadi, Cizur Menor (Navarra), 2021.

Esta visión instrumental de la contratación pública nos ha llevado a defender la utilización de la contratación pública con el fin de orientar y afianzar comportamientos empresariales beneficiosos para el interés general sin que, necesariamente, estén conectados con la directa satisfacción funcional del contrato («objetivos secundarios»). A partir de esta premisa, el uso estratégico de la contratación pública transciende la finalidad principal de cada contrato individualmente considerado para aportar un valor añadido a la actividad contractual[17].

Así pues, aun cuando la contratación pública no está diseñada para ser un medio de fomento directo ni de control específico de requerimientos sociales, laborales o medioambientales, entendemos que, una vez cumplida la exigencia de cubrir las necesidades del órgano de contratación —y sin perder de vista la finalidad y los principios que rigen los procedimientos de adjudicación contractual—, las compras públicas pueden contribuir a la consecución de objetivos políticos de carácter horizontal que generen nuevos modelos de desarrollo sostenible, que apoyen la transición hacia una economía más inclusiva, más responsable, más ecológica, más innovadora y circular.

Ahora bien, a pesar de que tanto las Directivas del 2014[18] como la normativa contractual española[19], reconocen sin ambages el valor estratégico de la compra pública, los datos nos indican que la incor-

---

[17] MEDINA ARNAIZ, T., "La contratación pública estratégica", en *La contratación pública estratégica en la contratación del sector público*, Tirant lo Blanch, Valencia, 2020, pp. 81-99.

[18] Desde el año 2014, las Directivas vigentes en materia de contratación pública son la Directiva 2014/23/UE, relativa a la adjudicación de contratos de concesión («concesiones»); la Directiva 2014/24/UE, sobre contratación pública («sectores clásicos») y la Directiva 2014/25/UE, relativa a la contratación por entidades que operan en los sectores del agua, la energía, los transportes y los servicios postales («servicios especiales»).

[19] La decida apuesta que la LCSP ha hecho respecto del carácter estratégico de la contratación está presente en toda la Ley, máxime cuando desde su primer artículo, relativo a su objeto y finalidad, contempla que en toda contratación pública se incorporarán de manera transversal y preceptiva criterios sociales y medioambientales "en la convicción de que su inclusión proporciona una mejor relación calidad-precio en la prestación contractual, así como una mayor y mejor eficiencia en la utilización de los fondos públicos" (artículo 1.3 de la LCSP).

poración de objetivos políticos a los procedimientos de adjudicación contractual no está siendo bien entendida, ni utilizada[20]. En este sentido, tanto la Comisión como el Parlamento Europeo afirman que "las posibilidades de contratación estratégica no se utilizan suficientemente" y que "no se está aprovechando plenamente el potencial de la contratación pública en lo que respecta a ayudar a construir una economía social de mercado competitiva"[21].

Los motivos de ello son diversos, si bien se apunta a una falta de orientación para su correcta aplicación o a la ausencia de iniciativa por parte de los órganos de contratación para incorporar criterios cualitativos a sus compras, pues prueba de ello es que más de la mitad de los procedimientos de contratación pública siguen utilizando el factor precio como único criterio de adjudicación por cuanto simplifica los procedimientos de adjudicación[22]. En el caso español podríamos señalar, además, que los obstáculos principales derivan de la dificultad que tienen los órganos de contratación en aplicar el marco normativo ante la falta de claridad de un modelo de compra estratégica[23]; una baja tolerancia ante el riesgo de impugnación y que el procedimiento sea anulado[24] o el temor a provocar un encare-

---

[20]   Así lo manifiesta la Comunicación de la Comisión *Conseguir que la contratación pública funcione en Europa y para Europa*, COM (2017) 572 final, de 3 de octubre de 2017, p. 5 y se vuelve a señalar por parte del Informe de la Comisión *Aplicación y mejores prácticas de las políticas nacionales de contratación pública en el mercado interior*, COM (2021) 245 final, de 20 de mayo de 2021.

[21]   Resolución del Parlamento Europeo, de 4 de octubre de 2018, sobre el paquete de medidas de la estrategia de contratación pública.

[22]   https://single-market-scoreboard.ec.europa.eu/policy_areas/public-procurement_en [Fecha de consulta: 13 de diciembre de 2022].

[23]   En palabras del Tribunal Administrativo Central de Recursos Contractuales (TACRC) – la incorporación de aspectos sociales a la contratación pública no constituye un modelo de claridad y precisión que aporte certidumbre de cara a su aplicación (Resolución 660/2018, de 6 de julio).

[24]   El problema con el que se están encontrando los órganos de contratación es que no todos los tribunales de recursos contractuales han asumido los requisitos de utilización de un clausulado estratégico y, ante una fuerte inseguridad jurídica, se ven forzados a debatirse entre seguir los mandatos de la LCSP, y arriesgarse a que el pliego o el procedimiento se anule, o ajustarse a la doctrina de los tribunales administrativos de recursos, limitando con ello la aplicación plena del espíritu de la LCSP. En CASTRO MARQUINA, G., "La implementación im-

cimiento de los precios que procede de una visión economicista del contrato que no alcanza a valorar los verdaderos costes de los contratos en términos de calidad[25].

La falta de orientación ha intentado corregirse con la aprobación de distintas guías y herramientas para ayudar a los órganos de contratación a avanzar en el reto de lograr una contratación estratégica. Así, en el ámbito europeo, cabe destacar la *Guía para tomar en consideración cuestiones sociales en la contratación pública*[26], el *Manual de Adquisiciones ecológicas*[27], la *Guía para la adquisición de bioproductos innovadores*[28], la Guía *Contratación pública para una economía circular – Orientación y buenas prácticas*[29] y las *Orientaciones sobre la contratación pública en materia de innovación*[30]; sin embargo, la falta de impulso es más difícil de suplir. Unas plantillas envejecidas y la falta de personal hacen que, en muchas entidades públicas, especialmente las de pequeño tamaño, no se esté llevando a cabo una verdadera compra pública estratégica.

---

perfecta de la compra social, ambiental e innovadora, supuestos y causas", en la obra colectiva *Observatorio de los Contratos Públicos 2020*, Thomson-Aranzadi, Cizur Menor (Navarra), 2021, pp. 268-269.

[25]   Como señala GIMENO FELIU "el principio de eficiencia, inherente a la contratación pública, no puede ser interpretado desde modelos exclusivamente economicistas, sino que debe velarse por el adecuado estándar de calidad en la prestación del servicio", en GIMENO FELIU, J. Mª., "La visión estratégica en la contratación pública en la LCSP: Hacia una contratación socialmente responsable y de calidad", *Economía Industrial*, núm. 145, 2020, p. 89.

[26]   SEC (2010) 1258 final, de 19 de octubre de 2010.

[27]   *Buying Green! A Handbook on green public procurement*, cuya tercera edición se publicó en abril de 2016 https://ec.europa.eu/environment/gpp/buying_handbook_en.htm [Fecha de consulta: 13 de diciembre de 2022].

[28]   Puede consultarse en: https://ec.europa.eu/info/policies/public-procurement/support-tools-public-buyers/green-procurement_es [Fecha de consulta: 13 de diciembre de 2022].

[29]   http://ec.europa.eu/environment/gpp/pdf/cp_european_commission_brochure_es.pdf [Fecha de consulta: 13 de diciembre de 2022].

[30]   Anuncio de la Comisión C (2018) 3051 final, de 15 de mayo de 2018.

1. La importancia de conocer el mercado

Como venimos señalando, la utilización de los contratos públicos en apoyo de otras políticas y objetivos generales (como son la protección del medio ambiente, la promoción de la eficiencia energética, la lucha contra el cambio climático, la innovación y la inclusión social) exige competencias, habilidades y aptitudes. Asimismo, resulta necesario que el personal encargado de la licitación tenga conocimientos suficientes sobre las prestaciones que ofrece el mercado y que utilice dicha información para la preparación del contrato. En esta preparación, los órganos de contratación pueden valerse del asesoramiento de terceros, que podrán ser expertos o autoridades independientes, colegios profesionales, o, incluso, con carácter excepcional operadores económicos activos en el mercado.

En este sentido, resulta indispensable acudir a la técnica de las consultas preliminares del mercado para planificar adecuadamente la licitación (artículo 115 de la LCSP)[31]. Las consultas preliminares del mercado pueden definirse como el conjunto de las políticas y procedimientos que se prescriben para la realización de estudios y evaluaciones del mercado con la finalidad de llegar a la solución más adecuada para adquirir obras, bienes y servicios, principalmente en entornos en los que las prestaciones contratadas son particularmente complejas[32].

Así, la investigación de mercado ayuda al órgano de contratación a reunir información útil para definir sus requerimientos y las necesidades a satisfacer, seleccionar el método de licitación más conveniente, analizar y evaluar las ofertas y determinar con eficacia la oferta

---

[31]   Sobre las consultas preliminares del mercado, resultan de interés DE GUERRE-RO MANSO, C., "Las consultas preliminares del mercado: una herramienta para mejorar la eficiencia en la contratación pública", en la obra colectiva *Estudio sistemático de la Ley de Contratos del Sector Público*, Thomson-Aranzadi, Cizur Menor (Navarra), 2018, pp. 1047-1071 y VALCÁRCEL FERNÁNDEZ, P., "Las consultas preliminares del mercado como mecanismo para favorecer las compras públicas inteligentes", *Revista Española de Derecho Administrativo*, núm. 191, 2018, pp. 77-106.

[32]   Resolución 244/2022, de 24 de febrero, del Tribunal Administrativo Central de Recursos Contractuales (TACRC).

económicamente más ventajosa. Sin un conocimiento adecuado del mercado se pueden cometer errores que lastren la correcta ejecución de la prestación contractual e, incluso, que la licitación quede desierta.

2. El presupuesto del contrato y los costes salariales

El carácter multidisciplinar de las labores de los profesionales de la contratación pública se pone de manifiesto también con el desarrollo de una "compra pública social"[33]. El deber de conocer y de respetar los convenios colectivos aplicables, así como las obligaciones laborales y sociales de todo orden impregna el contenido y espíritu de la LCSP en las distintas fases del contrato, tanto durante la elaboración de sus pliegos como en el procedimiento de adjudicación y posterior ejecución contractual[34]. Es así como, la necesaria relación entre la contratación pública y el cumplimiento de la normativa laboral se ha incrementado desde la entrada en vigor de la LCSP y cobra un mayor protagonismo cuando se trata de servicios, como los de servicios, donde los costes del personal pueden suponer la partida principal del gasto del presupuesto base de licitación[35].

---

[33]   La llamada «compra pública social» tiene por objeto incorporar las inquietudes sociales en los procedimientos de adjudicación de un contrato público al tomar en consideración aspectos como la lucha contra el desempleo, la calidad en el empleo, la perspectiva de género, la contratación de personas con discapacidad o la reserva de contratos a Empresas de inserción y Centros Especiales de Empleo. La «contratación pública ecológica» se ha definido por parte de la Comisión Europea como "un proceso por el cual las autoridades públicas tratan de adquirir mercancías, servicios y obras con un impacto medioambiental reducido durante su ciclo de vida, en comparación con el de mercancías, servicios y obras con la misma función primaria que se adquirirían en su lugar" Comunicación *Contratación pública para un medio ambiente mejor*, COM (2008) 400 final, de 16 de junio de 2008, p. 5.

[34]   Así se manifiesta el Tribunal de Recursos Contractuales de la Junta de Andalucía en su Resolución 139/2019, de 3 de mayo.

[35]   Resolución 411/2022, de 31 de marzo, del TACRC con cita en su Resolución 478/2020.

Los costes salariales derivados de los convenios colectivos aplicables tienen que ser considerados por el órgano de contratación para determinar el presupuesto base de licitación. Conforme al artículo 100.2 de la LCSP, los órganos de contratación deben cuidar que el presupuesto base de licitación sea adecuado a los precios del mercado y que "en los contratos en que el coste de los salarios de las personas empleadas para su ejecución forme parte del precio total del contrato, el presupuesto base de licitación indicará de forma desglosada y con desagregación de género y categoría profesional los costes salariales estimados a partir del convenio laboral de referencia".

Por ello, la estimación del presupuesto de licitación debe hacerse teniendo en cuenta los costes laborales —según el convenio colectivo aplicable en el sector o rama de actividad de que se trate— de los trabajadores/as que efectivamente se van a adscribir a la prestación contractual[36]. En este sentido, y como señala la Resolución del TACRC 622/2022, de 26 de mayo, el respeto a la normativa laboral y los convenios informa no solo la redacción de los pliegos, sino también la adjudicación del contrato, pues no en vano la falta de transparencia en este sentido puede llegar a suponer que un operador económico no formule correctamente su oferta y, de resultar contratista, ante la inadecuada prestación del servicio demandado, el contrato tuviera que resolverse.

En su Resolución 145/2019, de 22 de febrero, este mismo tribunal ya había manifestado que en la LCSP "se produce una mayor vinculación de la contratación pública a la normativa laboral (…) existe una mayor vinculación, intensidad y deber de cuidado por el respeto a la normativa laboral". Tal intensidad tiene su reflejo en la obligación de indicar los costes salariales estimados a partir de la normativa laboral

---

[36]   Sobre la adecuación del precio de los contratos al mercado y su relación con los convenios colectivos, el TACRC ha puesto de manifiesto que los costes salariales derivados de los convenios colectivos ya no se limitan a ser una de las posibles fuentes de conocimiento para determinar el precio del mercado del contrato, sino que, además, tienen fuerza vinculante y su respeto debe quedar totalmente garantizado, tanto en la preparación del contrato, al elaborar los pliegos, como con posterioridad, una vez adjudicado, en fase de ejecución (Resolución 4511/2022, de 31 de marzo).

de referencia en los Pliegos (artículo 100.2 LCSP), su consideración expresa en el cálculo del valor estimado del contrato (artículo 101.2 LCSP); y para la fijación del precio (artículo 102.3 LCSP), pero también a la hora de imponer el rechazo de las ofertas anormalmente bajas que no cumplan con la normativa laboral".

En este sentido, la LCSP supone una diferencia sustancial respecto al régimen jurídico anterior, estableciendo una exigencia expresa de desglose del presupuesto y de indicación de los costes salariales, como muestra de la relevancia que la propia ley otorga a las obligaciones laborales. Esto supone que los gestores de la contratación pública deban tener una formación específica en estas cuestiones de índole laboral.

3. Los indicadores de comportamiento medioambiental

A nivel europeo, la ejecución de la política medioambiental exige distintos enfoques con el objetivo de crear sinergias desde planteamientos polivalentes asegurando su complementariedad con otras políticas[37]. Es así como la integración de las preocupaciones relacionadas con el medio ambiente en ámbitos de actuación —como puede ser la contratación pública— persigue contribuir a la consecución de los objetivos climáticos y medioambientales que se marcan desde las instituciones europeas.

Los seis objetivos climáticos y medioambientales fijados para el año 2030 han sido establecidos en el Reglamento (UE) 2020/852, de 18 de junio de 2020, relativo al establecimiento de un marco para facilitar las inversiones sostenibles («Reglamento de taxonomía») y son los siguientes: mitigación del cambio climático; adaptación al cambio

---

[37]   El Octavo Programa general de acción en materia de medio ambiente de la Unión Europea (VIII PMA) afirma que todas las iniciativas de la UE han de cumplir el mandamiento de "no ocasionarás daños" refiriéndose a fortalecer el enfoque integrado del desarrollo y la aplicación de políticas, en particular mediante la integración de la sostenibilidad en todos los proyectos e iniciativas pertinentes a escala nacional y de la UE. Decisión (UE) 2022/591 del Parlamento Europeo y del Consejo, de 6 de abril de 2022, relativa al Programa General de Acción de la Unión en materia de Medio Ambiente hasta 2030.

climático; uso sostenible y protección de los recursos hídricos y marinos; transición hacia una economía circular; prevención y control de la contaminación; y protección y restauración de la biodiversidad y los ecosistemas.

Estos objetivos se complementan con las actuaciones propuestas por el *Pacto Verde Europeo* (2019)[38], con los objetivos adoptados en virtud de la Convención Marco de las Naciones Unidas sobre el Cambio Climático (el «Acuerdo de París», 2015)[39], con el objetivo vinculante de neutralidad climática en la Unión para 2050, así como con el objetivo intermedio vinculante de reducción interna neta de las emisiones de gases de efecto invernadero de al menos el 55 % con respecto a los niveles de 1990 para el año 2030 (Reglamento (UE) 2021/1119 del Parlamento Europeo y del Consejo de 30 de junio de 2021, por el que se establece el marco para lograr la neutralidad climática, «Legislación europea sobre el clima»)[40].

En este sentido, y como he avanzado con anterioridad, la compra pública puede resultar un potente instrumento para el logro de los objetivos relacionados con la consecución de estas metas climáticas y energéticas en tanto que oriente el gasto público hacia productos más sostenibles prestando una especial atención a los sectores que hacen un uso intensivo de recursos, como pueden ser el sector agrícola, el textil o los de la construcción, el transporte y los servicios de limpieza o de restauración[41].

---

[38]   Comunicación de la Comisión COM (2019) 640 final, de 11 de diciembre de 2019.

[39]   El Acuerdo de París fue adoptado en virtud de la Convención Marco de las Naciones Unidas sobre el Cambio Climático (CMNUCC) en diciembre de 2015 y obliga a sus Partes a mantener el aumento de la temperatura media mundial por debajo de 2 °C con respecto a los niveles preindustriales y a proseguir los esfuerzos para limitarlo a 1,5 °C con respecto a dichos niveles.

[40]   Para alcanzar estos objetivos, la Comisión propuso en julio de 2021 el paquete de medidas «Objetivo 55», que incluye un conjunto coherente de medidas en propuestas legislativas. Comunicación de la Comisión *Objetivo 55: cumplimiento del objetivo climático de la UE para 2030 en el camino hacia la neutralidad climática*, COM (2021) 550 final, de 14 de julio de 2021.

[41]   En parecido sentido se manifiestan FERNÁNDEZ DE GATTA SÁNCHEZ, D., "La contratación del sector público y la protección del medio ambiente", en *La contratación pública estratégica en la contratación del sector público*, Tirant lo Blanch,

Así lo ha entendido también la legislación sobre productos específicos de la UE, puesto que los organismos públicos que están sujetos a las Directivas sobre contratación pública, ya se encuentran obligados, por ejemplo, a tomar en consideración criterios de eficiencia energética a la hora de adquirir sus vehículos[42] o sus equipos ofimáticos[43]. Asimismo, esta obligación afecta igualmente a los edificios nuevos, pues "todos los edificios nuevos deberán alcanzar un nivel de consumo de energía casi nulo"[44].

De esta manera, y siempre que sea posible por razón del tipo contractual y de la capacidad del órgano de contratación, desde las Directivas de la Unión Europea y también desde la normativa contractual española se aboga por incorporar criterios medioambientales en los procedimientos de adjudicación contractual facilitando que las entidades del sector público adquieran productos y servicios con un impacto medioambiental reducido. Para lograrlo, uno de los aspectos más importantes a tener en cuenta es el análisis de los costes del ciclo de vida de los productos o servicios con el mejor comportamiento medioambiental desde un planteamiento basado en aplicar una metodología de cálculo que cuantifique económicamente todos

---

Valencia, 2020, pp. 159-214 y PERNAS GARCÍA, J.J., "Compra pública verde y circular: El largo (y lento) camino hacia una amplia aplicación práctica de la contratación estratégica", en *Observatorio de Políticas Ambientales 2020*, Thomson-Aranzadi, Cizur Menor (Navarra), 2020, pp. 873-914.

[42] Directiva 2019/1161, del Parlamento Europeo y del Consejo, de 20 de junio de 2019, por la que se modifica la Directiva 2009/33/CE relativa a la promoción de vehículos de transporte por carretera limpios y energéticamente eficientes.

[43] El Programa de etiquetado *Energy Star* obliga a las autoridades de las Administraciones centrales de los Estados miembros y a las instituciones de la Unión Europea a adquirir equipos ofimáticos cuya eficiencia no sea inferior a los niveles fijados en dicho Programa.

[44] Artículo 9.1.a) de la Directiva 2010/31/UE, del Parlamento Europeo y del Consejo, de 19 de mayo de 2101, relativa a la eficiencia energética de los edificios, en su versión consolidada por la Directiva (UE) 2018/844 del Parlamento Europeo y del Consejo, de 30 de mayo de 2018. El 14 de diciembre de 2021 se adoptó una propuesta de Directiva relativa a la eficiencia energética de los edificios, COM (2021) 802 final.

los impactos en su decisión de compra (artículo 68 de la Directiva 2014/24/UE y artículo 148 de la LCSP)[45].

La complejidad de la realización de un análisis de ciclo de vida hace que sea necesario recurrir a herramientas que permitan realizarlo de una manera sistemática. Estas herramientas pueden ser generalistas o estar diseñadas para mercados específicos (por ejemplo, *One Click LCA* para la construcción) y, además, pueden ser de pago o gratuitas. Entre las herramientas generalistas de pago se incluyen GaBi, Mobius y SimaPro, mientras que entre las herramientas generalistas gratuitas están openLCA y SMART SPP CCV-CO2.

Asimismo, se prevé obtener información medioambiental basada en la utilización voluntaria de etiquetas con características específicas que faciliten una elección informada del producto o servicio a adquirir al identificar y certificar de forma oficial que ciertos productos, servicios u organizaciones/empresas tienen un menor impacto negativo sobre el medio ambiente (artículo 43 de la Directiva 2014/24/UE y artículo 127 de la LCSP).

El uso de normas, etiquetas o certificados en el ámbito de la contratación pública constituye una forma práctica, fiable y sencilla para los compradores públicos de verificar el cumplimiento de determinados requisitos de calidad por parte de los operadores económicos que se presentan a una licitación. El órgano de contratación tiene el deber de conocer las mejores prácticas de gestión ambiental y los indicadores de comportamiento medio ambiental para sectores específicos.

Las normas o etiquetas utilizadas en los procedimientos de contratación pública, generalmente, se refieren al aseguramiento de la calidad, la certificación medioambiental, las etiquetas ecológicas, los sistemas de gestión medioambiental y los productos de comercio justo. Entre los posibles medios de verificación del comportamiento medioambiental de un producto encontramos el sistema de gestión medioambiental ISO 14001, la etiqueta ecológica de la UE, la eti-

---

[45]   Sobre esta materia resulta de interés, ROMÁN MÁRQUEZ, A., "El ciclo de vida de las prestaciones en la contratación pública. Metodologías para el cálculo de su coste en el ámbito europeo", en la obra colectiva *Contratación pública global: Visiones comparadas*, Tirant lo Blanch, Valencia, 2020, pp. 375-409.

queta energética *Energy Star*, la del «Cisne Nórdico», la alemana del «Ángel azul» u otros sistemas de etiquetado rigurosos y de prestigio sujetos a verificaciones de terceros (por ejemplo, el artículo 11 del Reglamento sobre la etiqueta ecológica se refiere a sistemas de etiquetado ecológico EN ISO 14024 tipo I reconocidos oficialmente a escala nacional o regional).

Conscientes de la importancia de incorporar criterios medioambientales a la compra pública, y de la falta de conocimiento por parte de los órganos de contratación, la Comisión viene elaborando desde el año 2008 un listado de productos y servicios prioritarios para lograr una verdadera "ecologización" de la contratación pública[46]. Estos sectores prioritarios son: la construcción; el papel para copias y papel gráfico; los productos y servicios de limpieza; los equipos ofimáticos; el transporte y servicios de transporte; el mobiliario; la energía (incluidas la electricidad, la calefacción y la refrigeración); la alimentación y servicios de restauración; los productos textiles; los productos y servicios de jardinería; ventanas, puertas y claraboyas; aislamiento térmico; revestimientos de suelo; paneles de pared; cogeneración (producción combinada de calor y electricidad); construcción de carreteras y señales de tráfico; iluminación de las vías públicas y de las señales de tráfico; pinturas, barnices y marcas viales; centros de datos, salas de servidores y servicios en la nube. Los últimos productos en incorporarse a esta lista han sido las computadoras, monitores, tabletas y teléfonos inteligentes (2021), los transportes por carretera (2021) y se prevé que durante el año 2023 se incorporen los criterios de contratación pública ecológica para los edificios públicos.

La elección de estos productos y servicios trae causa de su elevado valor añadido para reducir el impacto medioambiental, del estímulo que para el mercado supone la demanda de estos bienes, así como, por servir de ejemplo para los consumidores particulares. En cualquier caso, con la elaboración de estos criterios ecológicos

---

[46]   COM (2008) 400 final, de 16 de julio de 2008 *Contratación pública para un medio ambiente mejor* y el *Plan de Contratación Pública Ecológica de la Administración General del Estado, sus organismos autónomos y las entidades gestoras de la Seguridad Social (2018-2025)*, aprobado por Orden PCI/86/2019, de 31 de enero.

la intención de la Comisión es orientar a los poderes adjudicadores acerca de cómo incluir en sus procedimientos de adjudicación contractual cláusulas que tengan en cuenta las características energéticas y medioambientales de estos productos sin que con ello se vulnere la normativa contractual.

4. La búsqueda de soluciones de innovación

Las entidades del sector público también pueden desempeñar un importante papel para los productos y servicios innovadores a través de la contratación pública de innovación. La contratación pública de soluciones innovadoras puede referirse a la contratación de procesos innovadores (contratación de I+D) o a la contratación de resultados innovadores (contratación de soluciones innovadoras), de tal manera que la «compra de innovación» hace referencia a toda contratación pública que reúna, al menos, uno de los siguientes aspectos: (i) la compra del proceso de innovación —los servicios de investigación y desarrollo— con resultados (parciales), y/o (ii) la compra de los resultados de la innovación creada por otros[47].

Una manera importante de fomentar la innovación consiste en que los poderes adjudicadores pidan a los operadores económicos que se desarrollen productos o servicios que aún no están disponibles en el mercado. Dentro del marco jurídico actual esto es posible a través de la «contratación precomercial», que es una modalidad especial de contratación de servicios de investigación y desarrollo (desarrollo competitivo por fases) de varios operadores económicos en condiciones ventajosas para el desarrollo de nuevas soluciones, con miras a la posible compra del producto o el servicio final a través de un procedimiento normal de contratación pública en una fase posterior. Este enfoque permite a las autoridades públicas compartir con los proveedores los riesgos y los beneficios del diseño, el desarrollo de prototipos y la puesta a prueba de una cantidad limitada de nuevos productos y servicios, evitando las ayudas estatales.

---

[47]   Comunicación de la Comisión *Orientaciones sobre la contratación pública en materia de innovación* (2021/C 267/01).

III. LA PROFESIONALIZACIÓN COMO HERRAMIENTA PARA LUCHAR CONTRA LA CORRUPCIÓN

El objetivo de prevenir y combatir el fraude, la corrupción y cualesquiera otras irregularidades en la contratación pública constituye una prioridad en la regulación contractual en tanto que estas prácticas socavan la eficiencia de los procedimientos de adjudicación y contravienen sus normas esenciales, cercenando la posibilidad de lograr un uso eficiente de los fondos públicos. Sin una competencia real, la ejecución de obras, la adquisición de bienes o la prestación de servicios resulta más costosa para el erario público y deja al descubierto una importante desviación de recursos para fines privados, de tal manera que el resultado final de la licitación no garantiza una adecuada relación calidad-precio.

Tanto desde el Derecho de la Unión Europea, como desde la LCSP, los esfuerzos en esta materia se han centrado en promover la transparencia, la integridad y la buena gobernanza en todas las fases contractuales como elementos necesarios para garantizar la máxima apertura a la competencia. Todo ello porque la lucha contra la corrupción no es solo una cuestión ética, sino que es también un asunto económico, puesto que en Europa se estima que el coste de la corrupción para los contribuyentes asciende a aproximadamente 120.000 millones de euros al año (sin contar el fraude a los fondos públicos de la UE) lo cual equivale casi al presupuesto anual global de la UE, es decir un 1% del PIB de la Unión[48].

Además de ello, es importante también referirnos al coste no económico que suponen los casos de corrupción en las adquisiciones del sector público, sobre todo cuando estos van asociados a la delincuencia organizada. La repercusión en los medios de comunicación de acusaciones de corrupción vinculadas a la contratación pública por parte de representantes y altos cargos de la Administración en distintos Estados miembros, de una parte, muestra la debilidad del sistema

---

[48]   Así lo recoge el *Informe Anticorrupción de la UE 2014*, COM (2014) 38 final, de 3 de febrero de 2014.

contractual, y por otra, reduce la confianza en las instituciones públicas impidiendo, precisamente, el avance de la institucionalidad[49].

Evidentemente, no todos los perjuicios que ocasiona la corrupción encuentran su causa en la contratación pública, pero se sienten
de una manera especial en este ámbito al ser uno de los sectores
más expuestos a sus riesgos[50]. Para preservar la integridad en la contratación pública, además de actuar censurando conductas pasadas,
resulta fundamental desarrollar una actividad orientada hacia la
prevención. Por ese motivo, en los últimos años se vienen apoyando
medidas para promover la adopción y la aplicación de programas
de cumplimiento normativo (*"compliance programs"*), programas anticorrupción, códigos de comportamiento ético, declaraciones de
ausencia de conflicto de intereses y pactos de integridad como instrumentos para desarrollar una cultura de respeto de la legalidad —y
alejado de prácticas clientelares— entre los operadores económicos,
pero también entre el personal vinculado a la contratación pública[51].

---

[49]   Son muchos los autores que han tratado el tema de la vinculación entre corrupción y contratación pública. Sin ánimo de exhaustividad vamos a referirnos
a MARTÍNEZ FERNÁNDEZ, J. M., *Contratación pública y transparencia. Medidas
prácticas para atajar la corrupción en el marco de la nueva regulación*, Wolters Kluwer,
Las Rozas (Madrid), 2016; GIMENO FELIU, J. Mª., "Corrupción y contratación
pública: las soluciones de la LCSP", en la obra colectiva *Tratado de contratos del
sector público*, Tirant lo Blanch, Valencia, 2018, pp. 239-318); CERRILLO I MAR-
TÍNEZ, A., *El principio de integridad en la contratación pública. Mecanismos para la
prevención de los conflictos de intereses y la lucha contra la corrupción*. 2ª ed., Aranzadi,
Cizur Menor (Navarra), 2018 y MIRANZO DÍAZ, J., *La prevención de la corrupción
de la contratación pública*, Wolters Kluwer, Las Rozas (Madrid), 2019.

[50]   Según los datos del Flash Eurobarómetro núm. 507 *Businesses' attitudes towards corruption in the EU* (julio 2022), seis de cada diez empresas en la UE (63 %) piensan
que el problema de la corrupción está muy o bastante" generalizada en su país.
Además de ello, un 50 % de los encuestados considera que la corrupción se encuentra muy o bastante extendida entre los funcionarios y los agentes encargados
de la adjudicación de contratos públicos en el ámbito nacional y con una similar
proporción entre las autoridades locales (53 %). Estos datos pueden consultarse
en: https://europa.eu/eurobarometer/surveys/detail/2657 [Fecha de consulta:
13 de diciembre de 2022].

[51]   Véase, DE GUERRERO MANSO, C., "La suscripción de pactos de integridad
como mecanismo de lucha contra la corrupción en la contratación pública",
en la obra colectiva *Observatorio de los contratos públicos 2017*, Thomson-Aranzadi,

Como parte de la política de protección de los intereses financieros de la Unión, desde las instituciones europeas se viene exigiendo medidas concretas para prevenir, detectar y corregir la corrupción, el fraude y los conflictos de intereses en la utilización de los fondos europeos (por ejemplo, en el Fondo Europeo Agrícola de Garantía, el Fondo Europeo Agrícola de Desarrollo Rural, el Fondo de Transición Justa, el Fondo Europeo de Desarrollo Regional, el Fondo Social Europeo, el Fondo de Cohesión)[52]. Para su correcta gestión, se requiere a las autoridades que adopten un **planteamiento proactivo, estructurado y específico para gestionar el riesgo de fraude en la ejecución de dichos fondos**[53].

Estas obligaciones también se imponen en todas las iniciativas que tengan lugar en el marco del Instrumento de Recuperación de la UE conocido como «Next Generation EU» que moviliza hasta 750.000 millones de euros para hacer frente a los daños económicos y sociales provocados por la pandemia de la COVID-19[54].

De esta manera, y como parte de la profesionalización que venimos demandando, se refuerza la necesidad de una formación integral en valores éticos y en integridad para todas las personas encar-

---

Cizur Menor (Navarra), 2017, pp. 225-265; FERNÁNDEZ ACEVEDO, R., "Medidas de garantía de cumplimiento normativo y de compromisos con la entidad concedente: «compliance» y contratos y concesiones", en la obra colectiva *La gestión de los servicios públicos locales en el marco de la LCSP, la LRJSP y la LRSAL*, Wolters Kluwer, Las Rozas (Madrid), 2019, pp.1462-1494.

[52] En este sentido, el artículo 325 del Tratado de Funcionamiento de la Unión Europea, apartado 1, impone a los Estados miembros el deber de luchar contra el fraude y toda actividad ilegal que afecte a los intereses financieros de la Unión mediante medidas efectivas y disuasorias. Asimismo, el Reglamento (UE, Euratom) 2018/1046 del Parlamento Europeo y del Consejo, de 18 de julio de 2018 («Reglamento Financiero») establece normas sobre la ejecución del presupuesto de la Unión, incluidas las relativas a contratos públicos.

[53] Evaluación del riesgo de fraude y medidas efectivas y proporcionadas contra el fraude (DG REGIO) EGESIF_14-0021-00; 16/06/2014 (Guidance Note on fraud risk assessment for 2014-2020). https://ec.europa.eu/regional_policy/es/information/publications/guidelines/2014/fraud-risk-assessment-and-effective-and-proportionate-anti-fraud-measures [Fecha de consulta: 13 de diciembre de 2022]

[54] Reglamento (UE) 2020/2094 del Consejo, de 14 de diciembre de 2020.

gadas de gestionar estos fondos, lo cual incluye la gestión mediante contratos públicos[55].

1. La elaboración de planes de medidas antifraude

La expansión del coronavirus SARS-CoV-2 a principios de 2020 cambió las prioridades y las perspectivas económicas en todo el mundo y, por supuesto, también en la Unión Europea y en sus Estados miembros. Como hemos señalado, la respuesta europea al impacto de la pandemia de COVID-19 ha sido la aprobación de un plan de recuperación que incluye el apoyo financiero del Marco Financiero Plurianual para el periodo 2021-2027[56] y un instrumento temporal de recuperación ("*Next Generation* EU"), cuyo elemento central es el Mecanismo Europeo de Recuperación y Resiliencia.

Su objetivo es apoyar las inversiones y las reformas esenciales para acelerar la recuperación en Europa y reforzar el compromiso político de la Unión alrededor de cuatro ejes principales: la transición ecológica, la transformación digital, la cohesión social y territorial y la igualdad de género, en consonancia con los Objetivos de Desarrollo Sostenible de las Naciones Unidas. Teniendo en cuenta el apoyo de este Mecanismo para la consecución de estos ambiciosos objetivos, para recibir los fondos europeos procedentes de este Mecanismo, los Estados miembros debían presentar un plan de recuperación y resiliencia, sujeto a la evaluación por la Comisión y a la aprobación del Consejo[57].

---

[55]   En su *Decálogo de Reglas para prevenir la corrupción en los Contratos Públicos*, GIME-
         NO FELIU contemplaba en su apartado séptimo, la profesionalización como
         uno de los factores claves para promover la integridad. Mantenía que hay que
         fijar una verdadera estrategia para conseguir una mayor cualificación y respon-
         sabilidad de los "gestores" públicos (con el fin de evitar la politización), lo que
         aconseja una política de formación específica que permita el mayor conoci-
         miento y, por ende, el mejor criterio práctico. Opinión del Observatorio de
         Contratación Pública (noviembre 2014) https://www.obcp.es/

[56]   Reglamento (UE, Euratom) 2020/2093, del Consejo, de 17 de diciembre de 2020.

[57]   El Plan de Recuperación, Transformación y Resiliencia español fue aprobado por
         Acuerdo del Consejo de Ministros, de 27 de abril de 2021, y la Comisión Europea
         el 16 de junio de 2021. En algunos de los programas nacionales de reformas

El Reglamento (UE) 2021/241 del Parlamento Europeo y del Consejo, de 12 de febrero de 2021, por el cual se establece el citado Mecanismo de Recuperación y Resiliencia, obliga a los Estados miembros a incluir, en los planes de recuperación y resiliencia que presenten, el diseño de un sistema que contemple medidas adecuadas para proteger los intereses financieros de la UE, incluyendo la prevención, detección y corrección de los conflictos de interés, la corrupción y el fraude en la utilización de los fondos otorgados (artículo 22).

Con la finalidad de dar cumplimiento a esta obligación en el ordenamiento español, la Orden HFP/1030/2021, de 29 de septiembre, por la que se configura el sistema de gestión del Plan de Recuperación, Transformación y Resiliencia, ordena disponer de un «Plan de Medidas Antifraude» a toda entidad, decisora o ejecutora, que pretenda disponer de fondos de este mecanismo, "que le permita garantizar que en su respectivo ámbito de actuación los fondos correspondientes se han utilizado de conformidad con las normas aplicables, en particular, en lo que se refiere a la prevención, detección y corrección del fraude, la corrupción y los conflictos de intereses" (artículo 6.1).

Respecto de la elaboración del «Plan de medidas antifraude», esta Orden otorga libertad a las entidades gestoras respecto del contenido de las medidas antifraude a recoger, siempre que éstas se estructuren de manera proporcionada y en torno a los cuatro elementos clave del denominado «ciclo antifraude»: prevención, detección, corrección y persecución. Ahora bien, en la adopción de todas estas medidas podemos observar un componente muy importante que afecta a la profesionalidad de las personas que participan en la ejecución de estos fondos y que, en todos los casos, requiere aplicar de forma proactiva principios, métodos y herramientas que fomentan la integridad en la gestión de los asuntos públicos.

_____

adoptados por los Estados miembros, así como en sus planes de recuperación y resiliencia, se incluyen expresamente medidas relacionadas con la contratación pública y se menciona la profesionalización en la contratación pública como uno de los retos a alcanzar (Italia, Grecia, Eslovaquia, Eslovenia, Rumanía y Letonia). Informe de la Comisión relativa a la aplicación del Mecanismo de Recuperación y Resiliencia, COM (2022) 75 final, de 1 de marzo de 2022.

Medidas de prevención: Las medidas de prevención tienen por objetivo reducir las posibilidades de cometer fraude mediante la implantación de mecanismos para afrontar los riesgos de una manera proactiva, y que, a su vez, aporten seguridad a los sujetos que intervienen en la gestión de los fondos del Plan de Recuperación, Transformación y Resiliencia.

Entre estas medidas, podemos destacar (i) Acciones de formación en materia de incompatibilidades, ética e integridad pública para concienciar a los empleados públicos de la importancia de estas materias en el ejercicio de su cargo, aumentar su sensibilización y toma de conciencia respecto a posibles situaciones fraudulentas y (ii) El establecimiento de pautas de actuación respecto de la aceptación de regalos, favores, atenciones y obsequios que deriven de su interacción con terceros y que resulten inadecuados por razón de su valor, características o circunstancias. Esta medida trata de prevenir posibles amenazas a la independencia de los gestores públicos y asegurar la adecuación de su comportamiento a estándares normales de cortesía acorde a los usos sociales.

Medidas para la detección: La prevención por sí sola no siempre es suficiente para obtener un resultado favorable contra el fraude, la corrupción y los conflictos de intereses, por ello es necesario tener un sistema de control interno que permita detectar a tiempo los comportamientos fraudulentos que escapan a la prevención.

Algunas de las medidas que se pueden utilizar en este ámbito son: (i) Aplicar un sistema de «banderas rojas» como señales de alarma, pistas o indicios de posible fraude. La existencia de una bandera roja no implica necesariamente la existencia de fraude, pero sí indica que una determinada área de actividad necesita atención extra para descartar o confirmar un fraude potencial[58]; (ii) Consultar distintas bases de datos y utilizar herramientas de tratamiento y análisis de datos que identifiquen potenciales fraudes y conductas irregulares

---

[58] Sin un ánimo de ser exhaustivos, sirva como ejemplo el catálogo de banderas rojas que se recoge en la Nota informativa sobre indicadores de fraude para el FEDER, el FSE y el FC publicada por la Comisión Europea, (COCOF 09/0003/00; 18 de febrero de 2009)

al cruzar información de diferentes fuentes[59]. Entre las de mayor interés podemos citar la Plataforma de Intermediación de Datos, los Registros mercantiles, la Base Nacional de Datos de Subvenciones (BNDS), el Registro Oficial de Licitadores y Empresas Clasificadas del Sector Público, el Sistema de Exclusión y Detección Precoz (conocido como EDES por sus siglas en inglés) o la herramienta de extracción de datos Arachne[60]); (iii) Establecer un canal de denuncia interno para recibir información de posibles sospechas de fraude, corrupción o conflictos de intereses no declarados. En este caso, se tiene que indicar qué órgano va a ser el responsable del tratamiento de las denuncias, de su investigación y de su registro, así como de informar al denunciante acerca de las acciones previstas o adoptadas para seguir la denuncia, de los avances y del resultado de la investigación. En este sentido, la protección efectiva de los denunciantes frente a las represalias es esencial para defender el interés público implícito, en consonancia con los principios establecidos en la Directiva (UE) 2019/1937 del Parlamento Europeo y del Consejo, de 23 de octubre de 2019, relativa a la protección de las personas que informen sobre infracciones del Derecho de la Unión.

Medidas para la corrección. La adopción de medidas correctivas tiene lugar cuando se detecten posibles fraudes, o sospechas fundadas de fraude, tras su investigación y evaluación. Así, el órgano administrativo que tenga encomendada la competencia de evaluación debe realizar una valoración preliminar —sobre la base de la documentación que se tenga— respecto de la concreta conducta

---

[59]   Este tipo de técnicas permiten detectar irregularidades que cumplen un patrón conocido desde la gestión de grandes cantidades de datos y sirven para identificar elementos que se comportan de forma anómala, pero como señala MIRANZO DÍAZ, "estas herramientas no identifican casos de corrupción y no suponen irregularidades en sí mismas, sino que sirven para localizar situaciones o contratos que presentan un cierto riesgo", en MIRANZO DÍAZ, J., *Inteligencia artificial y contratación pública*, en la obra colectiva *Administración electrónica, transparencia y contratación pública*, Iustel, Madrid, 2020, pp. 113 y 114.

[60]   Se trata de una herramienta informática desarrollada por la Comisión europea que, a través de una serie de indicadores, ofrece información sobre proyectos, beneficiarios, contratos y contratistas que pudieran presentar riesgos de fraude, conflicto de intereses u otras irregularidades.

que pudiera ser constitutiva de fraude o corrupción. La detección de un posible fraude, o su sospecha fundada, conllevará la inmediata suspensión cautelar del proyecto financiado con cargo a los fondos europeos y podrá establecerse distintas acciones dependiendo si el fraude se considera puntual o sistémico.

Medidas para la persecución. Las medidas de persecución se centran en el establecimiento de distintas acciones que tienen por objetivo perseguir la comisión de conductas fraudulentas que lesionen los intereses financieros de la Unión y garantizar que los fondos del Plan de Recuperación, Transformación y Resiliencia se ejecutan de conformidad con el Derecho de la Unión y nacional pertinente.

Así, ante un caso potencial de fraude, se tramitará un procedimiento de información reservada, que implicará un análisis exhaustivo del caso en cuestión, en el que deberán documentarse todas las actuaciones, pruebas y resoluciones a adoptar. Este procedimiento es un paso previo para determinar, en su caso, la apertura de un procedimiento disciplinario.

Además de ello, en el caso de indicios de fraude se comunicará los hechos presuntamente fraudulentos al Servicio Nacional de Coordinación Antifraude (SNAC) a través del Canal de denuncias externo Infofraude[61] para su valoración y eventual comunicación a la Oficina Europea de Lucha contra el Fraude (OLAF). Tampoco podemos obviar que, si la acción que se considera fraudulenta pudiera ser constitutiva de alguna de las conductas punibles en los artículos 306 y 308 del Código Penal, se deberá dar conocimiento de ello al Ministerio Fiscal.

Cuando proceda, se tramitará la recuperación de fondos que han sido objeto de apropiación indebida, o que hayan sido vinculados con un potencial fraude o corrupción debiendo procederse al reintegro correspondiente.

---

[61]   https://www.igae.pap.hacienda.gob.es/sitios/igae/es-ES/paginas/denan.aspx [Fecha de consulta: 13 de diciembre de 2022].

2. Identificación de las circunstancias en las que pueden surgir conflictos de intereses

La Orden HFP/1030/202, de 29 de septiembre, establece la obligatoriedad de disponer de un procedimiento para abordar los conflictos de intereses y de cumplimentar una Declaración de Ausencia de Conflicto de Intereses (DACI) por parte de todos los intervinientes en los procedimientos de ejecución del Plan de Recuperación, Transformación y Resiliencia. Estos requerimientos obligan a determinar qué son los conflictos de intereses y a identificar las conductas que implican tal conflicto.

En el ámbito de la actuación administrativa, debe entenderse que existe un conflicto de intereses cuando concurren en un cargo o funcionario público dos intereses contrapuestos: uno de carácter público —en cuya defensa se ha de ejercitar la función pública— y otro de carácter privado que impide o puede impedir el estricto cumplimiento de sus deberes y que compromete o puede comprometer su imparcialidad por razones familiares, afectivas, de afinidad política o religiosa, de interés económico o por cualquier otro motivo directo o indirecto de interés personal[62]. De esta manera, el conflicto puede ser «real» si efectivamente se produce, o «aparente» y/o «potencial» si son susceptibles de convertirse en conflictos reales si llegan a darse ciertas circunstancias.

La propia Orden ministerial se hace eco de esta diferenciación y entiende que un conflicto de intereses es aparente "cuando los intereses privados de un empleado público o beneficiario son susceptibles de comprometer el ejercicio objetivo de sus funciones u obligaciones, pero finalmente no se encuentra un vínculo identificable e individual con aspectos concretos de la conducta, el comportamiento o las rela-

---

[62]   El artículo 64.2 de la LCSP señala que "el concepto de conflicto de intereses abarcará, al menos, cualquier situación en la que el personal al servicio del órgano de contratación, que además participe en el desarrollo del procedimiento de licitación o pueda influir en el resultado del mismo, tenga directa o indirectamente un interés financiero, económico o personal que pudiera parecer que compromete su imparcialidad e independencia en el contexto del procedimiento de licitación".

ciones de la persona (o una repercusión en dichos aspectos)"; que un conflicto de intereses potencial surge "cuando un empleado público o beneficiario tiene intereses privados de tal naturaleza, que podrían ser susceptibles de ocasionar un conflicto de intereses en el caso de que tuvieran que asumir en un futuro determinadas responsabilidades oficiales" y, por último, que un conflicto de intereses real "implica un conflicto entre el deber público y los intereses privados de un empleado público o en el que el empleado público tiene intereses personales que pueden influir de manera indebida en el desempeño de sus deberes y responsabilidades oficiales" (Anexo III.C).

Como medida de prevención de los conflictos de intereses se establece la obligación de cumplimentar una DACI por parte de todos los sujetos que participen en los procedimientos de ejecución financiados con cargo al Plan de Recuperación, Transformación y Resiliencia[63].

Por lo que se refiere a la contratación pública, esta obligación incumbe a todas las personas que intervienen en las diferentes fases del contrato y, de manera especial, al titular o titulares del órgano de contratación, a los que participen en la redacción de los pliegos del contrato (tanto el de cláusulas administrativas particulares como el de prescripciones técnicas), a los miembros de las mesas o juntas de contratación, a los miembros del comité de expertos, a los técnicos que elaboren los informes de valoración de ofertas y al responsable del contrato[64]. En el caso de órganos colegiados como el comité de expertos, la mesa o la junta de contratación dicha declaración se rea-

---

[63]   El modelo de declaración de ausencia de conflicto de intereses está recogido en el Anexo IV.A. y C. (contratistas) de la Orden HFP/1030/2021. En esta materia, también resulta de interés la *Guía práctica para los responsables de la gestión de detección de conflictos de intereses en los procedimientos de contratación pública en el marco de las acciones estructurales* (2013) https://ec.europa.eu/sfc/sites/default/files/sfc-files/guide-conflict-of-interests-ES.pdf y la Comunicación de la Comisión *Orientaciones sobre cómo evitar y gestionar las situaciones de conflicto de intereses con arreglo al Reglamento Financiero* (2021/C 121/01).

[64]   La Instrucción de la Junta Consultiva de Contratación Pública, del 23 de diciembre de 2021, sobre aspectos a incorporar en los expedientes y en los pliegos rectores de los contratos que se vayan a financiar con fondos procedentes le PRTR, no señala esta obligación para el responsable del contrato, pero en mi

lizará, por una sola vez para cada licitación, al inicio de la primera reunión y se dejará constancia en el acta. También resulta imprescindible que el contratista presente la declaración, la cual en su caso debe aportarse en el mismo momento de la formalización del contrato o inmediatamente después. Igualmente habrá de presentarse por todos los subcontratistas.

La OCDE recomienda que toda política sobre conflictos de intereses tenga en cuenta el riesgo específico asociado a determinadas categorías de personas y que, además de un interés personal directo, se preste también atención a los intereses derivados de sus vínculos afectivos y familiares, de sus afinidades políticas, nacionales y de afiliación. Entiende que los intereses privados no se limitan a aquellos de contenido exclusivamente económico e incluso, enlaza con los casos de «puerta giratoria» cuando los funcionarios y cargos dejan el servicio público, pero aprovechan su saber y conocimiento para favorecer a los grupos privados a los que se incorporan[65].

Por ello, y atendiendo a estas directrices, los intereses privados que colisionan con el interés público no debieran limitarse a aquellos de contenido económico, sino que también deben incluir todo interés que pueda generar en el servidor público un beneficio directo o indirecto respecto de sus querencias; y, en el ámbito contractual, cualquier situación que pueda poner en peligro la adjudicación y la ejecución imparcial y objetiva del contrato.

IV. LA PROFESIONALIZACIÓN DE LA ESTRUCTURA ORGANIZATIVA DE LA CONTRATACIÓN PÚBLICA

Para que la contratación pública cumpla con eficacia su cometido instrumental —y también estratégico— requiere de una adecuada

---

opinión, y en términos estrictos de objetividad, entiendo que también resulta necesario que cumplimente la correspondiente DACI.

[65] OCDE. *La gestión de los conflictos de intereses en el servicio público. Líneas directrices de la OCDE y experiencias nacionales*, Ministerio de Administraciones Públicas, Madrid, 2005, pp. 18 y 29; OCDE. *Post-Public Employment. Good Practices for preventing Conflict of Interest*, OECD, Paris, 2010.

asignación de cometidos a diferentes órganos, pero sobre todo profesionalizando los aspectos referentes a la toma de decisiones (órgano de contratación) y a la vigilancia del contrato en la fase de ejecución (responsable del contrato).

Como señalase GIMENO FELIU, una adecuada profesionalización y «descontaminación política» de decisiones estrictamente administrativas, permitirá garantizar que la evaluación de las necesidades es adecuada (desde un análisis de eficiencia en la decisión final, con el fin de optar por la más racional desde dicha perspectiva), evitando la provisión innecesaria, mal planificada o deficientemente definida[66]. En este sentido, la profesionalización de la estructura organizativa de la contratación pública puede ser una buena barrera a la posibilidad de redes clientelares y una garantía ante la toma de decisiones más adecuadas a la satisfacción del interés general.

1. El órgano de contratación

El órgano de contratación es el encargado de manifestar la voluntad de contratar que le habilita la normativa para la ordenación de todos los trámites del procedimiento de adjudicación de un contrato. Es quien, de manera unipersonal o colegiada, y en virtud de norma legal, reglamentaria o disposición estatutaria, ostenta la representación de las entidades del sector público en materia contractual y tiene atribuida la facultad de celebrar contratos en su nombre (artículo 61 de la LCSP).

La competencia en materia de contratación lleva implícita la realización de los diferentes trámites que integran en procedimiento de adjudicación, desde su inicio hasta la liquidación del contrato, pasando por la preparación, la adjudicación y la ejecución de este. Si bien, hay que indicar que la LCSP permite que los órganos de contratación deleguen o desconcentren sus competencias (artículo 61.2 de la LCSP).

---

[66]   GIMENO FELIU, J. Mª., "Medidas de prevención de corrupción y refuerzo de la transparencia en la contratación pública", *Revista de Estudios de la Administración Local y Autonómica*, núm. 7, mayo 2017, pp. 45-67.

Ahora bien, la adopción de las decisiones contractuales amparadas bajo el principio de discrecionalidad técnica debiera superar la visión del órgano de contratación residenciado en los órganos superiores de la Administración[67] y, de ahí, la importancia de la mesa de contratación —como órgano de asistencia técnica especializada— en cuya composición no pueden participar ni cargos públicos representativos, ni personal eventual (artículo 326.5 de la LCSP)[68].

2. El responsable del contrato

Es la persona física o jurídica encargada de velar por el correcto desenvolvimiento de la fase de ejecución contractual, pero la Ley no dice nada respecto de su especialización o capacitación profesional[69].

En la LCSP, la designación de un responsable del contrato es obligatoria para todos los órganos de contratación y de la lectura de su artículo 62 pueden extraerse los elementos característicos de su regulación.

---

[67]   MALARET I GARCÍA, E., "El nuevo reto de la contratación pública para afianzar la integridad y el control: reforzar el profesionalismo y la transparencia", *Revista Digital de Derecho Administrativo*, núm. 15, 2016, p. 40 y GARCÍA JIMÉNEZ, A., "Gestión profesional de las licitaciones públicas: Propuestas para la nueva Ley de Contratos del Sector Público", *Revista Aranzadi Doctrinal*, núm. 10, 2015, pp. 51-62.

[68]   Su intervención es obligatoria en los procedimientos abiertos, abierto simplificado, restringidos, de diálogo competitivo, de licitación con negociación y de asociación para la innovación, salvo que hayan de actuar la competencia para contratar a través de Juntas de Contratación. Las Mesas de contratación podrán solicitar el asesoramiento de técnicos o expertos independientes con conocimientos acreditados en las materias relacionadas con el objeto del contrato. Dicha asistencia será autorizada por el órgano de contratación y deberá ser reflejada expresamente en el expediente, con referencia a las identidades de los técnicos o expertos asistentes, su formación y su experiencia profesional

[69]   La figura del responsable del contrato apareció por primera vez en nuestra legislación, en la Ley 30/2007, de 30 de octubre, de Contratos del Sector Público, con la finalidad de reforzar el control del cumplimiento del contrato y agilizar la solución de las diversas incidencias que pueden surgir durante la fase de ejecución. Se trataba, en todo caso, de una figura potestativa para el órgano de contratación.

(i) Tiene un carácter obligatorio. No obstante, en la fase de explotación de las concesiones de obra y servicio, en lugar de un responsable del contrato deberá designarse "una persona que actué en defensa del interés general", para obtener y para verificar el cumplimiento de las obligaciones del concesionario, especialmente en lo que se refiere a la calidad en la prestación del servicio o de la obra (artículo 62.3 de la LCSP); (ii) Puede ser una persona física o jurídica, vinculada al ente, organismo o entidad contratante o ajena a él vinculada a través de un contrato de servicios; (iii) En los contratos de obras, las facultades del responsable del contrato serán ejercidas por el Director Facultativo; (iv) Es independiente de la unidad encargada del seguimiento y ejecución ordinaria del contrato que figure en los pliegos y (v) Entre sus atribuciones, se encuentra la de supervisar la ejecución del contrato, adoptar las decisiones y dictar las instrucciones necesarias con el fin de asegurar la correcta realización de la prestación pactada.

En atención a estas importantes funciones, no resulta coherente que la LCSP guarde silencio respecto de la exigencia de una mayor profesionalización en su designación. El responsable del contrato debiera tener las capacidades, habilidades, destrezas, conocimientos y aptitudes necesarias para garantizar la correcta ejecución del contrato y para asegurar su eficiencia (también en términos de contratación pública estratégica).

V. A MODO DE CONCLUSIÓN

Una visión integral de la contratación pública nos hace entenderla como una función en la que participan diferentes niveles profesionales, con mucha especialización y un alto grado de multidisciplinariedad que se ha vuelto más compleja a medida que se han ido incorporando objetivos estratégicos a la compra pública.

El enfoque estratégico de la contratación pública en la consecución de objetivos políticos —en particular en el ámbito de la innovación, el medio ambiente y la inclusión social— requiere de conocimientos, pero también de la capacitación de las personas que realizan o participan en tareas relacionadas con los procedimientos de adjudicación.

La falta de dicha capacitación se ha mostrado como un lastre para la transición hacia un nuevo modelo social y económico.

Por esa razón, desde la UE el reto está en la profesionalización de quienes gestionan los contratos públicos fomentando en ellos el desarrollo de nuevas aptitudes y la asunción de valores éticos que, en último extremo, contribuyan al éxito de una transición justa hacia un futuro sostenible.

VI. REFERENCIAS BIBLIOGRÁFICAS

CANTERO MARTÍNEZ, J., "La profesionalización de la contratación pública como herramienta de innovación", en la obra colectiva *Administración electrónica, transparencia y contratación pública*, Iustel, Madrid, pp. 197-245.

CASTRO MARQUINA, G., "La implementación imperfecta de la compra social, ambiental e innovadora, supuestos y causas", en la obra colectiva *Observatorio de los Contratos Públicos 2020*, Thomson-Aranzadi, Cizur Menor (Navarra), 2021, pp. 237-283.

CERRILLO I MARTÍNEZ, A., *El principio de integridad en la contratación pública. Mecanismos para la prevención de los conflictos de intereses y la lucha contra la corrupción*. 2ª ed., Aranzadi, Cizur Menor (Navarra), 2018.

DE GUERRERO MANSO, C., "La suscripción de pactos de integridad como mecanismo de lucha contra la corrupción en la contratación pública", en la obra colectiva *Observatorio de los contratos públicos 2017*, Thomson-Aranzadi, Cizur Menor (Navarra), 2017, pp. 225-265

DE GUERRERO MANSO, C., "Las consultas preliminares del mercado: una herramienta para mejorar la eficiencia en la contratación pública", en la obra colectiva *Estudio sistemático de la Ley de Contratos del Sector Público*, Thomson-Aranzadi, Cizur Menor (Navarra), 2018, pp. 1047-1071.

DE GUERRERO MANSO, C., "La imperiosa necesidad de profesionalización como clave de éxito en la contratación pública. La utilización de la herramienta PROCURCOMPEU", en la obra colectiva *Observatorio de los Contratos Públicos 2020*, Thomson-Aranzadi, Cizur Menor (Navarra), 2021, pp. 91-125.

FERNÁNDEZ ACEVEDO, R., "Medidas de garantía de cumplimiento normativo y de compromisos con la entidad concedente: «compliance» y contratos y concesiones", en la obra colectiva *La gestión de los servicios públicos locales en el marco de la LCSP, la LRJSP y la LRSAL*, Wolters Kluwer, Las Rozas (Madrid), 2019, pp.1462-1494.

FERNÁNDEZ DE GATTA SÁNCHEZ, D., "La contratación del sector público y la protección del medio ambiente", en *La contratación pública estratégica en la contratación del sector público*, Tirant lo Blanch, Valencia, 2020, pp. 159-214.

GALLEGO CÓRCOLES, I., "La integración de cláusulas sociales, ambientales y de innovación en la contratación pública", *Documentación Administrativa*, núm. 4, diciembre 2017, pp. 92-113.

GARCÍA JIMÉNEZ, A., "Gestión profesional de las licitaciones públicas: Propuestas para la nueva Ley de Contratos del Sector Público", *Revista Aranzadi Doctrinal*, núm. 10, 2015, pp. 51-62.

GIMENO FELIU, J. Mª., "La nueva regulación de la contratación pública en España desde la óptica de la incorporación de las exigencias europeas: hacia un modelo estratégico, eficiente y transparente", en la obra colectiva *Estudio sistemático de la Ley de Contratos del Sector Público*, Thomson-Aranzadi, Cizur Menor (Navarra), 2018, pp. 47-132.

GIMENO FELIU, J. Mª., "La visión estratégica en la contratación pública en la LCSP: Hacia una contratación socialmente responsable y de calidad", *Economía Industrial*, núm. 145, 2020, pp. 89-97.

GIMENO FELIU, J. Mª., "Los objetivos de sostenibilidad en inclusividad en la Agenda de Naciones Unidas y su incidencia en la contratación pública: de las ideas a la acción", en *La Agenda 2030: implicaciones y retos para las administraciones locales*, Fundación Democracia y Gobierno Local, 2021, pp. 67-100.

LAZO VITORIA, X., "Cambio climático y contratación pública: Estado de la cuestión y perspectivas de futuro", en *Observatorio de los Contratos Públicos 2020*, Thomson-Aranzadi, Cizur Menor (Navarra), 2021, pp. 177-204.

MALARET I GARCÍA, E., "El nuevo reto de la contratación pública para afianzar la integridad y el control: reforzar el profesionalismo y la transparencia", *Revista Digital de Derecho Administrativo*, núm. 15, 2016, pp. 21-60.

MARTÍN DELGADO, I., "Innovación tecnológica e innovación administrativa en la contratación pública", en la obra colectiva *Administración electrónica, transparencia y contratación pública*, Iustel, Madrid, pp. 19-53.

MARTÍNEZ FERNÁNDEZ, J. M., *Contratación pública y transparencia. Medidas prácticas para atajar la corrupción en el marco de la nueva regulación*, Wolters Kluwer, Las Rozas (Madrid), 2016.

MEDINA ARNAIZ, T., "La contratación pública estratégica", en *La contratación pública estratégica en la contratación del sector público*, Tirant lo Blanch, Valencia, 2020, pp. 81-99.

MEDINA ARNAIZ, T., "Un consumo responsable por parte de las entidades del sector público", *Opción: Revista de Ciencias Humanas y Sociales,* núm. 93, 2020, pp. 834-863.

MEDINA ARNAIZ, T., "Los retos de futuro en la contratación pública en clave europea", en la obra colectiva *Observatorio de los Contratos Públicos 2020,* Thomson-Aranzadi, Cizur Menor (Navarra), 2021, pp. 51-90.

MIRANZO DÍAZ, J., *La prevención de la corrupción de la contratación pública,* Wolters Kluwer, Las Rozas (Madrid), 2019.

MIRANZO DÍAZ, J., *Inteligencia artificial y contratación pública,* en la obra colectiva *Administración electrónica, transparencia y contratación pública,* Iustel, Madrid, 2020, pp. 105-142.

MORENO MOLINA, J. A., *Hacia una compra pública responsable y sostenible. Novedades principales de la Ley de Contratos del Sector Público,* Tirant lo Blanch, Valencia, 2018.

MORENO MOLINA, J. A., *Compra pública socialmente responsable. Inclusión de las personas con discapacidad,* Tirant lo Blanch, Valencia, 2022.

OCDE., *La gestión de los conflictos de intereses en el servicio público. Líneas directrices de la OCDE y experiencias nacionales,* Ministerio de Administraciones Públicas, Madrid, 2005.

OCDE., "Professionalisation of public procurement", en la obra *Government at a Glance,* 2021.

PALACÍN SÁENZ, B., *A la responsabilidad social por la contratación pública,* BOE, Madrid, 2022.

PERNAS GARCÍA, J. J., "Compra pública circular: Análisis de las barreras, posibilidades y límites del marco jurídico y organizativo actual y propuestas de mejoras", *Redondear la economía circular. Del discurso oficial a las políticas necesarias,* Thomson-Aranzadi, Cizur Menor (Navarra), 2021, pp. 297-326.

PERNAS GARCÍA, J. J., "Compra pública verde y circular: El largo (y lento) camino hacia una amplia aplicación práctica de la contratación estratégica", en *Observatorio de Políticas Ambientales 2020,* Thomson-Aranzadi, Cizur Menor (Navarra), 2021, pp. 873-914.

RASTROLLO SUÁREZ, J.J., "Gerencia profesional y contratación pública estratégica: una perspectiva comparada", *Gestión y Análisis de Políticas Públicas,* núm. 26, julio 2021, pp. 48-60.

RODRÍGUEZ-ARANA MUÑOZ, J., "Profesionalización en la contratación pública", *Anuario da Facultade de Dereito da Universidade da Coruña,* núm. 25, 2021, pp. 243-264.

ROMÁN MÁRQUEZ, A., "El ciclo de vida de las prestaciones en la contratación pública. Metodologías para el cálculo de su coste en el ámbito europeo", en la obra colectiva *Contratación pública global: Visiones comparadas*, Tirant lo Blanch, Valencia, 2020, pp. 375-409.

SANMARTÍN MORA, Mª A., "La profesionalización de la contratación pública en el ámbito de la Unión Europea", en la obra colectiva *Observatorio de Contratos Públicos 2011*, Thomson-Aranzadi, Cizur Menor (Navarra), 2012, pp. 298-318.

VALCÁRCEL FERNÁNDEZ, P., "La especialización o la profesionalización, la independencia y el liderazgo como elementos clave para el buen funcionamiento del recurso especial en materia de contratación pública español", en la obra colectiva *Contratación pública global: Visiones comparadas*, Tirant lo Blanch, Valencia, 2020, pp. 587-615.

PROFESIONALIZACIÓN EN CONTRATACIÓN PÚBLICA: ¿POR DÓNDE EMPEZAR?

Christian Campos Monge[1]

SUMARIO: I. INTRODUCCIÓN; II. CONCEPTO DE PROFESIONALIZACIÓN Y LA CASA DE CRISTA; III. CONTRATACIÓN PÚBLICA, PROFESIONALIZACIÓN Y POLÍTICA PÚBLICA; IV. EL VALOR DE LA FORMACIÓN; V. CONCLUYENDO SOBRE EL CONCEPTO; VI. DECÁLOGO DE LA RELACIÓN FUNCIONARIO Y EMPLEO PÚBLICO, EN PROFESIONALIZACIÓN EN CONTRATACIÓN PÚBLICA; VII. PROCESO DE DIAGNÓSTICO; VIII. CONCLUSIÓN

I. INTRODUCCIÓN

La Administración Pública debe ineludiblemente brindar servicios públicos conforme a los principios de integridad, igualdad, universalidad, continuidad, eficiencia y eficacia. Debe hacer eso con una actitud positiva y proactiva frente a los administrados. Debe, dicho de otra forma, actuar con la consigna de respeto al derecho ciudadano al "buen y eficiente funcionamiento de los servicios públicos"[2].

---

[1]   Miembro Consultor y Delegado de la Firma Internacional Ius Publicum Innovatio, de la Universidad de la Coruña, España. Consultor-Director de la Firma Especializada C&C Consultores Asociados. Con estudios de doctorado, maestrías y especializaciones, en derecho constitucional, derecho administrativo, gerencia y alianzas público-privadas desarrollados en España y Costa Rica, en universidades Carlos III-Madrid; Menéndez Pelayo, da Coruña; INCAE, así como Universidad de Costa Rica y Universidad Estatal a Distancia. Fue miembro titular de la Comisión para Promover la Competencia. Es parte del cuerpo de profesores de Posgrado en Derecho Público-Universidad de Costa Rica; del Posgrado de Administración Pública, Universidad La Salle; profesor invitado en Maestría en Derecho Público de la Universidad de Santo Tomás de Chile y profesor titular de curso de Dirección Económico Financiera y Gestión Presupuestaria en las Administraciones Públicas, de la Universidad Internacional de la Rioja, España. Presidente de la Asociación de Profesionales en Contratación Administrativa; Miembro de la Red Iberoamericana de Contratación Pública y Miembro del Foro Iberoamericano de Derecho Administrativo.

[2]   Cfr. Sala Constitucional de Costa Rica: 2003-2794; 2020-2965; 2021-12316.

Cabe reconocer, en tal sentido, por "estudios empíricos recientes", que se ha "puesto de manifiesto que una burocracia pública profesional es condición necesaria, aunque no suficiente, para el desarrollo económico de los países." Es un aspiracional base de "procurar una Administración Pública eficiente, regida por principios meritocráticos y universales"[3]. Por lo que, "Una mayor eficiencia del sector público, producto de su profesionalización y buen desempeño, contribuye a un mayor desarrollo económico, en la medida que facilita el desenvolvimiento de la iniciativa privada."[4]

Por ello, en la gestión pública se requiere de funcionarios diestros. Debemos entender, así, personas que reúnan méritos de probidad y de capacidad técnica para desempeñar las funciones asignadas. Una sin la otra no es útil para ganar en la prestación de servicios públicos conforme la sociedad lo espera en todo momento.

Ahora, el ingreso al servicio público no es una cuestión pacífica. Si bien parece haber un criterio común de que se nombre a los servidores por méritos, sigue existiendo una percepción de nombramientos irregulares. Incluso, para el caso de los funcionarios responsables de los procesos de contratación pública, se da cierta práctica de no tener las mejores condiciones de plazas (por tipo de plazas) como de nivel salarial (no competitivos), generando eso una suerte de poca atracción de las mejores capacidades humanas en los responsables de estos procesos.

La profesionalización en la contratación pública toca dos elementos. Uno es el humano; el de tener una fuerza laboral con destrezas perfeccionadas; con integridad, y que esté debidamente certificado; y el segundo, es el de acreditación institucional que pasa por procesos certificados, con manuales y procedimientos estandarizados, que ayuden a evitar dilaciones, duplicidades; que apoye la mejora continua. Es decir, una gestión que apueste por la calidad, plasmada en procesos y procedimientos acreditados y certificados.

Pero, cuando se dice profesionalización en contratación pública, una pregunta que salta de forma inmediata es: ¿por dónde empezar?

---

[3]   Cfr. Sala Constitucional de Costa Rica: S. 2012-7163 y 2016-821.
[4]   Costa Rica: Empleo y Política Salarial del Sector Público. Academia de Centroamérica. Serie Programa Visi n PV-02-14, 2014).

Pues bueno, es evidente que, para asumir el compromiso de la profesionalización en la contratación pública, es necesario definirla conceptualmente; luego diagnosticar el estado de las cosas, para, así, poder precisar e implementar una hoja de ruta que, se impregne necesariamente, y es troncal, en una política pública; luego, en planes de acción; y finalmente, en análisis de gestión y auditorías técnicas, como desde un observatorio ciudadano, que allegue una visión crítica, neutra, y constructiva.

La intención de este aporte, por lo tanto, será la de generar un concepto común de profesionalización en la contratación pública; mostrar un diagnóstico real de un país, para, por su estudio, generar conclusiones y recomendaciones que pudieran ser de utilidad para los interesados que desean promover un proceso de profesionalización en los países Iberoamericanos. A la vez, se planteará el decálogo de los principios que debe caracterizar a la relación funcionario y empleo público, dentro de un proceso de profesionalización en contratación pública.

Lo anterior es así, gracias a un proyecto desarrollado[5] en Costa Rica durante los años 2021-2022, con el concurso de la Asociación de Profesionales de Contratación Administrativa[6], bajo responsabilidad del suscrito, y la guía experta de los doctores Jaime Rodríguez-Arana Muñoz (España) y Enrique Díaz Bravo (Chile), para el Ministerio de Hacienda. De hecho, este artículo recoge aportes hechos por los apreciados amigos y colegas.

II. CONCEPTO DE PROFESIONALIZACIÓN Y LA CASA DE CRISTAL

Si partimos de que el servicio público se deposita en personas que juran proceder conforme la Constitución y la Ley, entonces, no deberían darse reparos contra un ejercicio de la función pública como

---

[5]   En específico, Informe "Resultados obtenidos de las entrevistas y encuesta para el diagnóstico sobre el nivel de Profesionalización en Compra Pública en Costa Rica", marzo, 2022, Asociación de Profesionales de Contratación Administrativa, para Ministerio de Hacienda de la República de Costa Rica.

[6]   Colaboró para este proyecto la Fundación Konrad Adenauer-Costa Rica.

se supone, debe ser. Así, con personas capacitadas, y éticas. La contratación pública ocupa de personas que, conforme lo ha resuelto la Sala Constitucional de Costa Rica (S. 2004-9234 de 15:42 horas / 25.08.2004), entiendan que ellos, y las entidades en las que trabajan, "están llamadas a ser verdaderas casas de cristal en cuyo interior puedan escrutar y fiscalizar, a plena luz del día, todos los administrados." Entonces, la profesionalización como concepto debe concebirse, primero, como un estado no dado, sino que se trabaja, se perfecciona y se cuida, de integridad plena en cada servidor público, como de cada persona de los agentes económicos del Estado (oferentes, adjudicatarios, contratistas), que buscan y tienen contratos con éste.

La casa de cristal conlleva, y es evidente la consecuencia, a que la conducta de todas las personas, sin excepción, que intervengan en la actividad de contratación en la que medien fondos o recursos públicos, muestren o ajusten el cumplimiento a las normas y los valores éticos, entre ellos, la honestidad, la buena fe, la responsabilidad y el respeto, prevaleciendo en todo momento el interés público. Se precisa que, al indicar la actividad de contratación, es tanto la que paga al contratista con fondos del erario, como de aquéllos que reciben del Estado una delegación, para atender un servicio suyo, o una necesidad suya, pero la paga la reciben de los usuarios (concesiones, por ejemplo). En este segundo caso, lo que se da al socio de la parte pública, es un derecho de uso o explotación de bienes del Estado.

Profesionalizar no es capacitar. Tampoco es crear por sí, una carrera administrativa. No es —mucho menos— crear procedimientos o caer en estandarizaciones de documentos como lo es un cartel o un contrato. Profesionalizar no es programar cursos en contratación como si se tratara de que los funcionarios acumulen horas de clases. No es cursar temas sin orden metodológico, como tampoco es dar por sentado que se conocen las competencias, funciones y procesos en que está cada funcionario.

La profesionalización busca, no tengamos la mínima duda, que, en la gestión de la contratación pública, haya un grupo de funcionarios sólidamente formados, que están dentro de un proceso regular de perfeccionamiento de sus competencias, para desarrollar los procedimientos de contratación con integridad y alto criterio técnico de

calidad, pensando en corolarios como valor por dinero[7], o la mayor eficiencia y eficacia factible. Es, también, generar un sentido de pertenencia en el área funcional, que alcance lo mejor para el país, para la sociedad.

Un reto constante de los Gobiernos y Administraciones ha sido buscar profesionalizar más y mejor a las personas que laboran en el sector público. En unos casos sometiendo el acceso a la función pública a pruebas selectivas en las que se incluyen planes de formación específicos. En otros, para las personas que ya forman parte de la estructura administrativa, capacitándolas para determinadas funciones. Es el caso de los programas especiales de capacitación para personal directivo, para personal de gestión económico-financiera, y también para personal encargado de gestionar, dirigir y trabajar en la contratación pública. Este reto incluso puede visualizarse en la oferta académica, donde, ante una cada vez más compleja necesidad de prestación de servicios se ha debido crear programas, cursos, maestrías, etc., que logren responder demandas actuales.

En caso concreto de la contratación pública, la necesidad de la profesionalización se explica, entre otros, en una fuente documental de la OCDE del 2009 donde se aborda la integridad como requisito esencial. Ciertamente profesionalización sin integridad como centro, no es factible reconocerla. De hecho, cabe reconocer que la implementación y transversalización de una política de integridad en toda la administración es un reto complejo. Si bien, la integridad se puede pensar es cosa de cada persona, ya se ha llegado a un punto donde sí o sí, es urgente estimular y forjar el comportamiento ético en las personas y en cada organización[8].

---

[7]   Señala el art. 8, inciso b) de la Ley general de contratación pública de Costa Rica: "Toda contratación pública debe estar orientada a maximizar el valor de los recursos públicos que se invierten y a promover la actuación bajo el enfoque de gestión por resultados en las contrataciones, de tal forma que se realicen en forma oportuna y bajo las mejores condiciones de precio y calidad."

[8]   OCDE (2009), Towards a Sound Integrity Framework: Instruments, Processes, Structures and Conditions for Implementation, http://www.oecd.org/officialdocuments/publicdisplaydocumentpdf/?doclanguage=en&cote=GO V/PGC/GF(2009).

Al respecto, el art .10 de la Ley general de contratación pública de Costa Rica, sobre el actuar ético de los servidores públicos, informa: "Todas las actuaciones que realicen los funcionarios de la Administración, con ocasión de la actividad de contratación pública, deberán realizarse de manera proba, íntegra y transparente, bajo el cumplimiento de los principios éticos. La Autoridad de Contratación Pública emitirá los lineamientos para la aplicación de esta disposición, conforme a lo que el reglamento disponga al efecto."

Y cuando se señala principios éticos, este mismo marco legal, nos ilustra con una definición de la integridad. Así, el art. 8, inciso a), reza: "… la conducta de todos los sujetos que intervengan en la actividad de contratación en la que medien fondos públicos se ajustará al cumplimiento de las normas y los valores éticos, entre ellos, la honestidad, la buena fe, la responsabilidad y el respeto, prevaleciendo en todo momento el interés público."

Por su parte, la OCDE, en el Informe anteriormente dicho, entiende que la contratación pública debe considerarse como una *profesión estratégica* que desempeña una función central en la prevención de la mala gestión y en minimizar las posibilidades de corrupción en el uso de fondos públicos. Por ello, el generar profesionalización entre los responsables del proceso de la contratación pública como un conjunto común de normas profesionales y éticas, debe ser la pauta, y no solo algo visto desde la mera función administrativa, sino como el objeto de la obtención de una auténtica integridad.

El Comité Económico y Social Europeo, por otro lado, emitió un Dictamen el 15.02.2020 analizando la Recomendación europea del 2017 en la que se indica que es esencial avanzar con resolución hacia una gran profesionalización de los servicios contratantes y un claro reconocimiento de las cualificaciones adquiridas, equipándolos con un marco común europeo de competencias técnicas e informáticas que hagan posible un enfoque común en todo el mercado interior europeo. Es tal la importancia de la materia que el Comité Económico y Social destaca en su informe que más que una Recomendación se debería haber aprobado un Directiva a fin de garantizar una estructura efectiva y coherente para la profesionalización de la contratación pública.

Finalmente, por el concepto de profesionalización, entendemos, un remedio para evitar la colusión de intereses, de manera que sea útil para prevenir corrupción. Partamos de que todos "... los actos de corrupción contienen implícitamente un conflicto de intereses"[9], de modo que, si se avanza en una fuerza humana cada vez más profesionalizada, entonces alcanzaremos sujetos más precisos en la opción por tomar cuando, precisamente, percibe un choque de intereses. Es decir, sabrá decidir en beneficio y tutela del interés general.

Esto mismo, sea el transparentar relaciones que deben ser conocidas necesariamente, para prevenir la colusión de interés, incluso desde la óptica del derecho de competencia, se regula, como mejor práctica, de forma reciente. En efecto, en contratación pública, así como se regula para prevenir conflictos o colusión de intereses en los servidores del Estado, en el caso de los agentes económicos no puede ser menos importante regularlo. Debemos reconocer que los agentes económicos pueden, de no transparentarlo, provocar colusiones viciosas, que a la vez conlleva el riesgo de coparticipar a los funcionarios públicos. En tal sentido, debe regularse, prevenirse como saberse detectar, esos posibles casos.

En la Ley general de contratación pública de Costa Rica, art. 23, se regla que la Autoridad Pública a cargos del registro de las pequeñas y medianas empresas, disponer los mecanismos de verificación y fiscalización que aseguren que, bajo la figura de grupos económicos, las grandes empresas no utilicen la figura de las pymes para obtener los beneficios legales dispuestos para ellas. Y se advierte que el fraude a tal disposición generará la inelegibilidad de la oferta de la pyme y el incumplimiento del contrato, para efectos de proceder a su resolución, si se detecta en la fase de ejecución.

Esta regulación no es de menor importancia pues no es extraño que grandes empresas, con mayor capacidad para ofrecer precios bajos, y ganar contratos, desarrollen como una potencial estrategia la adquisición de empresas pymes, solo con el objeto de, por su medio,

---

[9]   Conflicto de intereses: Desafíos y oportunidades para implementar un sistema efectivo de prevención y control. Banco Interamericano de Desarrollo (BID), octubre 2018, p. 1.

controlar las compras del Estado, afectando así la necesaria rivalidad independiente que debe darse entre agentes económicos, siempre que con independencia puedan ofertar realmente a las administraciones públicas. En Costa Rica, el caso Cochinilla[10], refiere a que el 14.06.2021 el Organismo de Investigación Judicial (OIJ) realizó decenas de allanamientos en viviendas y en empresas constructoras (Meco y H Solís; otras); además, en el Consejo Nacional de Vialidad (Conavi) y en el Ministerio de Obras Públicas y Transportes (MOPT) exponiendo una presenta red de corrupción; una red de crimen organizado. Se estima en la teoría de investigación que los empresarios supuestamente sobornaban y daban beneficios varios, a funcionarios para garantizarse contratos de obra pública en la red vial nacional. En este caso, se investigan los posibles delitos de peculado, malversación de fondos, cohecho, falsedad ideológica y tráfico de influencias. La mayoría de las personas detenidas fueron liberadas sin medidas privativas de libertad, mientras los dueños de las empresas han debido someterse a medidas cautelares que empezó por la prisión preventiva, hasta el arresto domiciliario. Se estima, por las autoridades, que se habría dado una malversación de fondos públicos de US$ 126,33 millones, mediante el desvío de presupuestos para obras públicas y su redirección a proyectos de las empresas privadas beneficiadas, desfinanciando otras obras de infraestructura.

Del caso Cochinilla, lo denunciado puede decirse que era un secreto a voces. Es decir, en el sector se tenía la idea de que las grandes contrataciones de conservación y mantenimiento de la red vial nacional, era cosa de muy pocos, año tras año. Y, aunque se promovían

---

[10]   El caso se llama así, por que "... es una alusión al insecto conocido como la Cochinilla del Carmín (Dactylopius coccus). / Esta especie invasiva es conocida por infestar las hojas y tallos de diferentes plantas, especialmente, de los cactus. Tienden a ubicarse en las zonas poco visibles y succionan los nutrientes de la misma. Según la literatura científica, pueden incubar hasta seis generaciones diferentes en un mismo año calendario. En muchas ocasiones, para cuando este parásito es detectado, la planta ya está en proceso de descomposición. / Esas son algunas de las características que las autoridades tomaron en consideración al bautizar el operativo con este nombre." https://observador.cr/caso-cochinilla-una-plaga-da-nombre-al-ultimo-escandalo-de-corrupcion/ (visitado 19.06.2021).

concursos formales por el Conavi, estos al final solo fueron provocando un mercado concentrado en beneficio de dos empresas, empresas que incluso para el 2014, habrían creado pymes o adquirido empresas así ya constituidas, para, por medios de éstas, mantener el mercado concentrado a su favor.

Otras de las regulaciones, art. 28 de la Ley de cita, indica: "g) Los grupos de interés económico en los cuales participe alguna de las personas físicas o jurídicas privadas sujetas a la prohibición." De manera que si una empresa (agente económico) es inhabilitado, su impedimento afecta por igual a las demás empresas (o agentes económicos) que son parte del grupo económico. Esto permite disuadir al agente que podría tener por intención caer en corrupción o prácticas anticompetitivas, y buscar huir a una sanción a través de otra empresa o agente económico.

El art. 48 señala, por su parte, que los grupos de interés económico están conformados "por el conjunto de dos o más personas que mantengan cualquier relación financiera, administrativa o patrimonial significativa entre sí." De manera que es muy amplio el margen para procurar detener el uso de empresas, para diluir responsabilidad. Así, de darse esa relación administrativa o de otro tipo, se tendrá al agente como parte de un grupo económico, afectándose así a todo el grupo y no solo a un agente miembro de este. Finalmente, el art. 49, informa que "Una persona física o jurídica únicamente podrá figurar para un mismo concurso en una oferta ya sea como subcontratista, oferente individual o participar de forma conjunta o consorciada. La condición anterior también resultará aplicable a las personas físicas o jurídicas que conformen un mismo grupo de interés económico." Así, se aumenta el espectro de control y limitación a una posible subcontratación.

III. CONTRATACIÓN PÚBLICA, PROFESIONALIZACIÓN Y POLÍTICA PÚBLICA

Para el caso de Costa Rica, cabe señalar que Ley general de contratación pública (Ley No. 9986) introduce el carácter de estratégico, todo lo que refiere a la contratación pública. Así, el proceder aislado de planes de desarrollo, o el mismo cerramiento de brechas, en la contratación pública, cambia de tono. La compra pública, y por ende el recurso humano profesionalizado, debe ayudar a dar contenido al art. 50 de la Constitución Política del país, en el tanto debe ser lleva para generar desarrollo con equidad, pero, además, debe ser herramienta para que se alcance una prestación de servicios, con sentido de integración, eficiencia, valor por dinero; es pues, puerta para que el Estado coloque al ciudadano, a la persona, como el centro.

Las políticas públicas son tareas o quehaceres a cargo de los poderes públicos que se destinan, de una y otra forma, a través de las diferentes técnicas disponibles, a la mejora de las condiciones de vida de los ciudadanos. Esto es así, entre otras razones, porque en la democracia, el gobierno del, para y por el pueblo, el complejo Gobierno-Administración, debe estar y actuar al servicio objetivo del interés general.

La actividad contractual que realizan las diferentes Administraciones públicas consiste en ofrecer los mejores bienes, infraestructuras y servicios públicos posibles a los ciudadanos contando con la colaboración del sector privado. Primero porque tales actividades ordinariamente no se pueden realizar directamente por la propia Administración en dignas condiciones y, segundo, porque, de esta manera, se asocia a la sociedad en la función de servicio al interés general, que ni es privativa de la Administración ni sólo a ella concierne. También, por ello, la profesionalización en la contratación debe ser una tarea que compromete no sólo a las Autoridades públicas sino, también, y mucho, a quienes dirigen las empresas privadas, especialmente a los departamentos de compras.

En este contexto, conviene subrayar que la Administración cuándo contrata con empresas la realización de obras o servicios dispone de una posición jurídica especial que le permite disponer de una serie de poderes que sólo se justifican en la medida en que previamente estén explicitados en lo concreto en razones de interés general. Por tanto, a través de la contratación del sector público es posible, y deseable, que los ahora llamados poderes adjudicadores garanticen efectivamente que esa forma de prestar los servicios o de construir obras o infraestructuras públicas se realice desde los postulados del servicio objetivo al interés general.

En línea con lo acotado, la contratación como instrumento de política pública debe contribuir a una mayor humanización de la realidad pues es posible, vaya si lo es, diseñar las técnicas contractuales de manera que la centralidad de la dignidad del ser humanos brille por su presencia. Simplemente y, por ejemplo, con establecer estímulos fiscales a las más variadas expresiones del denominado comercio justo, ya estaríamos trabajando en esa dirección.

En este sentido, las políticas públicas de contratación pública se nos presentan como instrumentos adecuados a través de los cuáles, con pleno respeto por supuesto a la juridicidad, es posible contribuir de manera directa y tangible a un mayor compromiso social concretado en el comercio justo, en el fomento de la conciliación laboral, en la protección ambiental o, entre otros, en la promoción del empleo o en el combate a la corrupción. Es decir, la contratación pública tiene características y peculiaridades que, desde la cláusula del Estado social y democrático de Derecho, pueden traducirse en estos objetivos de tanta relevancia social.

Las políticas públicas de contratación pública deben abrirse a desarrollos armónicos y humanos del medio ambiente, de la contemplación de las bellezas naturales, de la protección del patrimonio histórico artístico o de la protección del litoral. La sensibilidad social en la materia alude a que las políticas públicas han de facilitar medios y posibilidades para que los ciudadanos puedan, a través de la actividad de la contratación pública, en cualquiera de sus manifestaciones, puedan vivir una vida más humana y solidaria.

IV. EL VALOR DE LA FORMACIÓN

Visto lo anterior, cabe indicar que el aprendizaje permanente y el ejercicio permanente de las cualidades humanas deben adornar la conducta de un funcionario público. Mentalidad abierta, metodología del entendimiento, preparación técnica, sensibilidad social, compromiso con los valores éticos y democráticos y, conocimiento de la realidad, son rasgos esenciales para dirigir en el siglo XXI, también en el sector público y, especialmente, los procesos de contratación pública. En este sentido, no se puede olvidar que los funcionarios del siglo XXI ya no son esos rígidos tecnócratas que se limitan a la mera aplicación de unas normas perfectamente delimitadas. Hoy, el nuevo administrador público, sobre todo en materia de contratación, es un artesano que debe actuar con prudencia y que debe ser consciente de la trascendencia de las decisiones que adopta, en un contexto de pensamiento dinámico, plural, abierto y complementario. Ha de ser un servidor "casa de cristal", que coloque la integridad como su estandarte.

La formación continua de los dirigentes públicos, de quienes conducen los procedimientos de contratación, es una de las claves de la reforma administrativa en esta materia. Por una parte, como sabemos, el proceso del aprendizaje no termina nunca y, por otra, la adecuada preparación técnica y humana de los dirigentes públicos acrecienta la conciencia de servicio de la Administración pública a los ciudadanos en una materia como la contratación en la que es esencial ofrecer a los usuarios bienes, infraestructuras y servicios públicos de calidad que contribuyan a la mejora de las condiciones de vida de los ciudadanos.

Por eso, es muy importante el papel que tienen las Escuelas de Administración Pública. Deben ser centros de enseñanza que promuevan la mejor preparación técnica posible en un entorno de promoción de los valores del servicio público y de los objetivos del Estado social y democrático de Derecho. En este sentido, la formación y capacitación específica en materia de contratación pública es crucial para contar con buenos profesionales que sepan preparar unos pliegos concretos, concisos, completos, que sepan motivar adecuadamente la adjudicación del contrato y que estén en condiciones de velar, durante la ejecución del contrato, por hacer cumplir las obligaciones asumidas por el contratista. En una palabra, estos programas formativos, además de servir para la mejor selección de los gestores o administradores de los contratos públicos, deben habilitar y adiestrar para una buena administración también en materia contractual.

Una buena administración de la contratación pública ha de contar con funcionarios preparados técnicamente, con sólidos compromisos éticos y con un sentido de responsabilidad pues a través de este instrumento de política pública han de poner al servicio de la ciudadanía, de los usuarios, bienes, infraestructuras y servicios que les permitan mejorar sus condiciones de vida. Para ello deben comprender que la dirección de los procedimientos y procesos contractuales en el sector público tiene varias exigencias.

Primera, trabajar es aprender. Dirigir es enseñar. Trabajar es aprender porque el aprendizaje es permanente, constante y no se puede deslindar el trabajo del aprendizaje porque son conceptos complementarios. También en el área de la contratación en el sector público es aplicable esta consideración pues en estos departamentos es fundamental trabajar en un contexto de mejora del conocimiento, de aprender de las experiencias comparadas, de la elaboración de las mejores prácticas.

En *segundo lugar*, una organización inteligente es una comunidad de investigación y aprendizaje. Permanentemente tenemos que analizar, buscar las causas de lo que sale bien, de lo que sale mal y tomar decisiones. Y a la hora de los diagnósticos, de los análisis, tenemos que contar con toda la organización, con todas las personas que trabajan, que están involucradas en los objetivos y en los resultados. En materia de contratación, la reflexión y evaluación del trabajo realizado es fundamental para mejorar en la elaboración de los pliegos, en la transparencia y la publicidad, en la motivación de los actos de adjudicación y en una ejecución limpia y responsable de la ejecución del contrato.

En *tercer lugar*, las organizaciones públicas poseen una obvia dimensión ética: transparencia, servicio, dignidad humana. La persona en el centro, en el centro de trabajo, tiene que ser la característica que distinga el trabajo de las nuevas organizaciones de la sociedad del conocimiento. Si la persona es una mercancía de usar y tirar, mal asunto. Por eso, también en los departamentos de contratación la forma de dirección ha de atender a esta realidad pues la promoción de un buen ambiente humano es esencial para alcanzar los objetivos señalados.

Y, en *cuarto lugar*, en las organizaciones inteligentes, la investigación y la gestión se identifican. ¿Por qué? Porque el aprendizaje no termina nunca, la formación no termina nunca y gestionar es aprender, y gestionar, como decía antes, es investigar. El buen gobierno, la buena administración, también en la contratación pública no puede olvidarse de estos criterios tan importantes para intentar conducir con éxito estos procesos tan relevantes para el progreso social y la mejora de las condiciones de vida de los ciudadanos.

V. CONCLUYENDO SOBRE EL CONCEPTO

La contratación pública es estratégica. Las múltiples implicaciones de los bienes y servicios necesarios para que el Estado cumpla con su cometido provocan la necesidad de que, detrás del proceso, haya personal íntegro, y sólidamente capacitado. Es posible afirmar que, a mayor profesionalización, menores riesgos de irregularidades o más grave aún, de corrupción.

La profesionalización, por tanto, impone una necesidad de política pública que logre incidir en una mejora significativa de los procesos, con calidad, y con integridad como baluarte.

Probablemente, nadie duda en los tiempos que corren que la profesionalización de la función pública es uno de los presupuestos más importantes para la continuidad de las políticas, y lo que es más relevante, para la consolidación de las democracias. O, en palabras de la Carta iberoamericana de la función pública, firmada a instancias del Reino de España en santa Cruz de la Sierra el 27 de junio de 2003, "una Administración pública profesional forma parte del tejido institucional que hace posible el progreso y el bienestar de las sociedades".

La existencia de funcionarios públicos seleccionados de acuerdo con los criterios de mérito, idoneidad y capacidad en el marco de la libre concurrencia constituye, en mi opinión, una condición necesaria para que la Administración pública pueda cumplir la tarea que le es propia y para la que precisa de una cierta autonomía técnica que vendrá preservada precisamente por la profesionalidad de sus empleados. Si convenimos en que pertenece al orden político la determinación o definición de los objetivos de interés general que temporalmente van a regir la vida colectiva de un país, a la Administración pública corresponde implementar las diferentes técnicas que puedan hacer posible el cumplimiento de dichos objetivos generales.

En este sentido, la concepción actual de la contratación pública estratégica reclama unidades y departamentos de contratación en las administraciones públicas y entidades del sector público compuestos por personas con una sólida preparación técnica, con un elevado grado de compromiso con los valores del Estado social y democrático de derecho y con una solvente conducta ética.

Finalmente, la profesionalización está en relación directa con la capacitación y formación permanente. Bien sea, a través de la preparación de directivos con sólidos conocimientos de contratación pública pues quien dirige los servicios comunes de un ministerio u organismo público ha de tomar decisiones en esta materia.

VI. DECÁLOGO DE LA RELACIÓN FUNCIONARIO Y EMPLEO PÚBLICO, EN PROFESIONALIZACIÓN EN CONTRATACIÓN PÚBLICA

Se debe reconocer un déficit en cuanto a la relación de los servidores públicos, los objetivos de cada entidad pública y el logro de resultados. Un proceso de profesionalización en contratación pública no pueda darse si no se plantea un cambio de paradigma en torno a la imperiosa necesidad de lograr resultados. Los resultados no son otros que de verdad provocar, ante la gente, el estadio real de un Estado que cumple; que brinda servicios de altísima calidad; que responde a sus derroteros, con un solo de los dineros con integridad, eficiencia y eficacia.

Por eso, si un país decide emprender la profesionalización en contratación pública, es criterio nuestro que debe colocar el siguiente decálogo de relación funcionario y empleo público[11]:

i. **Principio de Integridad:** Superado que la espera de la ética individual en el quehacer de los servidores públicos no ha sido suficiente para paliar o prevenir la corrupción, espe-

---

[11]   Se considera para este Decálogo, los principios indicados en la reciente Ley Marco de Empleo Público, Ley No. 10159, de 08.03.2022, de la República de Costa Rica.

cialmente en la contratación pública, entonces es imperativo positivizar la integridad, así como su control, ejercicio, y castigo. En tal sentido, es crear una regulación que aborde la integridad como la conducta de todos los sujetos que intervengan en la actividad de contratación en la que medien fondos y recursos públicos y que ésta se ajuste al cumplimiento de las normas y los valores éticos, entre ellos, la honestidad, la buena fe, la responsabilidad y el respeto, prevaleciendo en todo momento el interés público. Pero no es solo crear un marco regular sino, a la vez, anular esas otras definiciones o normas que definen, según cada entidad pública, su propia idea de integridad, así como revisar y uniformar o consolidar un solo elenco de castigos administrativos como penales por faltar a la integridad. Se debe trabajar porque en todas las actuaciones que realicen los funcionarios de la Administración, con ocasión de la actividad de contratación pública, se imponga el deber de realizarlas de manera proba, íntegra y transparente, bajo el cumplimiento de los principios éticos.

ii.   **Principio de Estado Único:** Es común, según donde se trabaja, encontrar un tratamiento diverso de puestos requisitos de ingreso, de promoción, incluso del salario que se paga. Por eso, es necesario modificar e impulsar el concepto de Estado como un único centro de imputación de derechos laborales, independientemente de en dónde labora la persona servidora pública. Esto implica que, cuando una persona servidora pública se traslada de un puesto a otro, dentro del sector público, la relación de empleo, requisitos de los puesto, salario y otros, facilite computarse todo como una sola relación a efectos de reconocer los derechos laborales que correspondan y responder por los deberes funcionales, indistintamente de las variaciones de puesto que puedan presentarse. Esto también conlleva que las sanciones que generen un despido sin responsabilidad patronal del funcionario en una institución impidan a cualquier otra entidad que forme parte del Estado, contratarlo por un plazo razonable, pero suficiente o disuasorio.

iii. **Principio de carrera administrativa:** En lugar de existir tantas carreras como entidades públicas hay, se debe procurar una sola carrera administrativa, una que dote de seguridad jurídica a los servidores públicos. Así se debe crear un proceso de gestión de desarrollo (ascenso y aprendizaje continuo) regido por la excelencia de los servicios de la persona servidora pública y sus competencias. Igual con examen regular de sus funciones, para reconocer el buen desempeño.

iv. **Principio de equidad salarial:** Sin duda íntimamente ligado a la carrera administrativa, está una remuneración a los servidores públicos bajo la teoría de trabajo-salario decente[12]; es decir que el salario, sea determinado con fundamento en estrictos criterios técnicos, en función de la responsabilidad y el cargo que se ejerce, procurando que no haya diferencias salariales entre las entidades públicas, dándose así respeto al principio de igual función igual salario, y se evite de esta forma, la huida del recurso humano que se ha estado perfeccionando, a otras entidades por mejor salario, pese a ir a realizar las mismas tareas.

v. **Principio de excelencia en el servicio:** Es la ejecución del mejor desempeño y la máxima calidad en todas las funciones, actividades, operaciones, procesos y procedimientos que se realizan en la función pública de la contratación pública, así como en los productos y en los servicios que se brinden, garantizando la asignación de recursos e insumos para la mayor satisfacción del interés público.

---

[12] "Trabajo decente es un concepto que busca expresar lo que debería ser, en el mundo globalizado, un buen trabajo o un empleo digno. El trabajo que dignifica y permite el desarrollo de las propias capacidades no es cualquier trabajo; no es decente el trabajo que se realiza sin respeto a los principios y derechos laborales fundamentales, ni el que no permite un ingreso justo y proporcional al esfuerzo realizado, sin discriminación de género o de cualquier otro tipo, ni el que se lleva a cabo sin protección social, ni aquel que excluye el diálogo social y el tripartismo." (citado 17.07.2022: https://www.ilo.org/americas/sala-de-prensa/WCMS_LIM_653_SP/lang–es/index.htm).

vi. **Principio de mérito, capacidad y competencias:** Es la gestión del empleo, la gestión del rendimiento, la gestión de la compensación y la gestión del desarrollo que se fundamentan en el mérito, la capacidad y las competencias de las personas postulantes y de las personas servidoras públicas para garantizar, por una parte, que las entidades y los órganos incluidos busquen siempre la eficacia y la eficiencia; por otra, que las personas servidoras públicas realicen sus funciones con excelencia.

vii. **Principio de modernidad:** Es apostar por un paradigma que procure el cambio orientándose hacia la consecución efectiva de los objetivos de la Administración Pública y la generación de valor público.

viii. **Principio de prevalencia y opción del interés general:** Es la gestión del empleo público, en todos sus componentes, que estará orientado a dotar a la Administración Pública de personas servidoras públicas idóneas en lo técnico y lo moral, objetivas, independientes, imparciales e íntegras, estrictamente, sujetas al principio de legalidad, como garantía para la satisfacción como opción regla del interés general.

ix. **Principio de participación de la ciudadanía:** La participación de la persona ciudadana, la rendición de cuentas y la evaluación de resultados son fundamentos necesarios para toda idea de profesionalización.

x. **Principio de rectoría efectiva.** Sin duda, con el objeto de crear una sola política país en profesionalización en la contratación pública, debe crearse el marco normativo que permita tener un solo rector Estatal, que ayude en el cumplimiento progresivo de los anteriores nueve principios en cada país. Esta rectoría idealmente debe tener un consejo asesor con el concurso de sector público, y la colaboración y participación de representantes del sector privado, de la academia y de la sociedad civil. Una rectoría, con capacidad para fiscalizar en todos, el cumplimiento progresivo de la política país y sus planes de acción será herramienta clave para un efectivo mejoramiento de la contratación pública, y así, de la profesionalización y su relación con el empleo público.

VII. PROCESO DE DIAGNÓSTICO

Corresponde ahora comentar un ejercicio real, que, dado el concepto de profesionalización, llevó a conocer un estado de las cosas, y con ello, proponer una hoja de ruta para alcanzar la profesionalización. Este proceso fue desarrollado desde la Asociación de Profesionales de Contratación Administrativa de Costa Rica, como colaboración técnica hecha para el Ministerio de Hacienda, que tiene bajo su rectoría la contratación pública del Estado. El periodo de desarrollo es año 2021, con entrega de informe final en abril del 2022.

Al respecto, cabe informar que, con la promulgación a finales del año 2020, en Costa Rica, de la nueva Ley No. 9986 "Ley General de Contratación Pública"[13], se colocó la profesionalización como un eje clave del cambio regulatorio, y de un nuevo paradigma de la gestión pública. Por eso, fue y es válido preguntarse, ante el derrotero legal, pues: ¿por dónde empezar?

Así, fue clave primero definir un marco conceptual de lo que es profesionalización. Y para eso, fue importante revisar lo que los países en general habían hecho al respecto. El análisis comparado, nos permitió crear mínimos de lo que es profesionalización, para saber distinguir lo que no lo es. Posteriormente, se dispuso de una metodología para conocer el estado de las cosas. Se ejecutaron una serie de actividades las cuales se describen a continuación:

1. Identificación de las Instituciones que participarían en el estudio: Para definir cuáles Instituciones se seleccionarían con el fin de llevar a cabo el estudio, se utilizó como referencia la información del Sistema Integrado de la Actividad Contractual (SIAC) de la Contraloría General de la República, para los años 2018, 2019 y 2020.

---

[13] La nueva Ley puede decirse es el punto último de una agenda sustantiva de reformas legales para alcanzar el acceso a la OCDE de tal país. Así, durante en los años 2018, 2019 y 2020, Costa Rica debió trabajar en la mejora de políticas públicas y marcos de ley, para adaptarlos mejores prácticas internacionales, y así, ponerse al tono de la media de los países miembros de tal Organización.

Christian Campos Monge

2. Análisis de Pareto: Se aplicó la técnica de Pareto, que permite clasificar la información de mayor a menor, con el objetivo de identificar las Instituciones que por monto adjudicado por año tuvieran mayor relevancia.

3. Selección y elaboración de instrumentos por aplicar: Se elaboraron dos instrumentos de recolección de información. Uno de los instrumentos fue un formulario con consultas tipo encuesta, el cual sería aplicado a los funcionarios de las Instituciones seleccionadas que participan en diferentes roles de la actividad de contratación y el otro instrumento es una entrevista con un documento tipo cuestionario, el cual se aplicaría con los responsables de las Proveedurías o Unidades de Compra.

4. Identificación de roles para la aplicación de los instrumentos: Para la aplicación de la encuesta se seleccionaron roles comunes de los procesos de contratación: de administrador de contrato, estudios técnicos, encargado de la publicación, aprobadores, adjudicación, atención de aclaraciones y atención de recursos.

5. Datos de población y cálculo de la muestra: Para el caso de la encuesta, se definió una cantidad de usuarios identificados, con los roles mencionados. Seguidamente se calculó una muestra con el dato de esa población, con un nivel de confianza del 95% y un error de estimación máximo aceptado del 3%. Eso dio un resultado específico.

6. Aplicación de la entrevista: Una vez recibida la información sobre los encargados de las Proveedurías o Unidades de Compra de las Instituciones se programaron reuniones virtuales para aplicar un cuestionario guía.

7. Aplicación de encuesta: En el caso de la encuesta, se elaboró un documento electrónico, el cual fue enviado a una cantidad determinada de muestra.

Previamente, se había realizado un primer acercamiento de estado de las cosas, con informe de resultados en diciembre del 2020. En este informe, en conclusiones y recomendaciones, se lee en las conclusiones:

1. En Costa Rica no existe actualmente un proceso consolidado de formación y profesionalización de los funcionarios encargados de planificar, presupuestar, desarrollar y ejecutar los procesos de compras públicas.

2. Las instituciones públicas no cuentan con programas adecuados de capacitación continua para su personal y las opciones existentes se centran en cursos básicos o en opciones externas (cursos privados), que las instituciones reconocen a lo interno.

3. Las entidades públicas básicamente capacitan a sus funcionarios según las ofertas de mercado. Esto supone que no hay una propuesta interna, ordenada, por procesos o crecimiento en el conocimiento pensada. Pocas instituciones parecen tener un plan de formación integrado, y que genere un proceso lógico de crecimiento en el conocimiento.

4. Las opciones de mercado de capacitación están pensadas en el lucro a partir de temas específicos, de manera que no responden a un proceso maduro de formación.

5. La mayoría de las instituciones analizadas cuentan con acceso a plataformas virtuales que eventualmente podrían apoyar los procesos de formación y profesionalización interna de sus funcionarios. Sin embargo, es escaso el uso de éstas o, si se usan, es básicamente para oír charlas, sin uso o aplicación de un curso en modo virtual realmente.

6. Con la aprobación de la nueva Ley General de Contratación Administrativa se deberá hacer un cambio radical en cuanto al manejo de los procesos de compras públicas y por lo tanto respecto a la consolidación de un grupo de profesionales capacitados para hacer frente a la aplicación de los nuevos requerimientos en el país.

7. Es importante analizar la necesidad de cambios en reglamentación y sistemas actuales y no solamente la profesionalización del recurso humano.

8. Los procesos de profesionalización deben verse como un aprendizaje permanente y ejercicio de las cualidades huma-

nas (mentalidad abierta, metodología del entendimiento, preparación técnica, sensibilidad social, valores éticos y democráticos, así como el conocimiento de la realidad).

9. Se debe visualizar a la contratación pública como estratégica y como un instrumento de política pública.

10. Incorporar la simplificación y agilización de los procedimientos, mejores estándares de motivación, consecución de objetivos sociales y medioambientales, lucha contra la corrupción, y la incorporación de plataformas que permitan la contratación electrónica.

11. Instaurar procesos selectivos para el ingreso y progresión en la función pública: principio del mérito, la capacidad y la idoneidad del funcionario.

12. Elaborar y aplicar estrategias de profesionalización a largo plazo para la contratación pública y programas de planificación de la carrera profesional con incentivos al personal.

13. Desarrollar un proceso de diagnóstico de necesidades, identificación de competencias y perfiles profesionales, desarrollo curricular y de programas de profesionalización y acreditación de los funcionarios encargados de las compras públicas en el país.

14. Analizar la posibilidad de brindar capacitación en temas de contratación pública estratégica, tanto al sector público como al privado.

15. Procurar mayor acercamiento con universidades e institución de capacitación a nivel nacional para fortalecer un verdadero programa de formación y profesionalización de los encargados de los procesos de la contratación pública.

Ahora, con la metodología definida, se corrió y se logró obtener, luego de armonizar un concepto de profesionalización, una serie de conclusiones, a saber:

• En cuanto a la consulta realizada sobre la existencia de programas formales de capacitación en las Instituciones, los resultados de los dos instrumentos son muy similares. Es decir, aproximadamente el 50% de las Instituciones entrevistadas no existen programas formales de capacitación, sino que se manejan planes de capacitación que obedecen a las necesidades que identifican en diferentes áreas de las Instituciones.

- Según lo manifestaron los entrevistados que indicaron no tener un programa formal de capacitación, los planes de capacitación están enfocados principalmente en las Proveedurías o Unidades de Compras.

- En ese sentido se concluye que, en las áreas externas a las Proveedurías o Unidades de Compra, que normalmente es donde se ubican los funcionarios que asumen roles de Estudios Técnicos de las ofertas y Administradores de Contrato, carecen de formación suficiente en la materia de Contratación Administrativa.

- A pesar de que tanto en las Instituciones donde existen programas formales de capacitación, así como en las Instituciones donde se manejan planes de compra más individualizados y reducidos a necesidades puntales, se detecta que hay temas vinculados y complementarios en los procesos de contratación que deben ser incorporados y fortalecidos por medio de capacitación, como por ejemplo gestión de proyectos, análisis de riesgos, fiscalización de los contratos, mantenimiento del equilibrio económico de los contratos, uso adecuado del sistema integrado electrónico de compra pública (SICOP), entre otros.

- Dentro de los recursos necesarios más críticos para ejecutar adecuadamente los planes de capacitación son el presupuesto y personal competente con disponibilidad de tiempo suficiente para impartir capacitación.

- Aunque no predomina el uso de recursos externos (empresas o personas que imparten cursos de capacitación en el mercado nacional), si se utiliza esta modalidad, sobre todo en los ámbitos donde a lo interno de la Institución no se cuenta con recurso experto para un tema específico.

- La metodología de análisis de casos especiales de contratación administrativa que se generan en la misma institución, comúnmente se realiza a nivel de las Proveedurías o Unidades de compra. Por lo que resulta evidente que otros actores importantes dentro de los procesos de contratación, no se incorporan en este método de gestionar el conocimiento.

- Más de un 30% de los encuestados indicaron que los temas de: Ética Profesional, Deber de Probidad, Control Interno, Responsabilidad del funcionario Público, no se incorporan en los planes de capacitación.

- En el tema específico de perfiles de puestos, se identificó que existen principalmente en las Proveedurías o Unidades de Compra. Es decir, en la mayoría de las Instituciones no se cuenta con perfiles de puestos para otros roles de suma importancia en el proceso de contratación, como lo son los que realizan Estudios Técnicos, ni Administradores de Contrato, por ejemplo.

- En todas las Instituciones, tanto entrevistados como encuestados coincidieron en que se deben fortalecer a nivel de conocimiento, el proceso de planificación tanto de la compra como la planificación Institucional.

Con la metodología definida, asimismo, se logran una serie de conclusiones, a manera de hoja de ruta, para concretar el reto de la profesionalización, a saber:

La Profesionalización en Compra Pública para el país, conlleva una serie de retos importantes que podrían plantearse en una estrategia gradual y que pueda ser implementada según el nivel de avance de cada Institución, en cada uno de los temas.

Vistos los resultados del diagnóstico, y habiendo repasado la teoría sobre lo que es profesionalización, además del estudio del contexto internacional, se realizan algunas consideraciones. Así:

- El proceso de profesionalización no debe considerarse como un proceso que tiene inicio y fin y se realice una única vez. Debe implementarse como un proceso que tiene vida permanente y que por lo tanto deben establecerse los mecanismos que permitan medir, evaluar y retroalimentar a los funcionarios para garantizar la actualización.

- Debe prevalecer la estandarización de métodos.

- Es fundamental visualizar la gradualidad de la implementación del sistema, considerando el tamaño y cantidad de recursos que tengan las Instituciones.

- Debe incorporarse una autoevaluación periódica y específica para este tema, para medir grados de avance y cumplimiento por parte de las Instituciones.

- Deben incorporarse métodos y sistemas que agilicen la gestión de la profesionalización en todas las Instituciones.

- Deben analizarse las escalas y o bandas que utilizan actualmente las Instituciones para los puestos de trabajo y generar alguna política que garantice el pago justo y la equidad de funciones.

Recomendaciones sobre la implementación de las regulaciones sobre profesionalización de la nueva Ley general de contratación pública:

- Componentes mínimos de una estrategia de profesionalización.

    a) Proponer e impulsar una carrera administrativa, que incentive al recurso humano en el desarrollo de sus destrezas;

    b) Especializar y acreditar el recurso humano con competencias en contratación pública;

    c) Definir las cualificaciones, formación, capacidades y experiencia adecuadas para el perfil de funcionarios que se destacarán en los procesos de contratación pública;

    d) Perfeccionar el proceso de reclutamiento del recurso humano, así como la evaluación del desempeño;

    e) Desarrollar un proceso de sensibilización en los funcionarios sobre la integridad en la contratación pública;

    f) Acreditar bajo un proceso voluntario, a las universidades que facilitan formación en contratación pública;

g) Definir un plan curricular de formación según los perfiles de los funcionarios que participan en los diferentes procesos de contratación pública.

h) Formar a los funcionarios públicos, bajo responsabilidad de la Dirección de Contratación Pública, así como bajo la promoción de alianzas estratégicas con organizaciones, sin ánimo de lucro, con el perfil adecuado.

i) Considerar como ejes de formación la contratación estratégica, con competencia y tendiente al desarrollo social equitativo nacional y local y a la promoción económica de sectores vulnerables, a la protección ambiental y al fomento de la innovación.

j) Incorporar a la sociedad civil organizada, con el objeto de que apoye la evaluación de la estrategia y su implementación.

La Estrategia y el marco de acciones se deben hacer conforme los principios de eficiencia y eficacia, así como con oportunidad y conveniencia, con respecto a los recursos disponibles.

Cabe recomendar promover alianzas estratégicas y convenios de colaboración con universidades, organizaciones sin fines de lucro, nacionales o internacionales, para apoyar la consecución del marco de acciones de la Estrategia.

Es importante considerar el que las recomendaciones ayuden en contribuir en la institucionalización de un mecanismo integral y sostenible de profesionalización, que ayude en el desarrollo de capacidades, el perfeccionamiento de la idea de integridad, y la promoción profesional; saber diseñar métodos de aprendizaje a distancia, como la certificación de los diferentes grados de profesionales de contratación. Esto no se logra sin haber identificado las brechas entre recursos humanos, y tareas del proceso de contratación; saber identificar brechas en los marcos técnicos y organizativos e institucionales para la profesionalización; análisis de brechas de habilidades y competencias que cubre cada categoría de partes interesadas / perfil de adquisiciones en términos cuantitativos, incluidos: Inventario de habilidades y competencias que destaque las brechas necesarias que se deben llenar en términos de habilidades y competencias; Objetivos de habilidades y competencias de las habilidades y competencias requeridas para una adecuada función de contratación pública en la administración pública; y necesidades de recursos humanos para llenar los vacíos identificados en las instituciones.

VIII. CONCLUSIÓN

Ha sido intención acercarnos al concepto de profesionalización. Se espera dejar claro que, sin distinciones ni tonalidades, se cierra la necesidad definitoria en dos campos: el de integridad como el de poseer un recurso humano altamente adiestrado para el desempeño de las funciones, que supone, a la vez, cumplir dentro de áreas operativas acreditadas, sea, que se someten a programas de mejora continua, de manera que creen e implementan procesos, manuales, normas, que disminuyen los riesgos, y aumentan, así, la eficiencia y eficacia en el cumplimiento de las labores.

Con el concepto, se ha planteado el por dónde empezar, a partir de una práctica real, de generación de una metodología, nada compleja, que permita entender el estado de las cosas, y con sus resultados, plantear recomendaciones guía de hoja de ruta, para alcanzar un proceso progresivo que permita romper paradigmas de gestión.

Además, en ese punto de partida, se ha expuesto sobre el déficit en cuanto a la relación de los servidores públicos, los objetivos de cada entidad pública y el logro de resultados. Y, en tal sentido, se ha creado un decálogo de relación funcionario y empleo público que ayude a precisar los mínimos por considerar en cualquier decisión de profesionalización. Quedan así desarrollados los principios de integridad, Estado Único, Carrera Administrativa, Equidad Salarial, Excelencia en el servicio, Mérito, capacidad y competencias, Modernidad, Prevalencia y opción del interés general, Participación de la ciudadanía y Rectoría efectiva.

La contratación pública necesita de la profesionalización, para asegurar el cumplimiento de los derroteros sociales, sea en la prestación de bienes y servicios para la sociedad en general. Al final, ahí está la justificación de la existencia del Estado y de todas y cada una de las administraciones que le conforman.

LA CONSTANTE ASPIRACIÓN HACIA LA PROFESIONALIDAD EN LAS COMPRAS PÚBLICAS: ESTADO DE LA CUESTIÓN

"La profesionalización es uno de los factores clave para promover la integridad. Objetivo que se recoge en la Declaración de Cracovia, que contiene las conclusiones del primer Foro del Mercado Interior celebrado en dicha ciudad los días 3 y 4 de octubre de 2011, y que, entre las medidas para mejorar el funcionamiento de la legislación comunitaria sobre contratación pública, propone profesionalizar el sector de la contratación pública a través de una mejor formación. Hay que fijar una verdadera estrategia para conseguir una mayor cualificación y responsabilidad de los "gestores" públicos (con el fin de evitar la politización), lo que aconseja una política de formación específica que permita el mayor conocimiento y, por ende, el mejor criterio práctico. Esta política de profesionalización aconseja también repensar la organización administrativa (así como algunos de los fundamentos del derecho público). (GIMENO FELIU, José María, "Decálogo de Reglas para prevenir la corrupción en los Contratos Públicos")

Juan Carlos Morón Urbina[1]
Pontificia Universidad Católica del Perú

---

[1]   Abogado por la Universidad San Martín de Porres. Maestría en Derecho Constitucional por la Pontificia Universidad Católica del Perú. Doctor en Derecho Administrativo Iberoamericano por la Universidad de la Coruña (2020). Directivo de la Asociación Peruana de Derecho Administrativo, miembro de la Asociación Peruana de Derecho Constitucional y de la Sociedad Peruana de Derecho de la Construcción. Miembro del Foro Iberoamericano de Derecho Administrativo y del Instituto Internacional de Derecho Administrativo-IIDA. Profesor de diversos cursos de derecho administrativo a nivel de pregrado y Maestrías en las Facultades de Derecho de la Pontificia Universidad Católica del Perú, y en la Universidad de Piura. Socio del Estudio Echecopar. Contacto juancarlos.moron@bakermckenzie.com.

I. PLANTEAMIENTO DEL TEMA

La noción de "profesión" en la Edad Media estuvo vinculada fundamentalmente a las profesiones estamentales que surgieron en oposición a los oficios de índole técnicos, artesanales o gremiales. Desde ese momento, el termino ya servía para aludir a que esas personas poseían un conjunto de conocimientos propios y excluyentes que los distinguían del resto de actividades. Es en la Edad Moderna, con posterioridad a las revoluciones industriales y liberales que aparecen las profesiones modernas que se caracterizaban por poseer un monopolio sobre un corpus del conocimiento susceptible de ser aplicado a un área practica (derecho, medicina, ingeniería, etc.) y además un monopolio sobre una porción del mercado de servicios profesionales[2]. Es a partir de ahí que surge lo que se ha denominado el "paradigma de profesión de mercado" que se resume en algunas particularidades como son: ser una ocupación técnica a tiempo completo con tendencia a ser para toda la vida, contar con un compromiso vocacional, contribuir al conocimiento científico en su campo, exigir previamente estudios necesarios de preferencia de nivel universitario, selección meritocrática y con educación permanente, entre

---

[2]   GUILLEN, Mauro; "Profesionales y burocracia: Desprofesionalización, prole-tarización y poder profesional en las organizaciones complejas". REIS: Revista Española de Investigaciones Sociológicas, N.° 51, 1990, pág. 36 y 37.

La constante aspiración hacia la profesionalidad en las compras públicas...

193

otros. Viendo este paradigma es que surgió hace bastante tiempo la idea de la profesionalización de la burocracia, que era desempeñada fundamentalmente por sujetos ocasionales, seguidores de los lideres del momento, y personas sin formación de ningún tipo.

La idea la podemos encontrar ubicar en los trabajos de Max WE-BER (1864-1920) quien tratando de caracterizar la dominación burocrática y contraponerla a la burocracia carismática o tradicional, afirmaba que el ser profesional era una de las características básica de toda administración pública moderna. [3] En esa línea, WEBER contraponía a la moderna burocracia racional-legal con la actividad burocrática anterior predominantemente ad honorem, cortesana, plena de costumbres establecidas y aceptadas, hábitos, rutinas, en una estructura administrativa patriarcal a la cual se llega por favores o clientelismo. En esa línea, podemos señalar que estamos frente a una aspiración que no es nueva, sino más bien constante en la historia contemporánea, la aspiración de contar con una administración pública profesionalizada.[4]

II. LA PROFESIONALIZACIÓN DE LA BUROCRACIA EN GENERAL: UN VIEJO ANHELO DE NUESTRAS SOCIEDADES

En términos simples, profesionalizar significa dar el carácter de profesión a lo que hasta ese momento es meramente una actividad o una tarea rutinaria o de aficionados. La acción de profesionalizar

---

[3]   En su conocido trabajo sobre la burocracia afirmo "La ocupación de un cargo es una "profesión". Esto es obvio, primero, en la exigencia de un curso de preparación estrictamente fijado, el cual reclama la plena capacidad de trabajo durante un largo período, y en las pruebas específicas que son un requisito previo para el empleo". WEBER, Max; ¿Qué es la burocracia?, https://ucema. edu.ar/~ame/Weber_burocracia.pdf

[4]   Es importante no perder de vista que la "profesionalización" de la burocracia incorpora nuevos retos y situaciones adversas inherentes a las profesionales como son las tendencias a crear y mantener privilegios propios de los monopolios de acceso a la actividad mediante técnicas que ella misma maneja y protegerse contra los intrusos no incluidos en la profesión.

lleva inmanente la noción de curso, evolución, desarrollo, sucesión, transformación o simplemente de un proceso en el que partiendo de una base cualitativa identificada en un potencial o recurso humano se logran alcanzar estándares mejores de desempeño aplicando determinados instrumentos y metodologías técnicas.

Como bien se ha establecido el término profesionalización carece de un contenido metodológico único porque no existe un específico mecanismo, estrategia, iniciativa o método para ello. Por ello, es que cuando se habla de profesionalización se alude más bien a "un concepto genérico, que no significa una medida en lo particular, sino que en su calidad de ser un concepto "paraguas" estaría incluyendo una serie de modalidades para conseguir sus fines. De manera, que una primera aproximación es entender a la profesionalización como la capacidad que tienen las organizaciones de dotar a su personal de las condiciones necesarias para que éstas, puedan contar con desarrollo profesional propio y que a su vez contribuya a alcanzar los objetivos definidos y propuestos por aquéllas".[5]

No cabe duda de que en Iberoamérica existe consenso en torno a la necesidad de profesionalizar la burocracia como una aspiración para tener mejores y más efectivos servicios públicos, así como un honesto y despolitizado ejercicio de funciones públicas. Se aspira a que, mediante la implantación de una política de profesionalización sostenida en el tiempo, la burocracia se libere de un halo de clientelismo, politización, empirismo, opacidad, ineficacia, informalidad y carencia de responsabilidad. Por ello, el CLAD, expresando el consenso de los gobiernos de la región expuso que:

> "Para la consecución de un mejor Estado, (..) la profesionalización de las funciones públicas es una condición necesaria"[6]

---

[5]   MARTINEZ PUON, Rafael; "La profesionalización de la Función Pública: ideas para Latinoamérica".
       Colecciones de Gobierno y Administración Pública del Gigep. Impreso en Talleres Gráficos Universitarios ULA, Mérida, Venezuela, 2013, p. 32.
[6]   CLAD; Carta Iberoamericana de la Función Pública, aprobada por la V Conferencia Iberoamericana de ministros de Administración Pública y Reforma del Estado. Santa Cruz de la Sierra, Bolivia, 26 y 27 de junio de 2003, adoptada por la XIII Cumbre Iberoamericana de jefes de Estado y de Gobierno Santa Cruz

Dado que se estima que alcanzar altos niveles de profesionalidad del potencial humano en las dependencias administrativas asegura una burocracia despolitizada capaz y, por ende, en mejor condición de brindar calidad a los servicios públicos prestados a la sociedad. Ahora bien, los objetivos a alcanzar por medio de la profesionalización de la burocracia son

> "la garantía de posesión por los servidores públicos de una serie de atributos como el mérito, la capacidad, la vocación de servicio, la eficacia en el desempeño de su función, la responsabilidad, la honestidad y la adhesión a los principios y valores de la democracia".[7]

Es importante advertir que la profesionalización constituye un instrumento para alcanzar una mejor gobernanza publica, eficiencia y calidad en los resultados brindados a la colectividad y, por ende, no constituye un propósito por sí misma. Por ello coincidimos con quienes sostienen que "La profesionalización del servicio civil no es un objetivo en sí mismo, sino que está orientado a mejorar el rendimiento de las organizaciones del sector público y, por lo tanto, los servicios que reciben los ciudadanos[8]

Para llevar a cabo esta transformación es necesario contar con un respaldo político al máximo nivel jerárquico que permita sostener el proceso a lo largo del tiempo dado que este camino excede a un periodo de gobierno y debe ser continuo, pero además para que desde este nivel sean aprobadas, impulsadas y controladas las diversas estrategias a seguir, evaluar sus resultados y luego retroalimentar la secuencia. La profesionalización no es obtenida por la mera aprobación de una o más normas jurídicas sino mediante un liderazgo que aplique sostenidamente en el tiempo de estrategias y herramientas adecuadamente identificadas y aprobadas. Del mismo modo, la pro-

---

de la Sierra, Bolivia, 14 y 15 de noviembre de 2003. (Resolución N.º 11 de la "Declaración de Santa Cruz de la Sierra")

[7]   CLAD, "Carta Iberoamericana de la Función Pública", p. 3.

[8]   CORTAZAR, Juan Carlos y FONTAINE DUCCI; Arturo; "Análisis comparado de los avances en la profesionalización del servicio civil en América Latina". En SERVIR "Profesionalizando el Servicio Civil, Reflexiones y propuestas desde el Perú y América Latina", 2018, p. 44.

fesionalización no se logra con una sola estrategia, como, por ejemplo, capacitar, sino mediante una cumulo de estrategias organizadas en el tiempo y adecuadas a cada realidad (creación de una carrera publica, perfiles para puestos, ascensos meritocráticos, compartición de experiencias y retroalimentación, etc.).

III. LA PROFESIONALIZACIÓN DE LOS COMPRADORES PÚBLICOS, EN PARTICULAR

Por la pluralidad de intereses en juego, el volumen de recursos públicos involucrados, la sensibilidad a la corrupción, y la creciente complejidad de los procedimientos y reglas de la contratación estatal contemporánea, los funcionarios y servidores públicos a cargo de las compras estatales han sido objeto de especial dedicación para promover su profesionalización[9]. Como bien se afirma "la contratación pública es tan compleja y responde a la vez a tantos objetivos públicos que debe ser profesionalizada"[10]. Es una aspiración de la academia que ha alcanzado valor legal en diversos ordenamientos nacionales, supranacionales y hasta del *softlaw* de la especialidad.

No cabe duda de que, en principio, la profesionalización del personal a cargo de la contratación pública está comprendida dentro de

---

[9]   A este respecto, el año 2021 la Red Interamericana de Compras Gubernamentales (RICG) conformada por representantes de las agencias nacionales de contratación pública de diversos países emitió la Declaración "Contratación Pública como área estratégica para la generación de un mayor valor público y un mejor acceso a derechos de la ciudadanía", expresando su compromiso a: *"Promover y elevar la profesionalización del comprador público con el fin de dotarlos de conocimientos y habilidades necesarias para fortalecer sus capacidades orientadas a generar un mayor valor público, a través de los procesos de adquisición de bienes, servicios y obras".*

[10]   CANTERO MARTÍNEZ, M. J. (2020). La profesionalización de la contratación pública como herramienta de innovación. En I. Martín Delgado y J. A. Moreno Molina (dirs.), Administración electrónica, transparencia y contratación pública. Iustel, p.245. Esta autora también plantea de una manera bastante retadora que dadas las características de la contratación pública contemporánea también merecería extenderse los esfuerzos de profesionalización a los operadores privados, es decir, a los postores y contratistas (p. 210).

la manifestación de la política general y amplia de profesionalización de la función pública[11], lo cual no significa que deban formar parte del mismo macroproceso para toda la gestión pública. En ese sentido, por ejemplo, la pauta de la Comisión Europea[12] indica que "Los Estados miembros deben elaborar y aplicar estrategias de profesionalización a largo plazo para la contratación pública (…) de manera autónoma o como parte de políticas más amplias de profesionalización de la administración pública".

Lo que sucede es que, por los factores antes anotados, se ha identificado internacionalmente la alta conveniencia de generar en los Estados un compromiso político al nivel máximo para dotar de prioridad a la profesionalización de los responsables de contratación pública para superar la tradicional forma de ejecutarla como un cúmulo de tareas empíricas a cargo de personas de distinto origen, perfil y experiencias y muchas veces sin conocimiento ni capacidades necesarias. En nuestra opinión, para llevar a cabo este proceso es indispensable identificar claramente tres elementos: los recursos humanos que serán objeto de esta búsqueda de profesionalización, los atributos que caracterizarán esta profesionalización y, luego, las estrategias, sistemas y herramientas adecuadas para alcanzar esos objetivos. Por ejemplo, determinar que se va a propugnar la profesionalización de los servidores a cargo de conducir las licitaciones públicas, que en ellos se busca alcanzar el mérito como atributo, y para ello, acordar como instrumentos idóneos los concursos para el ingreso y para la progresión en la actividad.

Un primer punto es tratar de describir a quienes nos referiremos bajo el término omnicomprensivo de "compradores públicos" y, por ende, comprendidos dentro del esfuerzo de profesionalización. En este trabajo nos referiremos, conforme lo señalan los estándares in-

---

[11]   RODRIGUEZ ARANA-MUÑOZ; Jaime; "Profesionalización en la contratación pública", Anuario de la Facultad de Derecho de la Universidad de La Coruña, Volumen 25, p. 243.

[12]   Recomendación (UE) 2017/1805 de la Comisión de 3 de octubre de 2017 sobre profesionalización de la contratación pública publicado en el diario oficial de la Comisión Europea del 07 de octubre de 2017.

ternacionales[13], que debemos entender por ello a todos aquellos que, participan en alguna parte del ciclo de la contratación estatal, desde la planificación, la programación de actividades, la selección y perfeccionamiento del contrato, la ejecución de la contratación misma, los llamados a hacer cumplir y cumplir las prestaciones objeto de los contratos, en caso de tratarse de contratos de larga duración, quienes los gerencian; y finalmente, aquellos que resolverán las controversias en materia de contratación pública y quienes serán los evaluadores, supervisores y auditores de los procesos de contratación.

Es igualmente claro que las estrategias de abordaje para la profesionalización de cada uno de estos colectivos de servidores deben ser distintas por los roles que desempeñan pero a la vez, no debe perderse de vista la unidad de objetivos que buscan todos.[14] De este modo, constituye un estándar internacional que estos funcionarios sean profesionalizados, o lo que es lo mismo, que los Estados asuman políticas para profesionalizar su actividad, trascendiendo de ser actividades meramente prácticas, informales y dejar de ser personas provisionales, transitorias o como se suele llamar "aves de paso" en la contratación estatal. Aunque hay experiencias en el sentido de asimilar la contratación pública a una profesión especializada tanto en el ámbito privado y público (por ejemplo, crear la categoría de profesionales logísticos), consideramos que el propósito de este objetivo trasciende a esa estrategia. [15]

Dicho estándar internacional ha adquirido su máxima expresión en las recomendaciones realizadas por la Organización para la Cooperación y el Desarrollo Económicos (en adelante solo "OCDE")[16] que plantea a los países adherentes reconocer a la contratación pú-

---

[13]   Por ejemplo, la Recomendación (UE) 2017/1805 de la Comisión Europea.

[14]   CIUTAT CORONADO; Anna (2019); "La profesionalización en contratación administrativa como medida preventiva. Retos diferentes para colectivos diferentes". Serie; Riesgos para la integridad en la contratación pública, Opiniones expertas No. 03. Oficina Antifraude de Cataluña.

[15]   Puede revisarse al respecto las múltiples estrategias de éxito empleadas por países europeos en RASTROLLO SUAREZ, Juan José; Gerencia Profesional y contratación pública estratégica: una perspectiva comparada", 2021.

[16]   IX Recomendación del Consejo sobre Contratación Pública de 2015, p.11. Aunque ya tenía antecedentes en los propios documentos de dicha organización https://www.oecd.org/gov/public-procurement/recommendation/,

blica como una profesión en sí misma, para lo cual es necesario ofrecer a sus integrantes un sistema de carrera atractivo, competitivo y basado en el mérito. A dicho efecto, el mencionado documento plantea, además, como principales estrategias hacia ese fin:

- Asegurarse que posean un alto nivel de integridad, brindares capacitación teórica actualizada y aptitud para la puesta en práctica.

- Disponer de suficientes empleados en número y con capacidades adecuadas

- Proporcionar formación periódica y las oportunas titulaciones.

- Establecer normas de integridad

- Disponer que una unidad o equipo analice la información en materia de contratación pública y realice un seguimiento del desempeño del sistema.

- Establecer vías de ascenso según méritos claros,

- Brindar protección frente a las injerencias políticas en el procedimiento de contratación pública.

- Promover buenas prácticas para los sistemas de carrera profesional al objeto de mejorar el rendimiento de estos empleados.

- Adoptar enfoques colaborativos con entidades como universidades, *think tanks* o centros políticos a fin de mejorar las capacidades y competencia del personal de contratación pública, así como promover la innovación.

Luego esta misma aspiración, la OCDE la vuelca como un indicador para evaluar la idoneidad de los sistemas nacionales de contratación al definir como valioso que los países den un reconocimiento a la contratación como una actividad profesional especializada[17] y

---

[17]   Subindicador 8 (b) Reconocimiento de la contratación como una profesión, en la Metodología para la Evaluación de los Sistemas de Contratación Pública (MAPS), 2018. (traducción revisada 2021). En esta metodología los tres criterios para evaluar los sistemas de contratación locales para determinar si el país reconoce a la contratación como una profesión realmente, son:

no una meramente operativa. A partir de ello, OCDE ha publicado su modulo complementario de Profesionalización conteniendo los indicadores específicos para evaluar este componente[18] a partir de cuatro pilares:

- Marco legal, regulatorio y de política (establece si el marco legal incluye reglamentos adecuados sobre la profesionalización de la contratación pública.

- Marco institucional y capacidad de gestión (establece si la profesionalización es un componente clave del sistema de contratación pública, si la profesionalización se está realizando en un ambiente de planeación, monitoreo y evaluación, si los sistemas de información para contratación pública incluyen datos idóneos para el apoyo eficiente de la profesionalización, entre otros.

- Operaciones de contratación pública y prácticas de mercado (evalúa si el sistema de contratación pública cuenta con mecanismos financieros adecuados para financiar el costo de la educación, capacitación y certificación de los profesionales en contratación pública, si la contratación pública se reconoce como un plan de carrera profesional en el servicio público del país, si existe un marco de competencias en contratación pública, entre otros.

- Rendición de cuentas, integridad y transparencia del sistema de contratación pública (evalúa si la política de profesionalización considera aspectos de ética y responsabilidad, si se valora en la profesionalización una gestión por resultados y rendición de cuentas, entre otros.

---

i) La contratación se reconoce como una función específica y los puestos de contratación se hallan definidos en diferentes niveles profesionales, con descripciones de carrera, y la especificación de calificaciones y habilidades requeridas.

ii) Los nombramientos y ascensos son competitivos y se basan en las calificaciones y certificaciones profesionales.

iii) El desempeño del personal se evalúa de manera regular y consistente, y se contempla el desarrollo del personal y su adecuada capacitación.

[18]   https://www.mapsinitiative.org/es/metodologia/modulos-complementarios/profesionalizacion/

A esta altura del análisis, podemos inferir que la noción de la profesionalización de los compradores públicos —en los términos extendidos que hemos ya descrito— involucra obtener una política pública y, las consiguientes estrategias[19], que conduzcan a alcanzar los siguientes atributos del personal a cargo de las contrataciones de la entidad:

- Continuidad, estabilidad y separación de los niveles políticos de la propia Administración, de modo que las compras públicas no estén a cargo de personas provisorias, fugaces y transitorias, que dichas condiciones les sirva de base para ser autónomos y técnicos en sus decisiones y estar alejados de los cambios propios de los ciclos o periodos gubernamentales.

- Definición de perfiles, habilidades y competencias para estos puestos, de modo que se tenga una exigencia base para desarrollar estas actividades y no sean meramente empíricos.

- Régimen meritocrático en el acceso y el progreso en la actividad, de tal suerte que sean por méritos comprobados objetivamente mediante evaluaciones idóneas y no por amiguismo, confianza o vínculos políticos.

- Capacitación y formación continua, especializada y plural dado que la labor de comprador público es multiprofesional y en permanente actualización. En particular estar capacitados en aspectos legales, gestión de riesgos, aspectos éticos, nuevas tecnologías, conocimiento de mercados privados y economía, etc.

- Capacidad de acumulación y transmisión de experiencias entre los profesionales a cargo de las contrataciones, de modo que se pueda desarrollar una cultura colaborativa de contratación pública no solo de historia institucional sino sectorial y en todo el sector público.

- Contar con compensaciones acordes a la responsabilidad que se asume en estas funciones, de modo que tengan la

---

[19]   En el presente trabajo no vamos a incidir en las diversas estrategias que pueden llevarse a cabo para alcanzar estos atributos en los compradores público y que en conjunto hacen el objetivo de la profesionalización de la actividad.

tranquilidad de poder desempeñarse objetivamente libre de cualquier influencia económica y que dediquen a dicha labor gran parte de su tiempo laboral.

IV. LA PROFESIONALIZACIÓN DE LOS COMPRADORES PÚBLICOS EN PERÚ: RETO PENDIENTE

En el ámbito de la normativa vigente tenemos que el Decreto Supremo N° 004—2013-PCM aprueba la Política Nacional de Modernización de la Gestión Pública y encarga a la Secretaría de Gestión Pública la rectoría de esta Política de Estado. Esta Secretaría, mediante el documento Política de Modernización de la Gestión Pública al 2021 define un Estado Moderno como aquél orientado al ciudadano, eficiente, unitario y descentralizado, inclusivo y abierto (transparente y que rinde cuentas). Para ello se establece como objetivo de Política 5, "Promover que el sistema de recursos humanos asegure la profesionalización de la función pública a fin de contar con funcionarios y servidores idóneos para el puesto y las funciones que desempeñan".

No obstante, una de las falencias de las compras públicas nacionales es la falta de profesionalización de los compradores públicos. Por el contrario, existe la tradición que quienes están a cargo de esta actividad deben ser de "confianza" de las autoridades de turno y, hasta se afirma —sin mucho recato— que es razonable que los partidos políticos al llegar al poder (sea de nivel nacional, regional o local) reclamen un inexistente "derecho" a ocupar los cargos públicos para ejecutar sus políticas, e indudablemente, entre los afectados, están quienes tienen a su cargo las contrataciones institucionales.

Un aspecto revelador de la falta de preocupación del legislador por este tema es que no encontraremos ni una mención expresa al termino "profesionalización" de los compradores públicos en la Ley de Contrataciones del Estado ni en su reglamento vigentes. Únicamente encontraremos que aparece una mención bastante marginal y aislada al instrumento de certificación de los funcionarios y servidores que laboran en los órganos encargados de las contrataciones de las entidades públicas[20], cuya competencia directiva se encuentra desde el 2018 en tránsito entre el organismo supervisor de las contrataciones y la Dirección de Abastecimiento del Ministerio de Economía y Finanzas.[21]

1. Los retos, omisiones y debilidades: identificadas por el OCDE: resultados de la evaluación a este tema realizado con la metodología MAPS-OCDE

En 2019, el Organismo Supervisor de las Contrataciones del Estado (OSCE), el Ministerio de Economía y Finanzas; y el Banco Intera-

---

[20]   Artículo 4.— Organización de la Entidad para las contrataciones

Cada Entidad identifica en su Reglamento de Organización y Funciones u otros documentos de organización y/o gestión al órgano encargado de las contrataciones, de acuerdo con lo que establece el presente Reglamento.

Los servidores del órgano encargado de las contrataciones de la Entidad que, en razón de sus funciones intervienen directamente en alguna de las fases de la contratación, deben ser profesionales y/o técnicos certificados de acuerdo a los niveles y perfiles establecidos por el OSCE.

Mediante directivas el OSCE establece las estrategias, los procedimientos y requisitos para la certificación, así como para la acreditación de las instituciones o empresas con la finalidad de que estas capaciten a los operadores en aspectos vinculados con las contrataciones del Estado

[21]   La competencia administrativa para realizar estas certificaciones estaba asignada en un inicio legalmente al Organismo Supervisor de las Contrataciones del Estado (OSCE), pero luego fue reasignada a una oficina del Ministerio de Economía y Finanzas denominada Dirección General de Abastecimiento. En efecto, el Reglamento del Decreto Legislativo N° 1439, Decreto Legislativo del Sistema Nacional de Abastecimiento aprobado por D.S. No. 217-2019-EF se estableció lo siguiente:

Artículo 5.— Dirección General de Abastecimiento

La DGA, en su calidad de ente rector del SNA, ejerce las siguientes funciones, sin perjuicio de las previstas en el Decreto Legislativo N° 1439:

6. Certificar a los responsables de las áreas involucradas en la gestión de la Cadena de Abastecimiento Público, en las materias que establezca la DGA.

Pese a este cambio, la Octava disposición complementaria y transitoria del Decreto Supremo N.º 344-2018-EF, dispuso que "En tanto se implemente la certificación de los responsables de las áreas involucradas en la gestión de la Cadena de Abastecimiento Público a cargo del Sistema Nacional de Abastecimiento, aprobado mediante Decreto Legislativo N.º 1439, el OSCE establece las estrategias, los procedimientos, condiciones, vigencia y requisitos para la certificación, pudiendo incluir niveles y perfiles, entre otros", lo cual incluyo la vigencia de la Directiva No. 002-2020.OSCE/CD emitida por el OSCE.

mericano de Desarrollo (BID), impulsaron la evaluación del Sistema
de Contrataciones Públicas, Módulo de Profesionalización, a través
de la metodología MAPS, cuyos resultados no pudieron ser más evidentes[22]. La síntesis de la evaluación realizada concluía en resaltar,
en la terminología bastante diplomática que suelen adoptarse en este
tipo de documentos, que:

> "En general, de acuerdo con los resultados de la Evaluación de la pro-
> fesionalización del Sistema de Compras y Contrataciones Públicas
> (SCCP) del Perú bajo la metodología MAPS, el Sistema tiene un dise-
> ño y operación con mayor número de áreas de oportunidad y mejora,
> en comparación a las mejores prácticas internacionales, es decir, se
> registró una mayor cantidad de indicadores y subindicadores clasifi-
> cados como Brecha Menor y Brecha Mayor. Como puede observarse
> (...) 13 de los 21 indicadores tienen brechas menores[23], 5 se clasifican
> como brechas mayores —o indicadores negativos[24]— que generan li-
> mitaciones a la obtención de mejores resultados. Cabe señalar que,
> sólo 3 indicadores se registraron como que cumplen con las prácticas

---

[22]   Documento de Trabajo, "Evaluación del Sistema de Compras y Contrataciones
       Públicas del Perú. Módulo de Profesionalización Metodología MAPS-OECD",
       diciembre de 2019. https://www.mapsinitiative.org/assessments/MAPS-Pe-
       ru-assessment-report.pdf.

[23]   Los indicadores calificados como brechas menores fueron: reglas sobre profe-
       sionalización, reglas sobre participación del sector privado, planeación de la
       profesionalización, los sistemas de información incluyen datos idóneos para el
       apoyo eficiente de la profesionalización, monitoreo y evaluación de la profesio-
       nalización, la política de profesionalización está basada en principios y normas
       sólidas, existencia de un marco de competencia en la contratación pública, el
       mercado es competitivo en materia de profesionalización, existe acceso a acti-
       vos de profesionalización, mercado de profesionalización abierto e inclusivo,
       gestión por resultados y rendición de cuentas, existencia de mecanismos adicio-
       nales de apoyo para la integridad profesional, implementación de mecanismos
       para sancionar a los profesionales por comportamiento antiético.

[24]   Los indicados que obtuvieron calificación de brechas mayores, es decir, los más
       críticos, fueron: reconocimiento de la contratación pública como función pro-
       fesional, el reglamento de implementación define la política de profesionaliza-
       ción, compras estratégicas y especialización son objetivos horizontales de polí-
       tica y obligaciones internacionales, disponibilidad de recursos presupuestales
       suficientes para cubrir la profesionalización y existe un plan de carrera para la
       contratación pública dentro del servicio civil.

internacionales[25]; asimismo, 5 de los indicadores les fueron asignadas banderas rojas"[26].

Para llegar a estas reveladoras conclusiones hubieron algunos elementos determinantes que el mismo documento contiene, como por ejemplo, constatar que "en cuanto a la profesionalización en el sistema de contrataciones públicas no se distingue con claridad su establecimiento como objetivo estratégico"[27], no se distingue con claridad el establecimiento de la profesionalización del sistema de contrataciones públicas como objetivo estratégico[28], no hay claridad sobre la manera en qué se coordinan SERVIR y OSCE para no duplicar esfuerzos o para generar sinergias que fortalezcan las estrategias de profesionalización[29], no se establece la relevancia de la profesionalización en el sistema de contrataciones públicas, no se relaciona la calidad del gasto con la profesionalización, no se identifica ningún documento normativo o institucional que relacione la calidad de gasto con el impacto de la profesionalización, inexistencia de un reglamento de implementación, no existe un reglamento de implementación que establezca los perfiles, defina el plan de carrera, ni que garantice un nivel de conocimientos a los profesionales de contrataciones públicas.[30]

---

[25]   Los únicos indicadores que se consideraron compatibles con las prácticas internacionales fueron: la política de profesionalización forma parte de la estrategia más amplia de fortalecimiento de la capacidad en la contratación pública, es considerada la ética en la política de profesionalización, y existe un plan de carrera competitivo comparado con el resto del servicio civil.

[26]   Documento de Trabajo, "Evaluación del Sistema de Compras y Contrataciones Públicas del Perú. Módulo de Profesionalización Metodología MAPS-OECD", p. 6 y 7.

[27]   Documento de Trabajo, "Evaluación del Sistema de Compras y Contrataciones Públicas del Perú. Módulo de Profesionalización Metodología MAPS-OECD", p. 36

[28]   Documento de Trabajo, "Evaluación del Sistema de Compras y Contrataciones Públicas del Perú. Módulo de Profesionalización Metodología MAPS-OECD", p. 40

[29]   Documento de Trabajo, "Evaluación del Sistema de Compras y Contrataciones Públicas del Perú. Módulo de Profesionalización Metodología MAPS-OECD", p. 41.

[30]   Documento de Trabajo, "Evaluación del Sistema de Compras y Contrataciones Públicas del Perú. Módulo de Profesionalización Metodología MAPS-OECD", p. 47.

2. La centralización de la contratación como posible camino parcial a la profesionalización

La centralización de algunos sectores de la contratación pública nacional ha oficiado como un instrumento para la profesionalización de quienes están a cargos de estos macroprocesos de adquisiciones. Aunque no han sido concebido específicamente para ello, la consolidación de compras en algunos órganos estatales e incluso organismos creados expresamente para gerenciar los procesos de compras centralizadas, han dado por resultado una suerte de impulso a la profesionalización concentrado en esas entidades.

Es el caso de la institucionalización organizacional de las compras centralizadas con la creación de tres organismos desde su competencia sectorial: PERUCOMPRAS (de alcance general), la Agencia de Compras de la Fuerzas Armadas (en materia de bienes, servicios y obras militares) y CENARES (en materia de aspectos médicos).

En principio, tenemos a PERUCOMPRAS (Decreto Legislativo N.° 1018) que es la Central de Compras Públicas – Perú Compras es una persona jurídica de derecho público, con autonomía técnica, funcional, administrativa, económica y financiera que tiene como funciones la de realizar las Compras Corporativas obligatorias y las Compras Corporativas facultativas que le encarguen otras Entidades del Estado

Por su parte, también tenemos a la Agencia De Compras De Las Fuerzas Armadas (Decreto Legislativo N °1128) que es un organismo público ejecutor adscrito al Ministerio de Defensa, encargada de planificar, organizar y ejecutar el Plan Estratégico de Compras del Sector, así como los procesos de contrataciones de bienes, servicios, obras y consultorías a su cargo, en el mercado nacional y extranjero.

Por último, el Centro Nacional de Abastecimiento de Recursos Estratégicos en Salud es un órgano desconcentrado del Ministerio de Salud, con categoría de Unidad Ejecutora, responsable de gestionar el abastecimiento sectorial e intergubernamental de los recursos estratégicos en salud, con las mejores condiciones del mercado, garantizando su accesibilidad, disponibilidad y calidad para la población, para lo cual es realizar compras corporativas de medicamentos e insumos médicos para todo el Sector Publico.

3. La certificación de profesionales: estrategia insuficiente e incompleta

La única estrategia desarrollada alineada con el objetivo de la profesionalización ha sido la "Certificación del personal a cargo de las contrataciones de las entidades públicas"[31]. Ciertamente carece del propósito de crear una carrera publica especifica en materia de contrataciones, identificar perfiles para esos puestos en las entidades o realizar programas sostenidos de capacitación orientados a la profesionalización.[32]

La certificación consiste en el proceso llevado a cabo de manera centralizada por el OSCE mediante el cual, tras superar satisfactoriamente algunas pruebas, extiende la conformidad para que una persona pueda desempeñarse en los órganos encargados de las contrataciones[33] en cualquiera de las entidades públicas comprendidas en su ámbito. Cabe tener presente que la certificación permite catalogar al calificado en tres niveles: Básico, intermedio o avanzado, según el puntaje y las acreditaciones que obtenga.[34]

---

[31] Actualmente la estrategia está regulada en la Directiva N° 002-2020-OSCE/CD, denominada "Certificación de los profesionales y técnicos que laboren en los Órganos Encargados de las Contrataciones de las entidades Públicas"

[32] Actualmente existe una oferta difusa e inconexa de actividades de capacitación en materia de contrataciones estatales a cargo de diversas instancias del propio Estado (universidades públicas, Contraloría General de la República, SERVIR, etc.)

[33] Conforme al Texto Único Ordenado de la Ley N° 30225, Ley de Contrataciones del Estado (art.8 literal c) establece que "El Órgano Encargado de las Contrataciones, que es el órgano o unidad orgánica que realiza las actividades relativas a la gestión del abastecimiento de la Entidad, incluida la gestión administrativa de los contratos".

[34] Para acceder al Nivel básico es necesario: aprobar con 30 puntos o más el examen supervisado, ser egresado de educación superior técnica o universitaria, tener tres años de experiencia laboral general y un año de experiencia laboral en logística pública y/o privada.

Para ser calificado en el Nivel intermedio es necesario: aprobar con 43 puntos o más el examen supervisado, contar con grado de bachiller o título profesional

Es decir, existe un deber legal que impone contar con la certificación previa para que cualquier persona o servidor puede desempeñarse, "independientemente del vínculo laboral o contractual que mantienen con la Entidad, (…) en el órgano encargado de las contrataciones de la Entidad y que intervengan directamente en las actuaciones y/o actividades comprendidas en alguna de las tres (3) fases de la contratación pública —que está circunscrita a bienes, servicios y obras—, esto es, en la fase de actuaciones preparatorias, en la fase selectiva o en fase de ejecución contractual; con independencia del cargo que éstos posean.[35] Viceversa constituye una exigencia legal para todas las entidades que el personal que, debido a sus funciones intervienen directamente en alguna de las fases de la contratación, deban contar con la certificación otorgada por el OSCE de acuerdo con la presente Directiva. A dicho efecto, las entidades deben realizar las consultas virtuales a base de datos de "Profesionales y técnicos certificados por OSCE" y, en su caso, consultar la vigencia de las certificaciones extendidas.

Esta certificación otorga una acreditación por nivel a quienes lo aprueban y una vez obtenida la certificación, dicho estatus se mantiene vigente durante (2) años, luego de cual, este, profesional o técnico pierde automáticamente tal condición, debiendo solicitarla nuevamente.[36]

El postulante debe superar satisfactoriamente un proceso compuesto de dos fases: i) obtener el puntaje mínimo aprobatorio del examen establecido para un nivel determinado a través de la plataforma informática llamada Sistema informático de Certificación (SICAN) a fin de acreditar sus competencias en contrataciones del

---

técnico, tener cinco años de experiencia laboral general y dos años de experiencia laboral en contratación pública.
Para acceder al Nivel avanzado es necesario aprobar con 58 puntos o más el examen supervisado, contar con grado de bachiller o título profesional técnico, tener siete años de experiencia laboral general y cuatro años de experiencia laboral en contratación pública.

[35]   OPINIÓN N.ª 050-2019/DTN
[36]   OSCE (2019). Preguntas frecuentes del procedimiento de certificación por niveles. Disponible en:
         https://portal.osce.gob.pe/osce/sites/default/files/Documentos/Capacidades/Certificacion/Niveles/guias_2 019/Preguntas_frecuentes_2019_1.pdf

Estado[37]; y, ii) acreditar la formación académica, experiencia laboral general y específica mínimas establecidas y que acrediten los requisitos establecidos para el puntaje obtenido mediante la presentación de documentos a través del SICAN.

El incumplimiento de esta exigencia significa para los trasgresores (tanto para quien lo designa y para quien acepta el cargo) asumir únicamente responsabilidad administrativa para con la administración, ya que la ejecución de los procesos de contratación por parte del personal no certificado ha sido expresamente excluida como causal de nulidad, suspensión, cancelación o cualquier tipo de paralización del proceso de contratación,

4. Ocho ideas para mejorar el proceso de certificación de profesionales

Dentro del esquema de búsqueda de la profesionalización por medio de la certificación de profesionales, y, sin perjuicio de la actualidad de las recomendaciones dadas por el OCDE, nos permitimos plantear algunas ideas para que dicho instrumento mejore su utilidad al servicio de las compras públicas.

---

[37]   Cabe tener en cuenta que, en una disposición de cuestionada constitucionalidad, las preguntas del banco de preguntas para esta certificación han sido calificados como confidenciales y, por ende, no son de acceso público. Dicha regla está contenida en la Decimocuarta disposición complementaria y final del Texto Único Ordenado de La Ley N° 30225, Ley De Contrataciones Del Estado, bajo el texto siguiente:
"La información contenida en el banco de preguntas utilizado para *la rendición del examen para la certificación de los profesionales y técnicos de los órganos encargados de las contrataciones*, y en el banco de preguntas para la evaluación de árbitros para su inscripción en el Registro Nacional de Árbitros que administra el Organismo Supervisor de las Contrataciones del Estado (OSCE), se encuentra sujeta a la excepción al ejercicio del derecho de acceso a la información, por calificar como información confidencial, de acuerdo a lo estipulado por el numeral 1 del artículo 17 del Texto Único Ordenado de la Ley N.° 27806, Ley de Transparencia y Acceso a la Información Pública, aprobado por Decreto Supremo N.° 0432003-PCM.

i)   Establecer perfiles definidos para los compradores públicos de las principales entidades (enfoque selectivo, por ejemplo, en función del presupuesto que manejan).

ii) Asociar las capacitaciones especializadas que dicta directamente OSCE o por medio de entidades privadas a la certificación.

iii) Ampliar el alcance de la certificación para que comprenda a otros componentes del proceso de gestión contractual y no únicamente al personal de las áreas logística. Es necesario que incluya a quienes participan en los comités especiales de contratación, administran la ejecución de un contrato, los auditores, los abogados de las áreas que participan en las controversias precontractuales y postcontractuales, entre otros.

iv) Transparentar y positivizar los criterios que deben ser tomados en cuenta por el OSCE en su examen de certificación. Variar el enfoque únicamente de conocer las normas de contrataciones sino criterios de gestión, enfoque por resultados y toma de decisiones.

v)   Elevar el nivel de exigencia de acreditar profesionales para las principales entidades, ponderando los estudios de postgrado, maestrías o especializaciones, en vez de admitir para esas labores a personas no profesionales.

vi) Incluir en el proceso de evaluación un monitoreo de comportamiento en la labor logística, por el que se pueda medir indicadores de gestión en un periodo previo a cada prueba. Por ejemplo, procesos concluidos con tres oferentes o más, metas alcanzadas, contratos perfeccionados, procesos anulados o cancelados, procesos concluidos en el plazo legal, procesos observados o cuestionados por el propio OSCE.

vii) Dar un enfoque cualitativo al proceso de certificación pasando de meros indicadores estáticos y cuantitativos: contar con bachillerato o título, tener un número de años de experiencia en la gestión pública o en esa tarea. Nótese que el sistema no advierte factores cualitativos de los grados alcanzados, la idoneidad de los servicios prestados, la existencia de sanciones, cuestionamientos, procesos frustrados, contratos mal gestionados, etc.

viii) Establecer indicadores objetivos para medir el avance del proceso de certificación de modo más eficiente que solo a través del número de personas certificadas, como, por ejemplo, numero de procesos realizados satisfactoriamente o contratos ejecutados en el tiempo previsto, montos contratados versus montos presupuestados, número de procedimientos contratados frente a número de procedimientos convocados, porcentaje de entidades con mayor numero personal certificado.

V. CONCLUSIONES

La profesionalidad de la función pública ha sido una pretensión constante desde los primeros estudios de las ciencias sociales sobre la burocracia contemporánea, en contraposición de la organización medieval que era predominantemente ad honorem, cortesana, plena de costumbres establecidas y aceptadas, hábitos, rutinas, en una estructura patriarcal a la cual se llegaba por favores o clientelismo. En los últimos años se emplea el término "profesionalizar" como concepto emblemático para referirse a la capacidad que tienen las organizaciones públicas de dotar a su personal de las condiciones necesarias para que éstas, puedan contar con desarrollo profesional propio y que a su vez contribuya a alcanzar los objetivos definidos y propuestos por aquéllas.

La profesionalización de los compradores públicos ha adquirido nivel de un estándar contemporáneo en materia de contrataciones públicas, siendo desarrollada de modo particularmente importante por el OCDE aportando con indicadores y metodologías específicas para su evaluación por los países.

La profesionalización de los compradores públicos no es un fin en sí misma sino un medio para la mejora de la gestión y puede ser abordada de modo autónomo o en conjunto con el esfuerzo de profesionalizar toda la burocracia, pero en cualquiera de los casos, necesita un compromiso y liderazgo político.

Para llevar a cabo el proceso de profesionalización es indispensable identificar claramente tres elementos: los recursos humanos que serán objeto de esta búsqueda de profesionalización, los atributos que deben caracterizar esta profesionalización y, luego, las estrategias, sistemas y herramientas adecuadas para alcanzar esos objetivos.

El esfuerzo de profesionalizar los compradores públicos debe comprender a todos aquellos servidores que, participan en alguna parte del ciclo de la contratación estatal, desde la planificación, la programación de actividades, la selección y perfeccionamiento del contrato, la ejecución de la contratación misma, los llamados a hacer cumplir y cumplir las prestaciones objeto de los contratos y, en caso de tratarse de contratos de larga duración, quienes los gerencian; y finalmente, aquellos que resolverán las controversias en materia de contratación pública y quienes serán los evaluadores, supervisores y auditores de los procesos de contratación.

En nuestra opinión, la noción de la profesionalización de los compradores públicos debe apuntar a dotarle de las siguientes atributos: i) Continuidad, estabilidad y separación de los niveles políticos de la propia Administración, ii) definición de perfiles, habilidades y competencias para estos puestos; iii) régimen meritocrático en el acceso y el progreso en la actividad, iv) Capacitación y formación continua, especializada y plural; v) Capacidad de acumulación y transmisión de experiencias entre los profesionales a cargo de las contrataciones, vi) Contar con compensaciones acordes a la responsabilidad que se asume en estas funciones.

En la administración pública nacional la profesionalización de los compradores públicos es una aspiración aun, con fuertes debilidades y brechas si se le compara con los estándares internacionales de la materia. El único instrumento regulado para el efecto ha sido la certificación de los profesionales que trabajan en los órganos logísticos de las entidades públicas cuyo mejoramiento y suficiencia es necesario retomar.

VI. REFERENCIAS BIBLIOGRÁFICAS

Libros y artículos

CANTERO MARTÍNEZ, M. J. (2020). La profesionalización de la contratación pública como herramienta de innovación. En I. Martín Delgado y J. A. Moreno Molina (dirs.), Administración electrónica, transparencia y contratación pública. Iustel, p.197-246.

CIUTAT CORONADO; Anna (2019); "La profesionalización en contratación administrativa como medida preventiva. Retos diferentes para colectivos diferentes". Serie; Riesgos para la integridad en la contratación pública, Opiniones expertas No. 03. Oficina Antifraude de Cataluña.

CORTAZAR, Juan Carlos y FONTAINE DUCCI; Arturo (2018); "Análisis comparado de los avances en la profesionalización del servicio civil en América Latina". En SERVIR "Profesionalizando el Servicio Civil, Reflexiones y propuestas desde el Perú y América Latina", p. 44.

GARCIA JIMENEZ, Antonio (2015), "Gestión profesional de las licitaciones públicas, propuestas para la nueva ley de contratos del sector público", Revista Aranzadi Doctrinal N.º. 10, págs. 51-62.

GARCIA MELIAN, Juan Carlos; (2020), "Buen gobierno y profesionalización de las compras públicas", En: Transparencia y participación para un gobierno abierto / coord. por Manuel Sánchez de Diego Fernández de la Riva, Javier Sierra-Rodríguez, 2020, págs. 269-289

GIMENO FELIU; José María; ¿Es nuestra contratación estratégica? Conferencia de clausura, evento: Cumpliendo con Europa: La contratación pública estratégica del siglo XXI. Instituto Vasco de Administración Pública. https://www.ivap.euskadi.eus/la-contratacion-publica-estrategica-del-siglo-xxi/z16-h2home/es/

GIMENO FELIU; José María (2018), "Reflexiones sobre la planta del sistema de los tribunales administrativos de resolución del recurso especial desde la perspectiva de efecto útil de las previsiones europeas de control eficaz y el modelo de la Ley 9/2017, de 8 de noviembre, de contratos del sector público: hacia un modelo independiente y profesionalizado". Estudios de Derecho Público en homenaje a Luciano Parejo Alfonso / coord. por Marcos Vaquer Caballería, Ángel Manuel Moreno Molina, Antonio Descalzo González; Luciano José Parejo Alfonso (hom.), Vol. 2, (Capítulo II Estado social y administración pública), págs. 1775-1790

GUILLEN, Mauro. (1990), "Profesionales y burocracia: Desprofesionalización, proletarización y poder profesional en las organizaciones complejas". REIS: Revista Española de Investigaciones Sociológicas, N.º 51, 1990, págs. 35-52

MALARET I GARCÍA, E. (2016). El nuevo reto de la contratación pública para afianzar la integridad y el control: reforzar el profesionalismo y la transparencia. Revista Digital de Derecho Administrativo, 15, 21-60.

MARTINEZ PUON, Rafael; "La profesionalización de la Función Pública: ideas para Latinoamérica". Colecciones de Gobierno y Administración Pública del Gigep. Impreso en Talleres Gráficos Universitarios ULA, Mérida, Venezuela, 2013,

MORENO MOLINA; José Antonio (2017); "Gobernanza y nueva organización administrativa en la reciente legislación española y de la Unión Europea sobre contratación pública", Revista de administración pública Núm. 204 Pág. 343-373

RASTROLLO SUAREZ, Juan José (2021); "Gerencia profesional y contratación pública estratégica: una perspectiva comparada", Revista Gestión y Análisis de Políticas Públicas No. 26, p.48-60. Enlace al documento https://revistasonline.inap.es/index.php/GAPP/article/view/10844

RODRIGUEZ ARANA-MUÑOZ; Jaime; (2021). "La profesionalización en la contratación pública". Anuario de Facultad de Derecho de la Universidad de La Coruña, Volumen 25, p. 243-264.

SANMARTÍN MOA, M. A. (2012). La profesionalización de la contratación pública en el ámbito de la Unión Europea. En M. A. Bernal Blay (coord.) y J. M. Gimeno Feliú (Dir.). Observatorio de contratos públicos 2011 (pp. 407-429). Civitas.

VALCARCEL; Patricia (2020), "La especialización o la profesionalización, la independencia y el liderazgo como elementos clave para el buen funcionamiento del recurso especial en materia de contratación pública español", en: Contratación pública global: Visiones comparadas / Enrique Díaz Bravo (Dir.), José Antonio Moreno Molina (Dir.), págs. 587-615

Documentos

COMISION EUROPEA (2020) ProcurCompEU, Marco Europeo de Competencias para los profesionales de la contratación pública.

OCDE (2018) Metodología para la Evaluación de los Sistemas de Contratación Pública (MAPS).

OCDE (2018) Metodología para la Evaluación de los Sistemas de Contratación Pública. Profesionalización. Modulo complementario.

OSCE (2019) Evaluación del Sistema de Compras y contrataciones públicas del Perú. Módulo de profesionalización. Metodología MAPS-OECD.

UNION EUROPEA (2017) Recomendación 2017/1805 de la Comisión, de 3 de octubre de 2017, sobre la profesionalización de la contratación pública.

LA PROFESIONALIZACIÓN: CONDICIÓN *SINE QUA NON* DE LA CONTRATACIÓN PÚBLICA ESTRATÉGICA

Enrique Díaz Bravo[1]
Universidad de Sevilla

SUMARIO: I. MARCO PRELIMINAR: ESTRATEGIA, PROFESIONALIZACIÓN Y COMPETENCIAS. 1. Capacidad técnica y Aptitud personal, elementos de las competencias profesionales. II. ¿ES UNA PROFESIÓN LA DEL OPERADOR PÚBLICO EN CONTRATACIÓN PÚBLICA? III. IMPULSOS INSTITUCIONALES PARA PROFESIONALIZACIÓN DE LA FUNCIÓN EN LA CONTRATACIÓN PÚBLICA. 1. OCDE: gobernanza estratégica y profesionalización. 2. La promoción de una arquitectura de la profesionalización en la Unión Europea. 3. Profesionalización y valor público en América: la declaración de la Red Interamericana de Compras Gubernamentales (RICG). IV. LA FORMACIÓN DE LOS OPERADORES PÚBLICOS Y EL DESARROLLO DE COMPETENCIAS. 1. Marco de referencia de competencias para la profesionalización: PROCURCOMP[EU]. V. EL FACTOR (DES)POLITIZACIÓN EN LA (DES)PROFESIONALIZACIÓN DE LA CONTRATACIÓN PÚBLICA. 1. La meritocracia como factor de gobernabilidad. VI. CONCLUSIONES. VII. REFERENCIAS BIBLIOGRÁFICAS.

On its technical side the problem of government purchasing involves the same essential elements as does purchasing for a private business. In governments, as in private business, there exists the necessity for expert handling of all elements of the supply problem and of comple-

---

[1]   Profesor e Investigador Postdoctoral "María Zambrano" (Unión Europea-*NextGenerationEU*), Departamento de Derecho Administrativo, Universidad de Sevilla. Doctor en Derecho, Universidad de Castilla-La Mancha, acreditado como profesor contratado doctor por la ANECA. Director ejecutivo de la Red Iberoamericana de Contratación Pública (REDICOP). Este capítulo ha sido desarrollado en el marco del Proyecto de Investigación titulado: "Desafíos estratégicos de la contratación pública en la era de la 4ª revolución industrial: sostenibilidad, gobernanza e inteligencia artificial" (2021-2024). Ministerio de Economía y Competitividad del Gobierno de España. Referencia: PID2020-117707RB-I00.

te coordination of effort between the purchasing agent and all other responsible officials having to do with the supply problem.
Arthur G. Thomas, 1919.[2]

I. MARCO PRELIMINAR: ESTRATEGIA, PROFESIONALIZACIÓN Y COMPETENCIAS

Una de las cuestiones que resultan prácticamente indiscutibles en la actualidad, es que o la contratación pública es estratégica[3] o es solamente un simple mecanismo de aprovisionamiento de bienes, servicios y/u obras del sector público, es decir que si la adquisición de dichos bienes, servicios u obras responde únicamente a la necesidad de dar satisfacción a las necesidades burocráticas de la Administra-

---

[2]   Arthur G. Thomas, *Principles of Government Purchasing*, ed. The Institute for Government Research, Principles of Administration, (New York: D. Appleton and Company, 1919), 3.

[3]   Sobre la contratación pública estratégica me remito a: José María Gimeno Feliú, "La visión estratégica en la contratación pública en la Ley de Contratos del Sector Público: hacia una contratación socialmente responsable y de calidad," *Economía industrial*, no. 415 (2020).; José Antonio Moreno Molina, "Criterios sociales de adjudicación en el marco de la contratación pública estratégica y sostenible post-covid-19," *Revista española de derecho administrativo*, no: 210 (2021); Alejandro Canónico Sarabia, "La contratación pública estratégica: con especial referencia al acceso de las pymes en las compras públicas" (2019); Silvia Díez Sastre, "Contratación pública socialmente responsable" en *Contratación, competencia y sostenibilidad: últimas aportaciones desde el derecho administrativo* (Cizur Menor (Navarra): Civitas, 2017, 2017); Teresa Medina Arnáiz, "La contratación pública estratégica," en *La contratación pública estratégica en la contratación del sector público*, ed. Tomás Quintana López (Valencia: Tirant lo Blanch, 2020, 2020); Juan José Pernas García, "Compra pública verde y circular: el largo (y lento) camino hacia una amplia aplicación práctica de la contratación estratégica," en *Observatorio de Políticas Ambientales 2020* (Madrid: CIEMAT, 2020, 2020); Juan José Pernas García, "Comprar «rápido» y «estratégicamente» en la ejecución de los fondos Next Generation: Análisis y valoración de las medidas estatales y autonómicas para la agilización de procedimientos de contratación pública y para la utilización estratégica de las compras públicas," *Revista Aragonesa de Administración Pública*, no. 20 (2021); Jaime Pintos Santiago, "Contratación pública estratégica integral," en *Planificación y racionalización de la compra pública* (Cizur Menor (Navarra): Thomson Reuters Aranzadi, 2020).

ción pública retrocedemos a la idea de la contratación administrativa.

La contratación administrativa tiene (en presente y no pasado, ya que se resiste a perecer) como centro principal de la actividad de la Administración a la propia Administración y no al ciudadano ni menos a los intereses generales de la población de un territorio[4], naturalmente a ello la actividad de la Administración del Estado se funda en la idea de la prerrogativa, de la potestad, del poder unilateral de la Administración del Estado[5], rasgo constitutivo de la contratación administrativa.

Es en dicho orden de ideas que es posible afirmar que la contratación administrativa se funda en la desigualdad posicional entre la Administración y el individuo, siendo este último calificado –política y jurídicamente– como un administrado/súbdito, todo esto acompañado, además, por una mirada excesivamente legalista y rígida, que se expresa en un culto exagerado a la letra de la ley para proteger la indemnidad de la Administración del Estado como manifestación del poder político, a diferencia de la contratación pública que se funda en el principio de igualdad y la sumisión del poder político al Derecho como expresión democrática.[6]

Este tipo de definiciones son esenciales a la hora de posicionarse frente al fenómeno de la contratación pública, ya que dicho concepto ha evolucionado, como ocurre con todas las ciencias, hasta arribar a la actualidad a la idea de contratación pública estratégica, siendo este último adjetivo calificativo parte del núcleo esencial de la disci-

---

[4]   Francisco López Menudo, "Del administrado al ciudadano: cuarenta años de evolución," *Administración de Andalucía: Revista Andaluza de Administración Pública*, no. 104 (2019): 20.

[5]   Véanse: José Luis Meilán Gil, "Las prerrogativas de la Administración en los contratos administrativos: propuesta de revisión," *Revista de Administración Pública*, no. 191 (2013) e, Isabel Gallego Córcoles, "El Derecho de la contratación pública: Evolución normativa y configuración actual," en *Tratado de contratos del sector público*, ed. Isabel Gallego Córcoles y Eduardo Gamero Casado (Valencia: Tirant lo Blanch, 2018), 143-55.

[6]   Véase: Almagro Castro, David, y Díaz Bravo, Enrique. *Temas Básicos De Derecho Público. Primera Parte.* Manuales. Valencia: Tirant lo Blanch, 2022.

plina, ya que sin estrategia no hay contratación pública, entendiendo esta como una herramienta de política pública[7] para la inversión del dinero público[8], por medio de la cual se logran satisfacer simultáneamente múltiples objetivos generales en tres niveles:

- El nivel 1, más básico o burocrático, es el referido al aprovisionamiento de bienes, servicios u obras, para cumplir con el servicio público;

- El nivel 2 es el constituido por los objetivos transversales a toda política pública en un Estado democrático de Derecho, como son la promoción y garantía de los principios de igualdad, transparencia, objetividad, imparcialidad, control de la Administración y libre competencia, y;

- El nivel 3, conformado por los nuevos objetivos de justicia social, inherentes al Estado social y democrático de Derecho, y que se expresan en la contratación pública estratégica como son los fines sociales, medioambientales, laborales, de innovación, de género, de inclusión de personas con discapacidad, entre otros.

Dicho lo anterior, la contratación pública es una disciplina altamente compleja, por la diversidad y multiplicidad de procesos y procedimientos que una compra y/o contratación implican, atendidas las sumas de dinero involucradas, la multitud de funcionarios y sujetos que intervienen, la constante modificación de las normas y reglas de un hiperinflado catálogo normativo en el que confluyen normas de origen nacional, supranacional e internacional, los intereses y efectos políticos de cada procedimiento, entre otros, de modo que,

---

[7]   Lo que ha venido sosteniendo largamente el prof. Gimeno Feliú, véase su texto más reciente al respecto: José María Gimeno Feliú, "El necesario big bang en la contratación pública: hacia una visión disruptiva regulatoria y en la gestión pública y privada, que ponga el acento en la calidad," *Revista General de Derecho Administrativo*, no. 59 (2022).

[8]   Véase: Comisión Europea, Comisión al Parlamento Europeo, al Consejo, al Comité Económico y Social Europeo y al Comité de las Regiones. *Conseguir que la contratación pública funcione en Europa y para Europa*. COM(2017)572.

como sostiene DRAGOS, la contratación pública *es normalmente difícil de comprender y seguir totalmente*[9].

Por todo aquello, la contratación pública está expuesta fuertemente a los riesgos de la corrupción y de la ineficiencia administrativa, siendo la ausencia o bajo nivel de profesionalización una de sus causas, y ello se refleja en que ha sido considerada como una ocupación o labor secundaria e incluso terciaria de las funciones de los empleados públicos[10].

Ahora bien, el ejercicio de las funciones de Gobierno y de Administración requieren del *elemento humano* tanto para la definición como la ejecución de las decisiones, medidas, políticas públicas y la puesta en marcha de los procedimientos administrativos y las decisiones de la Administración Pública, tanto con efectos particulares como generales[11], y es allí donde surge la relevancia de la profesionalización.

Todas las decisiones de la Administración, con mayor o menor intensidad, provocan efectos que tienen impacto en la actividad económica y en la calidad de vida de las personas, y para que dichos impactos sean eficaces se requiere que descansen en una dotación de personal del aparato burocrático lo suficientemente cualificada[12], es

---

[9]   Dacian Dragos, "Article 24. Conflicts of interest," in *European public procurement: commentary on Directive 2014/24/EU*, ed. Roberto Caranta and Albert Sanchez-Graelis (Northampton: Edward Elgar Publishing, 2021), 260.

[10]   En dicho sentido, véase: Katri Kauppi and Erik M. van Raaij, "Opportunism and Honest Incompetence—Seeking Explanations for Noncompliance in Public Procurement," *Journal of Public Administration Research and Theory* 25, no. 3 (2014): 954. Igualmente, el carácter de secundario de las tareas en contratación pública ha sido reconocido por la Comisión Europea en: Comisión Europea. ProcurComp[EU]. Marco Europeo de Competencias para los profesionales de la contratación pública. Luxemburgo: Oficina de Publicaciones de la Unión Europea, 2020, 10.

[11]   No obstante el desarrollo y avance de las nuevas tecnologías y la implementación de Inteligencia Artificial, en el horizonte no se vislumbra la posibilidad, ni la conveniencia, de prescindir de los "empleados humanos" para llevar adelante sus labores, al menos las más esenciales ligadas a la definición de las políticas públicas que constituyen una expresión técnica de los representantes de la voluntad popular.

[12]   Francesco Decarolis et al., "Bureaucratic Competence and Procurement Outcomes," *The Journal of Law, Economics, and Organization* 36, no. 3 (2020): 538.

decir dotada de un conjunto de capacidades y aptitudes que le confieran las competencias mínimas para adoptar las decisiones correctas, ya no únicamente ajustadas a Derecho, sino que, además, las más adecuadas a los intereses generales[13] de entre todas las alternativas posibles, llevándolas a la práctica conforme a dicha premisa, especialmente para proyectar y materializar el Estado social y democrático de Derecho.

1. Capacidad técnica y Aptitud personal, elementos de las competencias profesionales

En dicho orden de cosas, la configuración de las referidas competencias está determinada básicamente por dos elementos que son requeridos para el desempeño de la función pública en la contratación: *Capacidad técnica* y *Aptitud personal.*

El primero de los elementos, y más evidente, es aquel que responde a los conocimientos teóricos y a las competencias adquiridas y desarrolladas en programas académicos y/o técnicos formales, que dan cuenta de una preparación mínima adecuada al nivel de responsabilidades de cada persona respecto de la función que cumple.

Mientras que, el segundo de los elementos implica la existencia de condiciones laborales que permitan y promuevan el desempeño de las funciones dentro de los estándares técnicos y legales esperados, condiciones que deben expresarse a lo menos en los siguientes aspectos: i) en el orden salarial; ii) en el ámbito de incentivos económicos; y, iii) en la promoción de la carrera profesional, que fomenten una mentalidad de pertenencia al aparato público que provoque el autorreconocimiento personal, y también social, de la función que se cumple al servicio de los intereses públicos.

Para contar con funcionarios públicos que se ajusten a dichas competencias deben existir condiciones adecuadas para ello, así es

---

[13]   Juan José Rastrollo Suárez, *Evaluación del desempeño en la administración: hacia un cambio de paradigma en el sistema español de empleo público*, Monografías, (Valencia: Tirant lo Blanch, 2018), 59.

todo ello a partir de diversidad de requerimientos teórico-prácticos que exige un procedimiento de contratación, en el cual confluyen múltiples personas todos quienes se ocupan de un objeto común.

De ese modo, y asumiendo que la perspectiva formal arroja una respuesta negativa que, a pesar de ser concreta, resulta en extremo limitada para abordar y dar respuesta a las interrogantes planteadas, por ello es posible analizar el problema desde una perspectiva material, es decir poniendo el foco en la actividad u ocupación de aquellos sujetos que intervienen en la contratación para definir si consiste en una actividad profesional de carácter autónomo que otorgue una denominación distintiva de las demás ocupaciones profesionales.

Para lo anterior, se seguirá lo planteado por SULLIVAN[20], cuando concluye que son tres los aspectos que caracterizan a una ocupación en el ámbito profesional: i. *formación especializada en un campo de conocimiento codificado generalmente que suele adquirirse mediante la educación y el aprendizaje formal*; ii. *reconocimiento público de una cierta autonomía por parte de la comunidad de profesionales para regular sus propias normas de práctica*; y, iii. *el compromiso de prestar un servicio al público que va más allá del bienestar económico del profesional*.

Así, siguiendo los tres elementos propuestos por Sullivan, es posible afirmar que existe una *ocupación profesional* en la contratación pública, más que de una profesión propiamente tal, la que vincula a todos los operadores que intervienen en los procedimientos de contratación, quienes encajan, o deberían encajar, en los tres aspectos que caracterizan a una ocupación según lo expuesto por el autor.

Por otro lado, es viable abordar otra perspectiva para aproximarnos a responder sobre la existencia de una "profesión" en la contratación pública, esta vez concentrando la mirada sobre quienes desarrollan la actividad, es decir sobre los profesionales de la contratación pública. Para ello se recurrirá a un análisis gramatical como lo explica MARTIN, ya que por una parte el término profesional "puede ser un sustantivo o un adjetivo: 'un

---

[20]   Sullivan, W. M. Work and integrity: The crisis and promise of professionalism in America (2nd ed.), (San Francisco, CA: Jossey-Bass, 2005), citado en: Alan Tapper and Stephan Millett, "Revisiting the Concept of a Profession" *Research in Ethical Issues in Organizations* 13 (2015): 6.

profesional' como sustantivo tiende a significar una persona que trabaja en una ocupación especializada, mientras que 'profesional' como adjetivo podría usarse para describir la competencia en cualquier ocupación o actividad."[21], o en otros términos es lo opuesto a ser *amateur*.

A partir de lo mencionado, la actividad profesional en la contratación pública es una ocupación o función que desempeñan profesionales —provenientes de disciplinas formativas reguladas— dentro de un procedimiento complejo, multifactorial y compuesto por numerosas etapas decisionales, todo lo que exige un alto grado de competencias, entendiendo por ellas las diversas capacidades técnicas, conocimientos y aptitudes personales multidisciplinares[22], las que se encuadran dentro de la regulación del Derecho público, con destinatarios (*audiencia*) internos y externos, a los que se debe satisfacer y rendir cuenta, según corresponda, de forma más o menos directa, según sea el grado de vinculación con el sector público, encontrándose todo el proceso determinado por la satisfacción final de los intereses generales.

Ahora bien, en lo referido a las competencias, que como se indicó comprenden las capacidades, conocimientos y aptitudes que deben reunir los profesionales de la contratación pública, es factible efectuar una delimitación entre competencias de carácter general y otras de carácter especial.

Las primeras, de carácter general, son aquellas competencias comunes a todo tipo de procedimiento de contratación, transversales al procedimiento independiente del objeto del contrato, como aquellas relacionadas con factores financieros de disponibilidad presupuestaria o de control, verificación de legalidad del procedimiento, cumplimiento de los procedimientos comunes a toda contratación, entre otros.

---

[21]   Katy Martin, "Purposes, processes and parameters of continuing professional learning" (University of Dundee, 2017), 47, https://core.ac.uk/download/pdf/96931969.pdf.

[22]   En el mismo sentido: Manuel J. García Rodríguez, "Tecnologías digitales para el control de la contratación pública," *Auditoría Pública*, no. 79 (2022): 99. y, Josefa Cantero Martínez, "La profesionalización de la contratación pública como herramienta de innovación," en *Administración electrónica, transparencia y contratación pública*, ed. Isaac Martín Delgado y José Antonio Moreno Molina (Madrid: Iustel, 2020), 236.

Mientras que las de carácter especial dependen del tipo de procedimiento específico que se sigue a partir del tipo de contrato y/o del objeto de este, lo que provoca un aumento del estándar de exigencia de competencias, entendiendo que se hace necesario un nivel mayor de conocimientos, capacidades y actitudes profesionales de cada uno de los sujetos que intervienen en dichos procedimientos. Es posible ilustrar lo sostenido en dos procedimientos de contratación con particularidades evidentes y diversas tales como un procedimiento para la construcción de una obra pública y otro para la adquisición de ordenador.

III. IMPULSOS INSTITUCIONALES PARA PROFESIONALIZACIÓN DE LA FUNCIÓN EN LA CONTRATACIÓN PÚBLICA

1. OCDE: Gobernanza estratégica y profesionalización

En el año 2015 Organización de Cooperación y Desarrollo Económico emitió la Recomendación del Consejo de la OCDE sobre Contratación Pública[23], la que contiene relevantes definiciones sobre lo que esta organización internacional entiende por la contratación pública y su rol.

En la Recomendación se sostiene que la contratación pública es *un pilar fundamental de la gobernanza estratégica y de la prestación de servicios.* Dicha afirmación se sustenta en el volumen de gasto que implica esta actividad gubernamental y que a partir de su gestión se *puede y debe* fomentar la eficiencia de la actividad del sector público y promover la confianza de los ciudadanos. Así, la OCDE reconoce que la contratación pública juega un rol estratégico en la sociedad impulsando políticas públicas para *el logro de apremiantes objetivos de política.*

Este instrumento contiene un conjunto de XIII recomendaciones que se encuadran dentro de una propuesta general que propone utilizar a la contratación pública como una herramienta estratégica destinada a favorecer la asignación de los recursos públicos de manera adecuada, lo que generará rentabilidad a partir del uso eficiente

---

[23]   http://www.oecd.org/gov/public-procurement/OCDE-Recomendacion-so-bre-Contratacion-Publica-ES.pdf

de los recursos públicos y atenuará riesgos de los procedimientos de contratación, tales como la ineficiencia y la corrupción.

En el ámbito de la profesionalización de la contratación pública se planteó la Recomendación IX, que contiene una serie de acciones concretas destinadas a que los países que forman parte de la OCDE cuenten con personal suficientemente capacitado para aportar rentabilidad a la Contratación, y para ello se proyectaron una serie de medidas, que pueden ser agrupadas en tres categorías: i) Desarrollo de capacidades personales de los profesionales, ii) Carrera funcionaria, y, iii) Trabajo colaborativo y vinculación con el medio.

En la primera de las categorías, *Desarrollo de capacidades personales de los profesionales*, el mandato de acción consiste en:

> Asegurarse de que los profesionales de la contratación pública tienen un alto nivel de integridad, capacitación teórica y aptitud para la puesta en práctica, para lo que les proporcionan herramientas específicas y periódicamente actualizadas, disponiendo, por ejemplo, de unos empleados suficientes en número y con las capacidades adecuadas, reconociendo la contratación pública como una profesión en sí misma, proporcionando formación periódica y las oportunas titulaciones, estableciendo unas normas de integridad para los profesionales de la contratación pública y disponiendo de una unidad o equipo que analice la información en materia de contratación pública y realice un seguimiento del desempeño del sistema.

A su vez, el Consejo de la OCDE recomienda que, en lo relacionado con la categoría *Carrera funcionaria*, los países deberán:

> Ofrecer a los profesionales de la contratación pública un sistema de carrera atractivo, competitivo y basado en el mérito, estableciendo vías de ascenso según méritos claros, brindando protección frente a las injerencias políticas en el procedimiento de contratación pública, y promoviendo en las esferas nacional e internacional las buenas prácticas para los sistemas de carrera profesional al objeto de mejorar el rendimiento de estos empleados.

Y, finalmente, en la categoría *Trabajo colaborativo y vinculación con el medio* se expresa lo siguiente:

Fomentar la adopción de enfoques colaborativos con entidades como universidades, *think tanks* o centros políticos a fin de mejorar las capacidades y competencia del personal de contratación pública. Deberá hacerse uso de la especialización y la experiencia pedagógica de estos centros del saber, en tanto en cuanto son herramientas valiosas que amplían los conocimientos en esta materia y establecen un canal bidireccional entre teoría y práctica capaz de impulsar la innovación en los sistemas de contratación pública.

Del mismo modo, en otros apartados de la Recomendación se contienen diversos elementos que deben ser interpretados en conjunto para que surtan los efectos que se persiguen, entre ellos la Recomendación III que se refiere a la *Integridad* da cuenta de la necesidad de desarrollar programas de formación a los profesionales de la contratación pública que los preparen para prevenir y enfrentar situaciones de conflictos de interés, el uso y resguardo de la información que conocen y manejan en el ejercicio de sus cargos, y demás normas o reglas de conducta aplicables atendida la especial función que cumplen.

Los programas de formación que se proponen deben incluir a los operadores públicos y privados, promoviendo la cultura de la integridad en la contratación pública, con alta dedicación a materias tales como: *la corrupción, el fraude, las prácticas colusorias y la discriminación.* Lo anterior, se ve reforzado por las medidas contempladas en la Recomendación XI referida a la gestión de riesgos en la que se promueve la creación de programas de formación al personal, tanto para concientizar como para mejorar el conocimiento de las medidas, planes y estrategias de control y gestión del riesgo tanto para su prevención como para su atenuación.

Por su parte, otro elemento destacado es el referido a la mejora de la eficiencia en el ciclo de vida de la contratación, y para ello la simplificación de los procedimientos de contratación es también una condición para el desarrollo de la función de operador del sistema que responda a las necesidades propias del proceso de contratación, así la Recomendación VII considera que se debe contar con una organización administrativa adecuada que se exprese en *flujos de trabajo eficaces y eficientes* y que no se enfrente a cargas administrativas innecesarias.

2. La promoción de una arquitectura de la profesionalización en la Unión Europea

La Comisión Europea abordó la necesidad de profesionalizar la contratación pública través de la Recomendación (UE) 2017/1805 de 3 de octubre de 2017, sobre la profesionalización de la contratación pública, "Construir una arquitectura para la profesionalización de la contratación pública", por medio de la cual explica que para alcanzar la aplicación eficiente del sistema de contratación pública, tanto a nivel normativo como respecto de las inversiones de la UE, y que hagan más eficientes los fondos públicos, se necesita contar con compradores públicos que cumplan con las *normas más exigentes de profesionalidad*, es decir dicho proceso de mejora en la eficiencia de la actividad de los profesionales ha sido entendida como la profesionalización en el ámbito de la contratación pública en la UE.[24]

Esta Recomendación de la Comisión Europea es el primer y más claro esfuerzo institucional concreto a nivel internacional que vincula la profesionalización de los profesionales de la contratación pública con el uso eficiente y estratégico de la misma, y que incluye como un elemento que *puede ayudar a fomentar el impacto de la misma en el conjunto de la economía.* La Recomendación destinada a tener efectos en los Estados miembros de la UE tiene un ámbito y proyección mucho mayor producto de la fuerza expansiva a nivel extracomunitario de las regulaciones en contratación pública de la UE y por ello resulta de gran relevancia examinar los aspectos principales de ella.

En su considerando N° 5 la Recomendación 2017/1805 ha establecido el objetivo de la profesionalización de la contratación pública:

> ...reflejar la mejora general de toda la gama de cualificaciones y competencias profesionales, conocimientos y experiencia de las personas que realizan o participan en tareas relacionadas con la contratación. Abarca también las herramientas y el apoyo, así como la arquitectura política institucional, que son necesarios para realizar el trabajo de forma eficaz y obtener resultados.

---

[24] Dicho esfuerzo de mejora de los profesionales se encuentra ligado al desarrollo institucional de una estructura que lo favorezca y propicie.

La Comisión Europea entiende que el desafío apunta a "…mejorar y respaldar la profesionalidad entre los profesionales…"[25], reconociendo la multiplicidad de formaciones, para lo cual ha identificado tres objetivos complementarios, dentro del marco de una estratégica global.

i. El primero de los elementos es el *desarrollo de una arquitectura política adecuada para la profesionalización,* lo que implica definiciones y medidas concretas en el ámbito institucional, ya sea en lo relativo a la distribución de competencias entre los diversos niveles orgánico-administrativos, el apoyo del nivel central a los esfuerzos de las entidades sectoriales y/o territoriales, para fomentar la especialización, la agregación y el intercambio de conocimientos. Todo lo anterior debe contar con la garantía de continuar con las medidas a través de los diversos ciclos políticos.

Este último factor, *lo político,* es imprescindible, pero de alta volatilidad debido a su inestabilidad y tradicional falta de continuidad, como bien lo pone de relieve la Recomendación, por lo que las medidas que se adopten deben contar un amplio *respaldo político* para garantizar su éxito.

ii. El segundo objetivo complementario es el relativo a los *Recursos Humanos.* En este punto se hace referencia a diferentes elementos que permiten comprender el modelo que tiene en vista la Comisión Europea, a partir de las siguientes definiciones:

1. Profesionales de la contratación pública: "Aquellas personas implicadas en la contratación de bienes, servicios y obras, así como los auditores y funcionarios responsables de la revisión de los casos relacionados con la contratación pública".

2. Perfil de los profesionales: Deben contar con "cualificaciones, formación, capacidades y experiencia adecuadas a sus niveles de responsabilidad".

---

[25] Comisión Europea. Recomendación (UE) 2017/1805 de 3 de octubre de 2017, sobre la profesionalización de la contratación pública, "Construir una arquitectura para la profesionalización de la contratación pública".

3.   Condiciones para garantizar el perfil: Se debe garantizar contar con "personal con experiencia, capacitado y motivado, ofrecer formación y desarrollo profesional continuo necesario", y contar con política de incentivos que hagan atractiva la función de la contratación pública.

iii.   Y, el tercer objetivo complementario es el referido a los *Sistemas*, comprendiéndose por tales *las herramientas y metodologías de apoyo a la práctica profesional*, esto en el entendido de que se debe contar con profesionales que tengan a su disposición *herramientas y apoyo* que se traduce en: "herramientas de contratación electrónica, directrices, manuales, plantillas y herramientas de cooperación, con la formación, apoyo y experiencia, agregación de conocimientos e intercambio de buenas prácticas".

Como se ha visto, la Comisión Europea identifica los elementos básicos para generar un ecosistema profesional eficaz y que logre generar procesos de contratación pública inteligentes, con operadores lo suficientemente preparados y competentes, a partir de estructuras y políticas institucionales que promuevan prácticas de buena administración[26] en todos los niveles de los funcionarios, ya sea en los que forman parte de las entidades responsables de los procesos de compra/contratación, como en el nivel de los auditores y en el nivel de los revisores de los casos. Dichas buenas prácticas administrativas deben verificarse en todas las etapas del "ciclo de vida" del operador público, tanto en su acceso, promoción y separación o terminación de su cargo, siempre dando cumplimiento a los principios de mérito y capacidad como garantía de imparcialidad[27] y del principio de igualdad.[28]

---

[26]   José Antonio Moreno Molina, "La innovación en la contratación pública desde la Unión Europea," en *Administración electrónica, transparencia y contratación pública*, ed. José Antonio Moreno Molina y Isaac Martín Delgado (Madrid: Iustel, 2020), 68.

[27]   Miguel Sánchez Morón, *Derecho de la función pública*, Décimocuarta edición ed. (Madrid: Tecnos, 2021), 48.

[28]   Mauri i Majós, "El acceso irregular a los empleos públicos: la erosión del principio de mérito," 41.

En este último sentido, un ámbito de gran relevancia en relación a la profesionalización en la contratación pública son los tribunales u órganos que resuelven los recursos sobre esta materia[29], cuestión que ha sido abordada en la doctrina y reconoce en forma amplia la necesidad de contar con sujetos altamente especializados, tanto respecto de quienes tienen a su cargo la administración de justicia como de todos los funcionarios que integran dichos órganos, todo ello para garantizar el debido proceso y la seguridad jurídica.

Ahora bien, este tipo de órganos requiere que sus miembros gocen de la imprescindible inamovilidad y estabilidad para garantizar su independencia para el ejercicio de sus funciones[30], ya que no basta que los operadores públicos se encuentren suficientemente especializados[31] para que puedan ejercer sus funciones adecuadamente. El caso de los tribunales u órganos de recursos contractuales en materia de contratación pública da cuenta de la afirmación anterior, y hace plenamente verosímil la Recomendación de la Comisión en cuanto a que, además de la cualificación profesional, debe existir una estructura institucional que acompañe el ejercicio de las funciones, todo lo que debe dar cuenta de una suficiente voluntad política del Estado

---

[29] Sobre la naturaleza jurisdiccional o *cuasi jurisdiccional* de los órganos de resolución de recursos en contratación pública, véase: Enrique Díaz Bravo, *El recurso en materia de contratación pública en el Derecho europeo y su aplicación en España*, 1ra ed. (Valencia: Tirant lo Blanch, 2019), 222.

[30] En dicho sentido se han pronunciado: Patricia Valcárcel Fernández, "La especialización o la profesionalización, la independencia y el liderazgo como elementos clave para el buen funcionamiento del recurso especial en materia de contratación pública español," en *Contratación pública global: Visiones comparadas*, ed. Enrique Díaz Bravo y José Antonio Moreno Molina (Valencia: Tirant lo Blanch, 2020), 599.; y, Rafael Fernández Acevedo, "El sistema español de recursos en materia de contratación pública: Entre los derechos a una buena administración y a la tutela judicial efectiva," en *Contratación pública global: Visiones comparadas*, ed. Enrique Díaz Bravo y José Antonio Moreno Molina (Valencia: Tirant lo Blanch, 2020), 676.

[31] Sobre los requisitos que deben cumplir en Chile los integrantes del Tribunal de Contratación Pública, véase: Enrique Díaz Bravo, "El Tribunal de Contratación Pública Chileno: Exámen de su regulación," en *Contratación pública global: Visiones comparadas*, ed. Enrique Díaz Bravo y José Antonio Moreno Molina (Valencia: Tirant lo Blanch, 2020), 751-53.

en su conjunto para favorecer el funcionamiento virtuoso del sistema, especialmente en lo referido a materias de administración de
justicia en todos sus niveles.

3. Profesionalización y valor público en América: La Declaración de la Red Interamericana de Compras Gubernamentales (RICG)

En la VIII Cumbre de las Américas de 2018 los Estados participantes, miembros de la Organización de Estados Americanos (OEA), se
comprometieron a promover diferentes iniciativas relativas a la *prevención de la corrupción en obras públicas, contrataciones y compras públicas*[32]
en consideración a un compromiso general de gobernabilidad democrática, para lo cual se requiere la mejora de la legislación, el fortalecimiento institucional, la capacitación de los funcionarios y cooperación
entre los diversos actores nacionales, regionales e internacionales.

Y, es en dicho orden de cosas que el 9 de diciembre de 2021 la Red
Interamericana de Compras Gubernamentales, en adelante RIGC[33],
acordó una Declaración denominada "Contratación pública como
área estratégica para la generación de un mayor valor público y un
mejor acceso a derechos de la ciudadanía", en la que los represen-

---

[32] Organización de Estados Americanos. Summit of the Americas (8th: 2018:
      Lima, Perú). Compromiso de Lima: Gobernabilidad democrática frente a la
      corrupción: VIII Cumbre de las Américas: 13 y 14 de abril de 2018: Lima, Perú
      / Preparado y publicado por la Secretaría de Cumbres de las Américas. (OAS.
      Documentos oficiales; OEA/Ser.E).

[33] Según se reconoció por la Organización de Estados Americanos (OEA) en 2016
      (REDAG/RES. 2894 (XLVI-O/16) la "Red Interamericana de Compras Guber-
      namentales (RICG) es una iniciativa hemisférica conformada por un Comité
      Ejecutivo con representación de 5 países por subregión (Norteamérica, Caribe,
      Centroamérica, Región Andina y Cono sur), una Presidencia y una Secretaria
      Técnica, de conformidad con sus Estatutos aprobados en 2008 por 32 países
      miembros, y modificados en la XI Conferencia Internacional de 2015, en Re-
      pública Dominicana." En el mismo documento se establece que la RICG es "un
      mecanismo de cooperación técnica horizontal de alto nivel para la movilización
      y el intercambio de recursos humanos, técnicos, financieros y materiales para la
      generación de conocimientos, experiencias y buenas prácticas en las compras
      públicas entre países miembros de la Organización.".

tantes nacionales de las agencias de contratación y compras públicas de los Estados miembros, establecieron ocho compromisos para adoptar en sus respectivos países, los que se enmarcan dentro de la Agenda 2030 y los Objetivos de Desarrollo Sostenible relacionados con contratación Pública, teniendo en consideración la creación de valor público mediante la mejor utilización de los recursos fiscales, asumiendo como pilares esenciales de la contratación pública a la *transparencia, integridad, eficiencia, ética, innovación, competencia y sostenibilidad hacia el triple impacto de la compra.*

En forma expresa se contiene en la Declaración de 2021 el elemento de profesionalización de los compradores públicos, es así como en el punto N° 4 de la misma se pone de relieve la necesidad de dotar a los operadores públicos de "… (los) conocimientos y habilidades necesarias para fortalecer sus capacidades orientadas a generar un mayor valor público, a través de los procesos de adquisición de bienes, servicios y obras."

La iniciativa de la RICG a través de esta Declaración marca un claro esfuerzo regional en América para promover un salto cualitativo de calidad en la gestión de los procesos y procedimientos de contratación, enfocándose tanto a las instituciones como a las personas, del sector público y privado, no obstante, ello la adaptación de este tipo de instrumentos o recomendaciones al tener un carácter *soft law* carece de la fuerza (y urgencia) que deberían tener medidas que son reconocidas como prioritarias para la prevención de la corrupción y la gobernabilidad democrática, ya que como se sostiene en esta presentación, estas medidas no pueden quedar entregadas únicamente a la buena, o mala, voluntad política de los gobiernos de turno.

No obstante, lo anterior, recientemente en junio de 2022, en la IX la Cumbre de las Américas 2022 se ha ratificado la Declaración de la RICG de 2021, asumiendo el compromiso de impulsar acciones estrategicas orientadas a asegurar las implementaciones de las Recomendaciones de la RICG, es de esperar que en la siguiente Cumbre se realice un seguimiento y evaluación de las medidas concretas implementadas por cada uno de los países miembros, de modo de obtener indicadores de avance de las medidas asumidas para la mejora de las capacidades institucionales, incluidas las asignaciones presupuestarías comprometidas y ejecutadas para llevarlas adelante.

IV. LA FORMACIÓN DE LOS OPERADORES PÚBLICOS Y EL DESARROLLO DE COMPETENCIAS

Uno de los desafíos más relevantes existentes en el ámbito de la profesionalización, además de la indiscutible necesidad de sistematizar y mejorar las cualificaciones de los operadores del sistema, es contar con una infraestructura formativa adecuada, completa, accesible y pertinente a las necesidades de cada sistema de contratación tanto nacional como regional, supranacional o internacional, lo que en la actualidad presenta importantes carencias por la ausencia de políticas públicas destinadas a alcanzar dichos niveles de cobertura formativa[34].

Un modelo formativo integral que le otorgue una mirada sistémica al operador del sistema es lo que permitirá formar a un profesional especialista en la función de la contratación pública que se caracterice por ser un *big picture player*[35], es decir que tenga una mirada global y sistémica del proceso completo de contratación con visión de futuro, un operador a escala global, incluidas las etapas de adquisición o contratación propiamente tal, su ejecución y también, y probablemente la escena más importante para entender el contexto de la contratación, son los motivos estratégicos dentro de los cuales se encuadra.

Para alcanzar lo anterior, la motivación, los planes y la planificación estratégica son insumos básicos que deben estar disponibles y ser conocidos por los compradores, todo ello permitirá avanzar, tal como ha sostenido la Comisión Europea en "un enfoque de la gestión recursos humanos basado en las competencias que permita que las organizaciones gestionen el rendimiento, la formación y el desarrollo de la carrera profesional con arreglo al plan estratégico"[36],

---

[34] Thai and Grimm, "Government procurement: past and current developments" 241.
[35] Gordon, Zemansky, and Sekwat, "The public purchasing profession revisited" 251.
[36] Comisión Europea. ProcurComp[EU]. Marco Europeo de Competencias para los profesionales de la contratación pública. Luxemburgo: Oficina de Publicacio

poniendo de relieve que organización y personas que la componen deben actuar coordinadamente, cada una en beneficio de la otra, para alcanzar beneficios recíprocos con miras en el fin final que es el interés general[37].

En consecuencia, es posible identificar un conjunto de competencias y habilidades mínimas estandarizadas para todos los operadores en procedimientos destinados a la realización de un contrato público, sin contar evidentemente la etapa meramente política o decisional; y, otro conjunto de competencias específicas de acuerdo con el rol específico que desempeña el sujeto en el procedimiento, etapa o instancia en la que le corresponde intervenir.

A partir de lo anterior, y considerando el término profesional como adjetivo, se revisará la propuesta de la Comisión Europea de establecer un marco de competencias que permiten caracterizar o determinar ciertos elementos que identifican al sujeto que ejerce la función de operador en la contratación pública, es decir al profesional como sustantivo.

1. Marco de referencia de competencias para la profesionalización: ProcurComp[EU]

La Comisión Europea elaboró un instrumento que establece un marco de referencia a nivel europeo que se refiere a un conjunto competencias profesionales en el ámbito de la contratación pública, denominado *ProcurComp[EU] Marco Europeo de Competencias para los profesionales de la contratación pública*. El propio Marco define el término *marco de competencias*, entendiendo por tal a "un modelo que sirve como marco de referencia para los profesionales y las organizaciones, y les proporciona herramientas para definir, evaluar y mejorar competencias".

---

[37]   nes de la Unión Europea, 2020, 10.
Sobre el interés general, véase: Jaime Rodríguez-Arana Muñoz, *Interés general, Derecho administrativo y Estado del bienestar* (Madrid: Iustel, 2012).

En primer lugar, cabe destacar que dos de las principales virtudes de *ProcurComp^{EU}* son metodológicas y didácticas, tanto por su estructura, lenguaje, orden y claridad, lo que se refleja, entre otros, en un glosario que define los términos más relevantes y sobre los cuales se construye el modelo de referencia. Entre los 32 términos definidos se encuentra el término competencia por el que se refiere a "los conocimientos, las capacidades y las actitudes que permiten que los profesionales y las organizaciones actúen con eficacia en un puesto o situación", del mismo modo define lo que entiende por capacidades y conocimientos. Señala por capacidades a "la habilidad de llevar a cabo una actividad o tarea específica adquirida a través de la experiencia profesional o la formación práctica", y por conocimientos a la "información objetiva, teórica, o práctica, sobre un tema que un profesional de la contratación puede adquirir a través de la educación o la formación".[38]

Estos tres términos: competencias, capacidades y conocimientos, además de las aptitudes, son el centro de la preocupación de Procur-Comp^{EU} a la hora de diseñar las herramientas de profesionalización sobre las cuales se construye la propuesta que realiza, y que se distingue de otras porque pone el foco en la realización del trabajo, de personas y organizaciones, de forma eficiente y eficaz para alcanzar rentabilidad para los ciudadanos, lo que se alcanza mediante la integración de equipos multidisciplinares, elevando la función profesional en el ámbito de la contratación pública a una función estratégica de los gobiernos y de las políticas públicas.

Otra de las cuestiones a destacar es que el modelo se construye desde la base de las personas para luego enfocarse en las organizaciones, lo que facilita la autoevaluación y la autoimplementación, es decir que es una aplicación autoejecutable, ya que al enfocarse en las personas que operan en los procedimientos de contratación, se hace

---

[38]   Es de gran relevancia que una herramienta práctica destinada a ser aplicada en instituciones y personas en una organización supranacional con proyección nacional, como es la Unión Europea compuesta por una multitud de 27 Estados con sus particularidades culturales, jurídicas e idiomáticas, avance en la estandarización o normalización terminológica de los más relevantes términos utilizados en la gestión profesional de la contratación pública, esta práctica debería ser de estilo en la contratación pública internacional.

con independencia del tamaño de la organización e incluso independientemente de si pertenece a un ente público o privado.

Así, ProcurComp[EU] se construye con base a tres herramientas base para abordar la evaluación, el desarrollo y fomento de las organizaciones y de las personas que intervienen en procesos y procedimientos de contratación pública, ellas son i. Matriz de competencias; ii. Herramienta de Autoevaluación; y, iii. Programa de formación de referencia. A continuación se hará referencia a la primera de ellas[39].

La *Matriz de competencias* efectúa una descripción de las que se consideran las competencias básicas (o mínimas) en el ámbito de la contratación pública, integradas por la triada conocimientos-capacidades-actitudes, las que a su vez se agrupan en dos categorías, específicas y genéricas.

Las competencias genéricas se refieren a aquellas competencias transversales y no técnicas, complementarias de las competencias específicas, y por competencia específica se entienden aquellos conocimientos y capacidades necesarios para cada una de las etapas de la contratación.

A su vez, tanto competencias específicas como genéricas se organizan internamente en tres grupos distintos. Las genéricas se agrupan en competencias denominadas: i. personales; ii. personas; y, iii. rendimiento. Al mismo tiempo, las específicas se reúnen en i. horizontales; ii. previas a la adjudicación; y, iii. posteriores a la adjudicación.

Este modelo de formación de competencias identifica cada uno de los procesos y subprocesos existentes dentro de un procedimiento de contratación, ligando las competencias a las etapas del ciclo de vida de la contratación. Estas son relevantes a la hora de organizar y combinar las competencias genéricas y específicas declaradas, ya que de ello dependerán los conocimientos, capacidades y aptitudes que deben reunir las personas que intervienen, todo ello sumado a que

---

[39]   Sobre las siguientes herramientas véase: Carmen de Guerrero Manso, "La imperiosa necesidad de profesionalización como clave del éxito en la contratación pública: La utilización de la herramienta ProcurComp[EU]," en *Observatorio de los contratos públicos 2020*, ed. José María Gimeno Feliú (dir.) y Carmen de Guerrero Manso (coord.) (Cizur Menor (Navarra): Thomson Reuters Aranzadi, 2021), 116 y sgtes.

cada competencia se estructura, por su parte, en cuatro niveles, que responden a las capacidades, conocimientos y responsabilidades por ocupación específica, asignándose alguno de los siguientes niveles: i. Básico, ii. Intermedio, iii. Avanzado, o, iv. Experto.

Se presenta en la herramienta un cuadro general de competencias agrupadas por categorías, grupos y las competencias específicas de cada grupo, tal como se puede apreciar en el cuadro resumen siguiente:

Cuadro 1: Resumen de competencias

Categoría de las competencias	Grupo de competencias	Competencia
ESPECÍFICAS DE LA CONTRATACIÓN	Horizontales	1. Planificación 2. Ciclo de vida 3. Legislación 4. Contratación electrónica y otras herramientas informáticas 5. Contratación sostenible 6. Contratación de innovación 7. Específica de categorías 8. Gestión de proveedores 9. Negociaciones
	Previas a la adjudicación	10. Evaluación de necesidades 11. Análisis y consultas de mercado 12. Estrategia de contratación 13. Especificaciones técnicas 14. Pliego de contratación 15. Evaluación de ofertas
	Posteriores a la adjudicación	16. Gestión de contratos 17. Certificación y pago 18. Informes y evaluación 19. Resolución y mediación de conflictos
GENÉRICAS	Personales	20. Adaptabilidad y modernización 21. Pensamiento analítico y crítico 22. Comunicación 23. Ética y cumplimiento
	Personas	24. Colaboración 25. Gestión de relaciones con las partes interesadas 26. Dirección de equipos y liderazgo
	Rendimiento	27. Conciencia organizativa 28. Gestión de proyectos 29. Orientación a los resultados 30. Gestión de riesgos y control interno

Fuente: Comisión Europea. ProcurComp[EU]. Marco Europeo de Competencias para los profesionales de la contratación pública. Luxemburgo: Oficina de Publicaciones de la Unión Europea, 2020, 27.

Los marcos de competencias profesionales cobran gran relevancia, puesto que ellos deben ajustarse a los desafíos de largo plazo de cada Estado y Administración, logrando contener y representar los elementos que expresen las necesidades formativas continuas de los cuadros de personal.

Para materializar los aspectos formativos la asociación con la sociedad civil y las universidades resulta esencial para que la Administración ponga a disposición del medio sus necesidades formativas, y así aquellas podrán responder con ofertas formativas asociadas a las necesidades de corto, mediano, pero sobre todo de largo plazo, sincronizando entonces la demanda formativa de la Administración con la oferta universitaria o técnica. Este modelo de asociación es una política pública para la preparación de capital humano avanzado para contribuir tanto desde la Administración Pública como desde la academia como desde el sector privado aumentando el estándar en la gestión pública, sobre todo buscando confluir en soluciones innovadoras para enfrentar los desafíos de nuestros tiempos, especialmente los relativos al cambio climático y la estabilidad democrática.

V. EL FACTOR (DES)POLITIZACIÓN EN LA (DES) PROFESIONALIZACIÓN DE LA CONTRATACIÓN PÚBLICA

Dos líneas principales de análisis se han desarrollado en la doctrina tanto del Derecho como de las Ciencias de la Administración Pública para abordar la profesionalización en la contratación pública: i. eficiencia de los procedimientos y ii. medidas anticorrupción. En ambas líneas es dable identificar un elemento común: el grado de impacto del elemento político en los procedimientos de contratación. Por ello, es relevante poner atención en la (des)politización de las decisiones y como ello afecta a la (des)profesionalización de la actividad en el orden de la contratación, en todos sus niveles y etapas.

La tensa relación entre política, función pública y funcionarios públicos responde a una problemática mucho mayor y sistémica referida—utilizando la diferencia conceptual y semántica planteada por

PONCE SOLÉ[40]—, a la relación entre quienes conducen la política o *politics*, con aquellos que ejecutan la política pública concreta o *policy*. Igualmente, es relevante incluir a aquellos que hacen las normas puesto que es a través de normas como se aplican o modelan las *policies* determinadas por las *politics*.

Es de Perogrullo que las decisiones políticas, en su diseño y en su materialización como políticas públicas requieren de sujetos con un nivel mínimo de preparación en el orden de la contratación pública, no obstante, las sociedades democráticas se enfrentan a un desafío de gran magnitud tal y como lo que ha puesto de manifiesto recientemente en una entrevista el renombrado sociólogo Richard SENNETT: "La clase política se está degradando progresivamente. Cuanto menos capaces son quienes se meten en política, más egoístas y narcisistas son.".[41]

La política (*politics*) tiene ritmos, tiempos y motivaciones diferentes de los ritmos, tiempos y motivaciones de la política pública, y esto no puede ser obviado en los análisis que se efectúan, de modo que es rol de los políticos lograr combinar y ajustar los intereses fundados en sus aspiraciones y motivaciones políticas con los estándares mínimos del Estado democrático de Derecho[42], especialmente en lo refe-

---

[40]   Juli Ponce Solé, "Remunicipalización y privatización de los servicios públicos y derecho a una buena administración. Análisis teórico y jurisprudencial del rescate de concesiones" *Cuadernos de derecho local*, no. 40 (2016): 80. Citado en: José María Gimeno Feliú, "Corrupción y seguridad jurídica. La necesidad de un marco normativo de las decisiones públicas anclado en los principios de Integridad y de Transparencia," *Revista internacional de transparencia e integridad*, no. 9 (2019): 6.

[41]   Berna González Harbour, "Richard Sennett: "Cuanto menos capaz es el político, más egoísta y narcisista es"," *El País* (España), 11-06-2022 2022, https:// elpais.com/ideas/2022-06-11/richard-sennett-cuanto-menos-capaz-es-el-politico-mas-egoista-y-narcisista-es.html. En un sentido similar, GIMENO FELIÚ pone de manifiesto la problemática con los gestores políticos que anteponen sus intereses sobre los colectivos, rompiendo el principio de igualdad. José María Gimeno Feliú, *Opiniones de un iuspublicista inquieto: a vueltas con el buen gobierno, la gestión pública, Europa y la educación y la Universidad*, Divulgación jurídica, (Cizur Menor (Navarra): Aranzadi, 2021), 130.

[42]   Se omite el término "social" *ex profeso*, atendidas las diferencias materiales entre el modelo de Estado social y democrático de Derecho de la Unión Europea y los

rido al respeto y promoción de los derechos fundamentales y que sus decisiones se encuadren en los intereses generales de la población[43], solo en dicha medida las decisiones políticas se legitimarán en una sociedad democrática.

A pesar que el control de las decisiones de mérito, oportunidad y conveniencia de una decisión política no forman parte de los mecanismos de control de legalidad[44], a menos que, como apunta GIMENO FELIÚ, se verifique una desviación de poder producto de *una motivación ajena a los intereses públicos*[45] en cuyo caso se presentaría una infracción al principio de juridicidad pudiendo ser controlada por los órganos jurisdiccionales o *cuasi jurisdiccionales*[46]. Así, la decisión política debe siempre ajustarse a la existencia de una necesidad pública y la solución debe ser idónea a la misma, expresándose tanto en el objeto del contrato como en las condiciones que se pacten, todo dentro de un procedimiento adecuado y eficiente en el ámbito de los fines institucionales del sector público, lo que ha sido puesto en forma expresa por el legislador español en la Ley de Contratos del Sector Público, 9/2017, todo lo que persigue, como ha sostenido MORENO MOLINA, lograr el *ajuste formal* a las normas de procedimiento, como así mismo verificar si es que se cumple con la "aptitud

---

estados democráticos de Derecho en América Latina, no obstante la enunciación formal expresada en algunas de las constituciones de esta última Región, por ejemplo, en el caso de Colombia cuando declara en su art. 1° que "Colombia es un Estado social de derecho…", tensionando el contenido formal y el contenido material.

[43]   Se utiliza el término *población* ya que es más amplio que el concepto *pueblo*, puesto que el primero incluye a todos los habitantes de un territorio y no únicamente a los que forman parte del cuerpo electoral, como es el caso del segundo.

[44]   En el caso chileno esto se encuentra directamente establecido como una limitación de control a la Administración por parte de la Contraloría General, sobre el punto, véase: Enrique Díaz Bravo, "La Contraloría General de la República de Chile, como foro de tutela de la contratación pública," en *Observatorio de los contratos públicos 2016*, ed. José María Gimeno Feliú (Cizur Menor, (Navarra): Thomson Reuters-Aranzadi, 2017), 600.

[45]   Gimeno Feliú, "Corrupción y seguridad jurídica. La necesidad de un marco normativo de las decisiones públicas anclado en los principios de Integridad y de Transparencia" 6.

[46]   Me remito a la nota al pie N° 29.

para desempeñar la función económica social asignada por el ordenamiento jurídico"[47] al contrato, es decir el contrato público como herramienta estratégica.

Dicho lo anterior, y asumiendo la realidad del fenómeno político, el control del estándar y calidad de la política pública y de la contratación pública se debe concentrar en el proceso de diseño, implementación y ejecución concreta de las mismas. Por esto, la inclusión de planificación de los contratos públicos como un proceso estándar mínimo (obligatorio, evidentemente) es un elemento de garantía de profesionalización del mismo, y luego, también como estándar mínimo (también obligatorio) evaluar el impacto de la política pública implementada a través del contrato, y que dicha evaluación tenga un efecto de calificación respecto del rendimiento de la propia Administración. En consecuencia, la profesionalización de los operadores de las políticas públicas, y es especial en la contratación pública, es uno de los mejores antídotos existentes contra los efectos nocivos de los administradores de la *politics*.

Aun cuando es una materia que excede de los límites objeto de este trabajo, no se puede dejar pasar que la implementación de los sistemas digitales y especialmente de plataformas electrónicas en los cuales se desarrolle íntegramente los procedimientos de contratación pública permitirá, como sostiene GEORGIEVA[48], disminuir la intervención del *elemento humano* y, consecuencialmente, provocará la disminución de ciertos espacios de subjetividad y de discrecionalidad no técnica para los funcionarios, evitando así actos de corrupción.

1. La meritocracia como factor de gobernabilidad

La configuración del sistema de empleo público es también otro factor en torno al desarrollo de conductas asociadas al fenómeno de

---

[47]   Moreno Molina, "La innovación en la contratación pública desde la Unión Europea," 67-68.

[48]   Irena Georgieva, *Using transparency against corruption in public procurement: a comparative analysis of the transparency rules and their failure to combat corruption*, 1st edition ed., vol. 11, Studies in European economic law and regulation, (Cham, Switzerland: Springer International Publishing, 2018).

la corrupción, ya no solo por las habilidades y competencias de los sujetos que acceden a la función pública, cuestión que es parte del foco principal de este trabajo, sino que además respecto de los sistemas de carrera funcionaria, asociados a la mayor o menor estabilidad en el empleo público y a la calidad en la gestión y resultados que desde los profesionales que conducen los procesos de contratación de la misma.

CHARRON et al. [49] han abordado esta cuestión logrando resultados de gran relevancia para la contratación pública estratégica y el eje de la profesionalización, ya que han vinculado tasas significativamente menores de corrupción asociadas a la evolución y desarrollo de la carrera de los funcionarios públicos cuando se funda en criterios meritocráticos y es realizada por pares (otros burócratas) a diferencia de cuando la carrera funcionaria y su evaluación depende de políticos y se funda en los *contactos* y no en los méritos.[50] Esto los lleva a concluir, con base en evidencia según demuestran en su estudios, que el nivel de meritocracia es un fuerte predictor, al menos en Europa, de la presencia de riesgos de corrupción[51].

Sin lugar a dudas la corrupción es un problema tan grave como indiscutible, por lo que su combate debe utilizar todos los medios disponibles, y es este sentido también puede ser abordada desde la perspectiva de la profesionalización de la gestión pública tal como evidenciaron los resultados del estudio conducido por BANDIERA, PRAT y VALLETTI, los que son concluyentes cuando sostienen que se debe *considerar a la ineficiencia como un problema que es potencialmente incluso más importante que la corrupción*[52], esto nos da un punto de par-

---

[49] Nicholas Charron et al., "Careers, Connections, and Corruption Risks: Investigating the Impact of Bureaucratic Meritocracy on Public Procurement Proces ses" *The journal of politics: JOP* 79, no. 1 (2017).

[50] En el mismo sentido, véase: Javier Miranzo Díaz, "El necesario cambio de paradigma en la aproximación a la corrupción en la contratación pública europea: propuestas para su sistematización," *Revista General de Derecho Administrativo*, no. 51 (2019)· 15.

[51] Charron et al., "Careers, Connections, and Corruption Risks: Investigating the Impact of Bureaucratic Meritocracy on Public Procurement Processes" 98.

[52] Oriana Bandiera, Andrea Prat, and Tommaso Valletti, "Active and Passive Waste in Government Spending: Evidence from a Policy Experiment," *American Econo-*

tida científico para reformular las políticas públicas encaminadas a la eficiencia de la contratación pública.

En el mismo orden de ideas, se ha concluido en el estudio de CHARRON et al.[53] que el ahorro proyectado de dinero público es enorme por el solo hecho de transitar desde un sistema basado en nombramientos políticos a un sistema basado en meritocracia, y todo ello por la disminución de los riesgos de corrupción, estimándose que equivaldría a un monto entre 13 a 20 mil millones de euros por cada año, ahorro referenciado en los precios de las licitaciones.

De este modo, y solo por razonamiento lógico, si nos enfrentamos a un fenómeno, como es el de la dependencia política del empleo público, tanto en su acceso, promoción y estabilidad, y que se ha comprobado que al menos acarrea dos consecuencias negativas que impactan en la Administración Pública, como son 1. Corrupción y 2. Ineficacia, se debe abordar una política pública urgente en dicho orden de ideas, que materialice y garantice el acceso, promoción y estabilidad en el empleo público con base en los principios de mérito y capacidad, en caso contrario no solo se actuaría en contra de la lógica, sino que en contra de la eficiencia y la eficacia para alcanzar los objetivos de interés público, que son los que debe perseguir la actuación administrativa y, por consiguiente, determinan el actuar de todos y cada uno de los profesionales en el ámbito de la contratación pública.

VI. CONCLUSIONES

La necesidad de preparación de los sujetos que forman parte en los procedimientos de contratación no es una necesidad exclusiva del sector público, se comparte con el sector privado, y tal como identificaba THOMAS a comienzos del siglo pasado en la cita con la que se inicia este texto, la necesidad de contar con compradores expertos en el manejo de todos los elementos de la cadena de adqui-

---

mic Review 99, no. 4 (2009): 1305.

[53] Charron et al., "Careers, Connections, and Corruption Risks: Investigating the Impact of Bureaucratic Meritocracy on Public Procurement Processes" 103.

sición, especialmente coordinada entre los diversos niveles funcionales, es uno de los elementos de la naturaleza de cualquier sistema de aprovisionamiento, no obstante ello, en el sector público constituye una carga mayor por el grado de afectación a bienes públicos que impactan en los derechos de los habitantes con mirada estratégica.

La crisis sanitaria iniciada en 2019 ha generado impactos sociales, económicos y políticos graves, acrecentados recientemente por la guerra en Ucrania y la crisis energética y climática. En dicho orden de cosas es que la Unión Europea aprobó el Plan de Recuperación, Transformación y Resiliencia en el marco de los Fondos *NextGeneration*-UE destinados a generar el más importante paquete de estímulos económicos y financieros de la historia, y para su aplicación se dictó en España el Real Decreto-Ley 36/2020, de 30 de diciembre, por el que se aprueban medidas urgentes para la modernización de la Administración Pública y para la ejecución del Plan de Recuperación, Transformación y Resiliencia. En el preámbulo del citado Decreto-Ley se contienen un conjunto de motivaciones para la implementación y ejecución de los recursos provenientes del citado Plan, donde se fija ya no solo un marco orientador, sino que mandatos concretos de actuación en los que se requiere de una Administración Pública capaz de soportar la carga administrativa que supone la materialización del Plan, tanto en la planificación, como en la ejecución y el control de los recursos.

Así, es importante resaltar las siguientes consideraciones contenidas en el Real Decreto-ley 36/2020:

> ...será evidente el papel protagonista de las Administraciones Públicas para el impulso, seguimiento y control de los proyectos del Plan, y para la necesaria absorción de los fondos europeos del Instrumento Europeo de Recuperación. Esta absorción será el reflejo del éxito de la ejecución del Plan con las correspondientes transferencias de ingresos al presupuesto nacional. Pero además, la absorción de fondos plantea un verdadero reto país para todos los actores implicados puesto que, la capacidad de España para diseñar proyectos elegibles, llevarlos a cabo, desarrollarlos alcanzando los hitos y objetivos establecidos para generar impactos estructurales y canalizar inversiones, al mismo tiempo que se protegen los intereses financieros del país y

de la Unión Europea, es un desafío clave sobre todo considerando el importe de las inversiones y el breve periodo de tiempo establecido para la ejecución.

Las Administraciones Públicas españolas, y en especial la Administración General del Estado deben jugar un papel clave, ágil, eficaz y eficiente para el éxito de la ejecución y además para el control y la salvaguarda necesarios que permitan justificar fehacientemente la solicitud de reembolsos y la absorción de los fondos, lo que hace preciso revisar los obstáculos y cuellos de botella existentes en la normativa y en los procedimientos e instrumentos de gestión pública y, una vez analizados, es preciso acometer reformas que permitan contar con una Administración moderna y ágil capaz de responder al desafío que la ejecución de proyectos vinculados a los fondos del Instrumento Europeo de Recuperación plantean.

La Administración Pública debe responder de modo ágil y eficaz, como sobradamente ha demostrado en otras ocasiones, y sin disminuir sus obligaciones de control, salvaguardando el interés general. Para ello, es preciso acometer un proceso de modernización que le proporcione las herramientas necesarias para acometer la ejecución del Plan y la mejor gestión de fondos, contando con el sector público y el sector privado.

En los momentos de crisis y de estrés de los sistemas administrativos, se pone a prueba la fortaleza y la capacidad de estos para hacer frente a los desafíos, y en todo evento es el elemento humano el que debe planificar, ejecutar y controlar, evidenciando el grado de capacidad y competencias de su estructura institucional y las competencias individuales de los miembros que la componen. Es así como en el citado Preámbulo se recoge como central *el reto país para todos los actores implicados* para poner a prueba la capacidad de España para cumplir con el Plan más ambicioso de la historia de la Unión Europea, que asume una multiplicidad de elementos de alta complejidad tales como la implicancia de normativa multinivel, europea y doméstica, y los aspectos contables y financieros, tanto en la ejecución como en el control de los fondos, todo sin perder de vista el cuadro general del Plan y el fin final de las políticas públicas como son los intereses generales, todo esto dentro del modelo imbricado de distribución territorial de competencias español.

Para alcanzar las desafiantes medidas propuestas por el Plan *NextGeneration-UE* y, tal como ha puesto de manifiesto la normativa española, se debe contar con un cuadro de profesionales que cumplan con las condiciones de competencias mínimas que garanticen la correcta realización del encargo público que les corresponden en el ejercicio de la función que les encomienda el ordenamiento jurídico.

La capacidad técnica y la aptitud personal que configuran la competencia profesional deben encontrarse acompañadas de políticas concretas de captación y retención de dicho talento humano como condiciones esenciales que deben perseguirse por la Administración Pública, y no pidiendo al funcionario que cumpla con sus cometidos por mero voluntarismo, suerte o alegatos patrióticos a lo público.

Del mismo modo, debe garantizarse el rol estratégico de la función profesional de los operadores de la contratación pública, estableciendo una asignación de funciones que cumpla con una marco de referencia de prioridades de acuerdo a la importancia de la actividad encomendada y de la relevancia del impacto que ello genera dentro de las propias políticas públicas del organismo al que pertenece, dejando atrás las asignaciones por azar o por motivos políticos, sino que fundadas debidamente y motivas suficientemente, a partir de indicadores organizacionales y funcionales preestablecidos.

De esta forma se evitará que se le asigne el rol de operador en procesos y procedimientos de contratación pública a un funcionario como una tarea adicional de carácter secundario o terciario, diluyéndose la fuerza y el rol estratégico de la actividad entre decenas de tareas meramente burocráticas, para las cuales no se necesita a un sujeto con capacidades técnicas ni aptitudes personales que se ajusten al modelo de competencias de la contratación pública, es decir, la ineficacia puede presentarse tanto desde la perspectiva funcional (incorrecta asignación de funciones), como desde la perspectiva personal (subutilización del recurso humano), o ambas.

Dichas medidas permitirán avanzar en la profesionalización de la más importante actividad que realiza el Estado en su faz administrativa, tanto por su archiconocido impacto en el producto interior bruto de los países, pero también como herramienta de política pública para mejorar el estándar de calidad de vida y derechos de las personas o, en palabras de GIMENO *como herramienta de justicia social.*[54]

Para alcanzar dichos fines es relevante repensar la estructura administrativa y el entramado normativo y funcional de la función pública relacionada con la contratación pública, y así se hacen necesarias una serie de condiciones mínimas:

i.   una estructura institucional y organizacional al servicio del cumplimiento de los fines generales de la Administración con enfoque en los objetivos estratégicos;

ii. un régimen de empleo público con base a capacidades y mérito, que asegure estabilidad e independencia en la función pública en el ámbito de la contratación pública;

iii. una estructura de recursos humanos adecuado para captar, promover y retener a los profesionales correctos a cada función;

iv. un mecanismo de incentivos que promueva la mejora de rendimiento y valor público en el desempeño de las funciones.

v.   un sistema de formación y capacitación de operadores en el ámbito de la contratación pública, asociado al cumplimiento de un plan de desarrollo estratégico de los operadores públicos y privados, con participación de la sociedad civil y las universidades.

En consonancia con lo anterior, la profesionalización de la función profesional en la contratación pública implica la asignación dinero, y de mucho dinero, todo el que haga falta en las partidas presupuestarias relativas a los recursos humanos en la Administración Pública, ya que dicha inversión en contratación pública, como se ha visto en este trabajo, provoca beneficios indirectos y generales, por una parte, *en valor público* que se expresa en mayor confianza ciudadana en la labor de la Administración y la disminución de la corrupción; y, por otra parte, beneficios directos y concretos expresa-

---

[54]   Gimeno Feliú, "La visión estratégica en la contratación pública en la Ley de Contratos del Sector Público: hacia una contratación socialmente responsable y de calidad" 415.

dos en *ahorros en el propio sistema de contratación pública*, especialmente por la mejora de la eficiencia y eficacia de la contratación dentro del marco estratégico el cual se implementa la política pública de profesionalización destinada a la captación y retención de profesionales suficientemente formados y que cuenten con habilidades y competencias mínimas para el cargo, función u ocupación para el cual son contratados.

Los recursos se deben considerar en el completo "ciclo de vida" del profesional, es decir, considerando todos los procesos relacionados entre un sujeto y la Administración, ya sea en lo referido a la etapa de contratación, atracción y selección de los mejores profesionales disponibles, y también a la etapa de formación, preparación y promoción de estos, siempre contando con remuneraciones e incentivos que permitan cautivar a dichos profesionales para que se mantengan en el servicio público, y que además de mantenerse lo cumplan con apego al ordenamiento jurídico, promoviendo el cuidado del principio de integridad.

Ahora bien, en lo referido a las políticas de incentivos por hacer el trabajo por sobre el estándar normativo de la "mera" función pública, se trata de medidas destinadas a alcanzar rendimientos óptimos y mejoras en los procesos, decisiones y en los propios resultados. Es una medida de política pública que se encuadra en los objetivos de eficiencia y eficacia de la labor de la Administración pública y plenamente coincidente con la mirada estratégica que, en la actualidad, es un componente estructural de la contratación pública. Es decir, el sistema de incentivos debe alcanzar un doble propósito de carácter copulativo: i. Debe hacer atractiva la función profesional en la contratación pública; y, ii. Debe motivar a los funcionarios a cumplir objetivos estratégicos, tal como lo ha dicho la Comisión Europea en la Recomendación (UE) 2017/1805, sobre la profesionalización de la contratación pública.

Los planes, programas y los marcos de competencias que las organizaciones internacionales han puesto en el foco para la profesionalización son una clave para avanzar en la mejora del entorno del sistema, pero ellas no deben ser las únicas que promuevan e intenten movilizar las políticas domésticas de los Estados, así la labor, entre otros, de la OCDE, la UE y la RICG se debe acompañar, igualmente, por iniciativas de universidades y organizaciones de la sociedad civil que promuevan la generación de valor público y el uso estratégico de la contratación pública, aportando elementos, herramientas y estrategias para mejorar las capacidades y competencias de los operadores públicos y privados. Así, la asociatividad debe ser parte de la estrategia para la profesionalización, tanto en la identificación de las necesidades formativas como en la generación de la demanda y oferta de servicios para su satisfacción.

En definitiva, la profesionalización provoca un efecto dominó altamente virtuoso para el entramado administrativo y para la propia función pública basada en la meritocracia, es una herramienta para la mejora de la eficiencia, la eficacia y la calidad de la contratación pública y un remedio determinante en el combate contra la corrupción, todo esto se traduce en una sencilla pero regla: Mayor profesionalización en el sector público (y privado) significa menor corrupción en el sistema, confiriendo mayor eficiencia y eficacia a la actividad de la Administración *Pública*, lo que nos da como resultado mayor calidad democrática y mejora en el estándar de calidad de vida a las personas.

VII. REFERENCIAS BIBLIOGRÁFICAS

ALMAGRO CASTRO, David, y DÍAZ BRAVO, Enrique. *Temas Básicos de Derecho Público. Primera Parte.* Manuales. Valencia: Tirant lo Blanch, 2022.

ARIÑO ORTIZ, Gaspar. "Problemática actual de la contratación de las Administraciones Públicas." 17-36: Marcial Pons, 1996.

BANDIERA, ORIANA, Andrea Prat, and Tommaso Valletti. "Active and Passive Waste in Government Spending: Evidence from a Policy Experiment." *American Economic Review* 99, no. 4 (2009): 1278-308.

CANTERO MARTÍNEZ, Josefa. "La profesionalización de la contratación pública como herramienta de innovación." En *Administración electrónica, transparencia y contratación pública*, editado por Isaac Martín Delgado y José Antonio Moreno Molina, 197-246. Madrid: Iustel, 2020.

CANÓNICO SARABIA, Alejandro. "La contratación pública estratégica: con especial referencia al acceso de las PYMES en las compras públicas." 2019.

CHARRON, NICHOLAS, Carl Dahlström, Mihaly Fazekas, and Victor Lapuente. "Careers, Connections, and Corruption Risks: Investigating the Impact of Bureaucratic Meritocracy on Public Procurement Processes." *The journal of politics: JOP* 79, no. 1 (2017): 89.

DECAROLIS, FRANCESCO, Leonardo M. Giuffrida, Elisabetta Iossa, Vincenzo Mollisi, and Giancarlo Spagnolo. "Bureaucratic Competence and Procurement Outcomes." *The Journal of Law, Economics, and Organization* 36, no. 3 (2020): 537-97.

DRAGOS, Dacian. "Article 24. Conflicts of Interest." En *European Public Procurement: Commentary on Directive 2014/24/EU*, edited by Roberto Caranta and Albert Sanchez-Graelis, 254-73. Northampton: Edward Elgar Publishing, 2021.

DÍAZ BRAVO, Enrique. *El recurso en materia de contratación pública en el Derecho europeo y su aplicación en España*. 1ra ed. Valencia: Tirant lo Blanch, 2019.

—, "El Tribunal de Contratación Pública chileno: exámen de su regulación." En *Contratación Pública Global: Visiones Comparadas*, editado por Enrique Díaz Bravo y José Antonio Moreno Molina, 743-79. Valencia: Tirant lo Blanch, 2020.

—, "La Contraloría General de la República De Chile, como foro de tutela de la contratación pública." Cap. 13 En *Observatorio de los Contratos Públicos 2016*, editado por José María Gimeno Feliú, 597-624. Cizur Menor, (Navarra): Thomson Reuters-Aranzadi, 2017.

DÍEZ SASTRE, Silvia. "Contratación pública socialmente responsable." En *Contratación, competencia y sostenibilidad: Últimas Aportaciones Desde El Derecho Administrativo*, 263-87: Cizur Menor (Navarra): Civitas, 2017.

FERNÁNDEZ ACEVEDO, Rafael. "El sistema español de recursos en materia de contratación pública: entre los derechos a una buena administración y a la tutela judicial efectiva." En *Contratación Pública Global: Visiones Comparadas*, editado por Enrique Díaz Bravo y José Antonio Moreno Molina, 659-705. Valencia: Tirant lo Blanch, 2020.

GALLEGO CÓRCOLES, Isabel. "El Derecho de la contratación pública: evolución normativa y configuración actual." Cap. I en *Tratado De Contratos Del Sector Público*, editado por Isabel Gallego Córcoles y Eduardo Gamero Casado, 72-160. Valencia: Tirant lo Blanch, 2018.

GARCÍA MEJÍA, Mauricio. "Evidencia y marcos conceptuales de la lucha contra la corrupción en la policia de Latinoamérica." Complutense de Madrid, 2016.

GARCÍA RODRÍGUEZ, Manuel J. "Tecnologías digitales para el control de la contratación pública." *Auditoría Pública*, no. 79 (2022): 89-100.

GEORGIEVA, Irena. *Using Transparency against Corruption in Public Procurement: A Comparative Analysis of the Transparency Rules and Their Failure to Combat Corruption.* Studies in European Economic Law and Regulation. 1st edition ed. Vol. 11, Cham, Switzerland: Springer International Publishing, 2018.

GIMENO FELIÚ, José María. "Corrupción y seguridad jurídica. La necesidad de un marco normativo de las decisiones públicas anclado en los principios de integridad y de transparencia." *Revista internacional de transparencia e integridad*, no. 9 (2019).

—, "El necesario big bang en la contratación pública: hacia una visión disruptiva regulatoria y en la gestión pública y privada, que ponga el acento en la calidad." *Revista General de Derecho Administrativo*, no. 59 (2022).

—, "La visión estratégica en la contratación pública en la Ley de Contratos Del Sector Público: hacia una contratación socialmente responsable y de calidad." *Economía industrial*, no. 415 (2020): 89-97.

—, *Opiniones de un Iuspublicista inquieto: a vueltas con el Buen Gobierno, la gestión pública, Europa y la educación y la universidad.* Divulgación Jurídica. Cizur Menor (Navarra): Aranzadi, 2021.

GONZÁLEZ HARBOUR, Berna. "Richard Sennett: "Cuanto menos capaz es el político, más egoísta y narcisista es"." *El País* (España), 11-06-2022, 2022. https://elpais.com/ideas/2022-06-11/richard-sennett-cuanto-menos-capaz-es-el-politico-mas-egoista-y-narcisista-es.html.

GORDON, STEPHEN, Stanley Zemansky, and Alex Sekwat. "The Public Purchasing Profession Revisited." *Journal of Public Budgeting, Accounting & Financial Management* 12 (2000): 248-71.

GUERRERO MANSO, Carmen de. "La imperiosa necesidad de profesionalización como clave del éxito en la contratación pública: la utilización de la herramienta ProcurComp[EU]." En *Observatorio de los Contratos Públicos 2020*, editado por José María Gimeno Feliú (dir.) y Carmen de Guerrero Manso (coord.), 91-125: Cizur Menor (Navarra): Thomson Reuters Aranzadi, 2021, 2021.

KAUPPI, Katri, and Erik M. van Raaij. "Opportunism and Honest Incompetence—Seeking Explanations for Noncompliance in Public Procurement." *Journal of Public Administration Research and Theory* 25, no. 3 (2014): 953-79.

LÓPEZ MENUDO, Francisco. "Del Administrado al Ciudadano: Cuarenta años de evolución." *Administración de Andalucía: Revista Andaluza de Administración Pública*, no. 104 (2019): 18-44.

MARTIN, Katy. "Purposes, Processes and Parameters of Continuing Professional Learning." University of Dundee, 2017. https://core.ac.uk/download/pdf/96931969.pdf.

MAURI I MAJÓS, Joan. "El acceso irregular a los empleos públicos: la erosión del principio de mérito" En *Empleo Público, Derecho a Una Buena Administración e Integridad*, 41-96, 2018.

MEDINA ARNÁIZ, Teresa. "La Contratación Pública Estratégica." En *La Contratación Pública Estratégica en la contratación del sector público*, editado por Tomás Quintana López, 81-99. Valencia: Tirant lo Blanch, 2020.

MEILÁN GIL, José Luis. "Las Prerrogativas de la Administración en los contratos administrativos: Propuesta de revisión." *Revista de Administración Pública*, no. 191 (2013): 11-41.

MIRANZO DÍAZ, Javier. "El necesario cambio de paradigma en la aproximación a la corrupción en la contratación pública europea: propuestas para su sistematización." *Revista General de Derecho Administrativo*, no. 51 (2019).

MORENO MOLINA, José Antonio. "Criterios sociales de adjudicación en el marco de la contratación pública estratégica y sostenible Post-Covid-19." *Revista Española de Derecho Administrativo*, no. 210 (2021): 45-78.

—, "La Innovación en la contratación pública desde la Unión Europea." En *Administración Electrónica, Transparencia y Contratación Pública*, editado por José Antonio Moreno Molina e Isaac Martín Delgado, 55-80. Madrid: Iustel, 2020.

PERNAS GARCÍA, Juan José. "Compra pública verde y circular: el largo (y lento) camino hacia una amplia aplicación práctica de la contratación estratégica." En *Observatorio De Políticas Ambientales 2020*, 873-914. Madrid: CIEMAT, 2020.

—, "Comprar «rápido» y «estratégicamente» en la ejecución de los fondos Next Generation: análisis y valoración de las medidas estatales y autonómicas para la agilización de procedimientos de contratación pública y para la utilización estratégica de las compras públicas." *Revista Aragonesa de Administración Pública*, no. 20 (2021): 155-216.

PINTOS SANTIAGO, Jaime. "Contratación Pública Estratégica Integral." En *Planificación y racionalización de la compra pública*, 29-59. Cizur Menor (Navarra): Thomson Reuters Aranzadi, 2020.

PONCE SOLÉ, Juli. "Remunicipalización y privatización de los servicios públicos y derecho a una buena administración. análisis teórico y jurisprudencial del rescate de concesiones." *Cuadernos de Derecho Local*, no. 40 (2016): 68-108.

RASTROLLO SUÁREZ, Juan José. *Evaluación del desempeño en la Administración: hacia un cambio de paradigma en el sistema español de empleo público.* Monografías. Valencia: Tirant lo Blanch, 2018.

RODRÍGUEZ-ARANA MUÑOZ, Jaime. *Interés General, Derecho Administrativo y Estado del Bienestar.* Madrid: Iustel, 2012.

SÁNCHEZ MORÓN, Miguel. *Derecho de la función pública.* Décimocuarta edición ed. Madrid: Tecnos, 2021.

TAPPER, Alan, and Stephan MILLETT. "Revisiting the Concept of a Profession." *Research in Ethical Issues in Organizations* 13 (2015): 1-18.

THAI, Khi V., and Rick GRIMM. "Government Procurement: Past and Current Developments." *Journal of Public Budgeting, Accounting & Financial Management* 12, no. 2 (2000): 231-47.

THOMAS, Arthur G. *Principles of Government Purchasing.* Principles of Administration. Edited by The Institute for Government Research. New York: D. Appleton and Company, 1919.

VALCÁRCEL FERNÁNDEZ, Patricia. "La especialización o la profesionalización, la independencia y el liderazgo como elementos clave para el buen funcionamiento del recurso especial en materia de contratación pública español." En *Contratación Pública Global: Visiones Comparadas*, editado por Enrique Díaz Bravo y José Antonio Moreno Molina, 587-615. Valencia: Tirant lo Blanch, 2020.

Documentos:

Comisión Europea. ProcurComp[EU]. Marco Europeo de Competencias para los profesionales de la contratación pública. Luxemburgo: Oficina de Publicaciones de la Unión Europea, 2020.

—, Recomendación (UE) 2017/1805 de 3 de octubre de 2017, sobre la profesionalización de la contratación pública, "Construir una arquitectura para la profesionalización de la contratación pública".

—, Comisión al Parlamento Europeo, al Consejo, al Comité Económico y Social Europeo y al Comité de las Regiones. Conseguir que la contratación pública funcione en Europa y para Europa. COM(2017)572.

Organización para la Cooperación y Desarrollo Económicos (OCDE). Recomendación del Consejo de la OCDE sobre Contratación Pública, http://

www.oecd.org/gov/public-procurement/OCDE-Recomendacion-sobre-Contratacion-Publica-ES.pdf. 2015.

Organización de Estados Americanos (OEA).Summit of the Americas (9th: 2022: Los Angeles, California, United States of America). Mandatos adoptados en la IX Cumbre de las Américas. / Preparado por la Secretaría de Cumbres de las Américas. Organización de los Estados Americanos. (OAS. Documentos oficiales; OEA/Ser.E).

—, Summit of the Americas (8th: 2018: Lima, Peru). Compromiso de Lima: Gobernabilidad democrática frente a la corrupción: VIII Cumbre de las Américas: 13 y 14 de abril de 2018: Lima, Perú / Preparado y publicado por la Secretaría de Cumbres de las Américas. (OAS. Documentos oficiales; OEA/Ser.E)

—, AG/RES. 2894 (XLVI-O/16), Fortalecimiento de la Democracia. Aprobada en la cuarta sesión plenaria, celebrada el 15 de junio de 2016.

Red Interamericana de Compras Gubernamentales (RIGC). Declaración "Contratación pública como área estratégica para la generación de un mayor valor público y un mejor acceso a derechos de la ciudadanía" https://secureservercdn.net/198.71.233.44/u1y.854.myftpupload.com/wp-content/uploads/2021/12/DECLARACION-RICG-2021.pdf. 2021.